母のミレヤへ
そして
ジョーン

目次

＊本書では敬称を省略した。

日本語版序文

この序文執筆に際して私が想定したねらいは二つあった。一つは、日本の読者に向けて、本書の中心的メッセージをいっそう明確にすること。そしてもう一つは、本書で取り上げた分野――グローバル化、日本の政治経済、地経学、地政学――のすべてに関し分析をアップデートして、ネットワークパワー（国家）たる日本の役割についての意味を引き出すことである。

日本の近年および将来の可能性を語るにあたり、「失われた二〇年」や「失われた三〇年」といった表現が支配的言説として使われる。この常套句に日本の読者が疑問の目をもってくれるよう促すのが、本書の基本的なねらいだ。過去三〇年間を衰退と停滞で手も足も出なかった時代と定義するのではなく、日本の政治・経済・外交政策に対する評価を通じ、より大きな変容と適応のストーリーとして提示する。日本にとってこの三〇年が過酷な時期であったことは間違いない。再燃する国家間対立や、国際紛争の広がりに加えて、国内では人口減少、低成長、数々の自然災害、グローバル化による危機に直面した。日本はこれらの課題の解決に苦戦し、時には場当たり的な対応をしながらも、適応と進化を続けた。その過程を通じて、いまやこの国は世界に影響をおよぼしうる存在として、二一世紀最初の四半世紀を決定づける大きな変化を形成する力をもっている。

日本は経済グローバル化に巧みに適応してきた。所得格差は拡大しているが、社会および政治的な一体性という強みもある。また、強靭性のあるリベラルな民主制があり、他の工業国を揺り動かしているポピュリズムの波に呑まれていない。過小評価されることが多いのだが、これらは大きな功績だ。巨大な経済グループや深化した安全保障関係の形成を仲立ちすることで、ネットワークパワーとしてみずからを作り替えてきたのも、他国には見られない類いまれな業績と言える。連結性を推進する日本政府の大戦略には確かに先見の明があった。これからの地政学のかなめとなるのは、複数の領域で連携しあう同志国のネットワークだ。この重要な条件において、日本は変化の先端を進んでいる。

とはいえ、切迫する国内問題と悪化する国外危機が今後も日本とパートナー諸国に負荷をかけ、この激しい荒波における舵取りを困難にするだろう。次にまとめるとおり、ここ数年に生じた主な展開は、国内の再生路線を維持していけるかどうか、また二〇一〇年代と同じく二〇二〇年代にも決断力ある外交活動を実行していけるかどうか、その成否に日本の命運が大きくかかっていることを強調している。

日本経済の正常化？

ここ数年の日本の経済および経済政策をめぐる報道には、「過去最高の」「〜年ぶりに」という表現が頻出している。二〇二四年初頭には日経平均株価が三万九〇九八円という過去最高値に達し、バブル崩壊前の記録を更新した。コアインフレ率はほぼ二年にわたり二％目標を上回り続けた。二〇二四年の春闘では約三〇年ぶりの賃上げ率を達成した（平均五・三％増）。超金融緩和政策を終息させる条件がようやく整い始めたと判断し、三月に日本銀行総裁の植田和男がマイナス金利解除を宣言して、一七年ぶりの利上げに動いた（ただし〇％から〇・一％程度）[1]。これらの動きがあったにもかかわらず円安は続き、翌四月には一ドル一五五円に到達して、一九九〇年以降三四年ぶりの安値更新となった[2]。同時期に政府は財政刺激策にいっそう力を入れている。ここ二年間に国会が承認した予算案は、二〇二三年度が一一四・三八兆円で過去最高、二〇二四年度が一一二・五七兆円で過去二番目だった[3]。

ニュースの見出し以外の重要な傾向にもいくつか注目したい。アベノミクス期にも日本株は上昇したが、今の株式ブームは当時と類似点もあれば差異もある。主な差異の一つは現在の国際環境だ。米中の緊張関係と、中国経済の大幅な成長鈍化により、日本という市場は安全な場所とみなされ、外国人投資家にとっての魅力が増した。その一方で現在の株式相場の上昇は、企業改革の重要性をあらためて裏づけるものだ。これについては日本取引所グループが企業を促し、企業評価を向上させ、より効率的な資本の利用につなげている[4]。今後の最大の疑問は、株価上昇の恩恵がこのまま金融セクターにとどまる――過去にそうだったように――のか、それとも今回は広範囲に波及効果をもたらしていくのか、という点だ。

岸田文雄首相は政治的資本を大きく投入して、自身が掲げる「新しい資本主義」を軌道に乗せるであろう実質賃金上昇に向け、強気の改革を進めている。大手企業はようやくこれに耳を貸し、大幅な賃上げを始めているが、中小企業でどの程度まで賃上げが進むかはまだ判断がつかない。日銀は引き続き慎重な動きをしており、インフレ傾向を監視しながら、賃上げが国内消費を改善するかどうかを評価している。アメリカの頑固なインフレに鑑みると、連邦準備制度（Ｆｅｄ）が利下げに踏み切るとは考えにくく、日米間の大きな金利差が日本の利上げ後に予想されていた円上昇を食い止め続けている。

日本の経済政策の正常化はすでに始まった。新しく、そして重要な取り組みではあるが、金融政策の次なるパラダイムへの移行は今後時間をかけて進むだろう。関係機関は引き続きインフレ率を子細に監視し、利上げが経済成長を抑制しないよう神経をとがらせていくこととなる。

岸田および自民党の真価が試される究極の課題：政治改革

経済に関する喜ばしいニュース――デフレ脱却と、労働者の大幅な所得増加――は、岸田首相を政治的に助けてはいない。国民の政権支持率は何カ月も低迷し、ＮＨＫ（日本放送協会）による二〇二四年四月の世論調査では二三％にまで下がった。[5] 多くの世帯が実感している物価高も一因だが、前年に自民党内の複数派閥において、政治資金パーティ収入からの議員へのキックバックについて法で定められた報告がなされていなかったことが明るみに出て、自民党に対する国民感情は著しく冷え込んでいる。この不正資金問題は自民党にとって過去数十年間で最も深刻なスキャンダルであり、岸田がこれにどう対処するかが岸田自身の政治的運命を決定づけるだけでなく、日本の民主制に大きな影響をおよぼしていくと思われる。

問題は広く根深い。多数の派閥にわたる大勢の政治家——特に影響力をもつ安倍派の議員たち——が関与している。立法関係者、会計担当者、政治家秘書らが何人か起訴されたが、派閥の幹部クラスの議員たちは刑事処分に至っていない。このスキャンダルが特に人々の神経を逆撫でする理由は、旧来の金権政治の根絶や透明性と説明責任の改善がいかに難しいものであるかを浮き彫りにしているからだ。特に、根本的にはカネと人事の集まりだった自民党の派閥制度に、厳しい目が向けられている。

岸田首相と自民党上層部は党の改革を約束し、国民の信頼回復に向けて倫理憲章やガバナンスコードの強化を行った。二〇二三年一二月の四閣僚交代から一カ月後、岸田自身の派閥の解散を決定したことは多くの人を驚かせた。岸田は賛同する派閥リーダーたち——全員ではない——とともに、他の派閥にも同じ選択を奨励している。派閥を真の政策集団に転換し、政治家の責任を強化するという目的のもと、自民党は二〇二四年三月に党政治刷新本部による改正案を承認。改正案は——本格的に実施されるならば——党のダイナミクスを作り替えることが可能となるものだ。新たなルールでは派閥の政治資金パーティ開催や議員人事に関するはたらきかけを禁じている。また、収支報告の確認作業の一端に政治家自身を関与させることで、会計責任者だけが責任を負わされないようにした。ただし運用には法に基づく執行が必須であり、党改革を試みる自民党の本気度はこれから試されることとなる。

岸田首相は自民党議員ら三九人に対してバランスをとった処分を試みた。国民の要求を満たすだけの厳しいペナルティを与えつつ、四月に補欠選挙、九月に自民党総裁選を控え、場合によっては首相判断で解散総選挙があるかもしれない年に、党の団結が揺らぐほど厳しすぎるペナルティにはしないというバランスだ。幹部二人に離党勧告、その他は一時的な党員資格停止や役職停止としている。しかし日本国民の怒りはやわらがなかった。今もスキャンダルに対する首相対応に不満を抱き、派閥政治が真に排除されるかどうか疑わしく感じている。

政治資金規正法の改革を進めるために設置された衆議院特別委員会(6)が、今後の岐路を左右する。議員たちの取り組みが表面的な対策しか生まないのだとしたら、政治プロセスにおける国民の心離れがいっそう進み、すでに投票率低迷に苦しむ日本の民主制度が損なわれていくだろう。反対に意義のある改革がなされるのであれば、政治に関心をもつ国民が増えて好循環が生み出される。金権政治を根絶し、さらなる政治改革を進めるためにも、これは非常に重要なことである。

ポストコロナのグローバル化

二〇二四年春の国会ではさらに重要な法案が通過する。改正入管法案(出入国管理及び難民認定等の一部を改正する法律案)だ。技能実習制度を段階的に廃止し、代わりに非熟練外国人労働者の育成システムを整える。高度熟練労働者に永住も認めるビザプログラムを通じて、外国人単純労働者を積極的に迎え入れていくという、二〇一九年から進めてきた取り組みをさらに強固にするもので、特に最新の改正は、雇用者による虐待を含め、技能実習制度が抱えるさまざまな問題を踏まえている。しかし、外国人実習生の在留資格において、労働環境が最善でない場合の転職を可能にする労働移動を完全に認めてはいないので、対策として中途半端である。[7] 実習生は指定された雇用主のもとで引き続き一年か二年は働かなければならない。とはいえ改革の方向性としては悪くない。日本が新型コロナウイルス感染拡大の対策として定めた厳格な入国規制が、壊滅的な労働力不足の解消を阻んでいたからだ。外国人労働者の数は二〇二三年秋に初めて二〇〇万人を超えたが、[8] 増大する外国人労働者が社会に溶け込むための十分な支援と、よりよい労働環境の提供という点で、今後いっそうの努力が求められる。

貿易におけるアメリカのリーダーシップが弱まり、経済的相互依存の武器化が拡大していることもあり、ポストパンデミック時代における日本の経済グローバル化は重大な試練に直面している。バイデン政権がインド太平洋地域に対して掲げた経済政策――「インド太平洋経済枠組み」（ＩＰＥＦ）――は期待外れの状態だ。ＩＰＥＦの四本の柱のうち三本については交渉がまとまったが、もっぱらソフトな協力を提供するもので、長期的に実行されていくかどうかはジョー・バイデン大統領の再選しだいである。ドナルド・トランプはすでにこのイニシアティブへの批判を表明しているからだ。さらに、残った重要な「柱1」、すなわち貿易に関する基準は、厳しい逆風に直面している。バイデン政権は民主党内の進歩派からの反発を受け、ＩＰＥＦにおけるデジタル貿易交渉を保留にし、ＷＴＯ電子商取引交渉でも自由なデータ流通への支持を取り下げた。これはアメリカのデジタル貿易外交を迷走させ、日本にとってはデジタル保護主義の回避をめざす従来の味方が失われた。

アメリカの大統領選が今年秋に迫り、日本政府は、アメリカの貿易政策において継続する部分と変化する部分の両方に備えていかなければならない。自国防衛的な対中経済措置と、包括的貿易協定への懐疑的姿勢は、おそらく今後も継続するだろう。対中貿易戦争で設けられた関税は今も撤廃されず、中国政府が成長回復の手段として過剰生産能力の輸出を試みていくという懸念が増大していることに鑑みると、鉄鋼や電気自動車（EV）などの分野では、関税はむしろ拡大していくと考えられる。テクノロジーに関する輸出規制には当初は抜け道があり、中国がこれを利用することが可能だった。規制のアップデートによって抜け道は塞がれたので、もはやホワイトハウスを率いるのが誰になろうとも、「小さな庭に高い柵」どころか「より大きな庭に、より高い柵」が設けられる状態となっていくようだ。また、バイデンもトランプも日本製鉄によるUSスチール買収には反対で、アメリカの政治における経済ナショナリズムの根深さを強く示している。

しかし、第二次トランプ政権が樹立したならば、そのときの変化は大きい。好きなだけ関税が引き上げられ（すべての貿易相手国のすべての製品に一〇%、中国製品には六〇%の関税）、それからおそらくドル相場調整の圧力がかけられる。トランプおよび彼を取り巻く人々にとって関税とは管理貿易を確保する手段であり[9]、ドルの切り下げは――実現方法は不明だが――アメリカの全体的な貿易赤字を低減するために必要とみなされている[10]。このアプローチは世界経済に「トランプショック」をもたらす可能性が高い。

新たな地政学におけるコアリション・ダイナミクス

国際紛争の増加に伴い、世界経済の分断化は深まる一方だ。ハマスとイスラエルの戦争は半年が過ぎても熾烈をきわめ、人道危機の拡大と、より広範囲な地域紛争も引き起こしかねない危険が居座っている。ヨーロッパではロシアがウクライナ侵略戦争に力を入れ、特にアメリカの支援が遅れてからはいっそう勢いを強めた。東アジアでは北朝鮮の脅威が増大しているほか、中国の威圧的作戦——特に先日にはアユンギン礁〔訳注：英語名セカンド・トーマス礁〕でフィリピンの補給船に放水銃を使用し妨害を行った——が南シナ海を一触即発となりかねない状況にしている。世界のさまざまな場所で同時に緊張関係や紛争が生じているのは憂慮すべきことだが、直近の傾向がさらに不安な見通しを浮上させている。ジョンズ・ホプキンス大学教授ハル・ブランズが指摘するとおり、アメリカの敵——ロシア、イラン、北朝鮮、中国——が互いに新たな結びつきを形成しながら、アメリカ主導の国際秩序にそれぞれが独自に反発して、自分たちの相互利益のため、アメリカの資源動員力に負荷をかけている[11]。たとえばイランと北朝鮮はロシアに武器を提供し、中国は軍民両用（デュアルユース）製品を出荷して、ロシアのウクライナ侵略戦争を支えている。引き換えにロシアは国連安全保障理事会における拒否権を発動することで、北朝鮮の大量破壊兵器開発プログラムに対する国連の監視を弱体化させている。

独裁国家同士のゆるい連合関係（コアリション）がもたらす、世界の安定に対する脅威の増大化傾向は、日本を新たな安全保障改革へとかりたてるとともに、日米同盟を深化させている。安全保障改革に関しては、自衛隊を一元的に指揮する統合作戦司令部設置、武器輸出規制緩和（日本にとって安全保障パートナー関係にある一五カ国に対し、現に戦闘が行われていないことを条件に、次期戦闘機の輸出も可能とする）[12]のほか、経済安全保障分野におけるセキュリティ・クリアランス制度がこの春に衆議院で可決される。岸田首相の四月のアメリカ公式訪問では、同盟関係強化のための取り組みを集中させるべき二つの方向が明確に打ち出された。一つは技術の促進・保護における連携、そしてもう一つは、安全保障上の脅威に向けた相互運用性および準備態勢の向上である。半導体と人工知能（ＡＩ）、クリーンエネルギーと宇宙開発、防衛装備品の共同開発・共同生産など、多様な領域においてテクノロジーは日米が抱えるアジェンダのかなめだ。また、抑止力を高め、危機に対するリアルタイムの対応力を高めていくために、アメリカは在日米軍への指揮管理系統を強化していくこととなる。[13]バイデンと岸田による首脳会談の前日に、「米英豪三国間安全保障パートナーシップ」（ＡＵＫＵＳ）が、ＡＵＫＵＳの第二の柱である軍事技術共有について日本の参加を検討する旨を発表したことからも、少数国間（ミニラテラル）の安全保障技術協力関係が深化する兆しも見られる。

アメリカは増大する地政学リスクに対し、同志国同士のコアリションを固めるという対応を進めており、日本はその最適なパートナー国だ。二〇二三年夏にキャンプ・デービッドで開催された首脳会談では、北朝鮮のミサイルに関するリアルタイムの情報共有と、サプライチェーンの危機耐性のための早期警戒システム開発において、日米韓が協力するという画期的な成果がまとまった。二〇二四年四月には日本、アメリカ、フィリピンのリーダーが集まり、中国の威圧的慣行を非難し、海洋における法の支配を支持し、海域の合同パトロールを計画していくことで一致した。この三国間の取り組みを支える背景には、自衛隊とフィリピン軍の共同訓練を推進する日フィリピン円滑化協定により、二国間の安全保障協力が深化している点がある。

このように少数国間で手を結ぶねらいは、各国の官民にまたがる協力慣行を制度化していくことだ。パートナーシップが一段階上のものへと格上げされ、予測のつかないアメリカ政治の変化にも振り回されにくくなる。日本政府にとっては、ルールベースの国際秩序を支持する諸国と共通の利害をもつことで、安全保障多元化戦略が強化される。グローバルサウスとの架け橋を築き、日本の成長と競争力を維持するにあたっても、日本の経済連結性戦略はこの先も重要な意味をもつ。地政学的な不確実性が深刻化する時代に、日本がとるべき確実な道は、日本自身がネットワークパワーとして切り拓いてきた道に他ならない。

ミレヤ・ソリース

二〇二四年四月、ワシントンDCにて

序章　停滞を語る声に背を向けて

Moving Past the Narrative of Stagnation

三〇年前、世界は日本から目が離せなかった。この国は破竹の勢いで成長する経済大国に見えた。抜け目のない開発型国家システムが国内企業を育て、躍進させ、それらの企業が世界の輸出市場で大きな割合を占めていった。この台頭が摩擦を伴わなかったわけではない――激動の一九八〇年代、日米関係の中心にあったのは日本の重商主義への、そして安全保障にタダ乗りすることへの非難だ。しかし高度成長期は終わりを迎える。一九九〇年代初頭に株式市場が暴落、住宅バブルが崩壊。景気は急激に冷え込み、デフレが長期化し、そのせいで日本の若者たちは、親世代が享受していた経済的・社会的機会を奪われた。高齢化と人口減少、改革力をもたないかのような硬直した政治システム、そしてポスト冷戦時代の厳しい現実に対する日本のリーダーたちの適応力欠如が、衰退の歯止めがきかない日本という構図を完成させていた。日本は「こんなふうになってはいけない」という悪い手本となり、それ以上の想像をかきたてるものではなくなった。

停滞した国、日本。現在でも広く定着しているこのイメージは、しかし、正確ではない。日本の経済と政治には顕著な変化の潮流があり、この国が担う国際的役割にもめざましい変容が起きているというのに、古いイメージはそれらを覆い隠したままなのだ。一般の認識としては、今も日本を経済的に静止した国、政治的決断力のない国、外交問題では受け身の国として語る傾向がある。だが事実が示すのは、それとは異なる、より複雑な姿だ。今日の日本は、他の先進国が経済および人口における同様の試練——経済危機、長期停滞、労働年齢人口の縮小——にどう立ち向かえばいいか、プラスとマイナス両面からの教訓を最前線で示している。[1] ポピュリズムの反発によって保護主義的プレッシャーが過熱している国々にとって、より経済グローバル化への適応に成功している日本の様子は、参考にすべき手がかりだ。その一方で日本の移民改革は遅々として進まず、世界からの人材獲得に苦戦している。

　日本はもはや工業国の中で永遠の負け組とされる存在ではない。長期デフレの打破へ向けて邁進してきたし、過去一〇年間を平均した一人あたり国内総生産（ＧＤＰ）成長率は他のＧ７諸国に後れをとっていない。それに加えて、多くの日本企業がテクノロジーの最先端分野でビジネスを展開し、重要なサプライチェーンの中枢となっている。他のさまざまな自由民主主義国家とは対照的に、日本では移民排斥主義、非自由主義、経済ナショナリズムを煽るポピュリズムの拡大が起きてはいない。社会と政治が安定しているおかげで、より先手を打った（プロアクティブ）外交政策も実行できている。特に過去一〇年間においてはめざましく、国際貿易のリーダーシップをとることに加えて、多国間主義の衰退と地政学的対立の再燃、さらにはパンデミックの混乱のさなかにおいても、

「自由で開かれたインド太平洋」（ＦＯＩＰ）の青写真を描き出してきた。

日本が自国でも世界でも甚大な試練に直面していることは疑いようもない。所得格差は拡大の一途をたどり、実質賃金は横ばいだ。正規労働者と同じキャリア発展の機会や経済的安定を得られない非正規労働者の層もふくらんでいる。環境、デジタル、人的資本の変革を進めるための戦略を、政府はスムーズに提示しているとは言いがたい。政治的分極化に陥っているわけではないし、国の政策をつぶすポピュリズムの扇動的指導者（デマゴーグ）の手に落ちているわけでもないが、民主主義の気運をあらためて活気づけていくことは非常に難しい状態だ。一九九〇年代および二〇〇〇年代の政治・行政改革は、内閣総理大臣の政策立案権限を強化することに成功したが、競争力のある多党制を育てることにはならなかった。従来の仕組みのままでは、選挙で選ばれた者に説明責任を担わせる力も、国民の求めに対する応答力も弱まるばかりで、有権者の無関心が広がっている。国外では、アメリカの動向の見通しがつきにくくなり、中国がいっそう自己主張を強め、北朝鮮の危険性がますます高まってきたことで、日本が位置する地政学的空間もこれまで以上に制約が厳しい。ロシアのウクライナ侵攻と、台湾に対する中国の威圧増大が起きてからは、新たな大戦勃発の不安も高まりつつある。危険度が増す地域に位置していながらも、日本は今もなお軍事力行使に厳しい制限を設けている。

より重大な立場に立つ日本

日本は栄枯盛衰の避けがたい末路をたどっているにすぎない、という言説は一笑に付すべきものだ。人口動態における深刻な傾向、経済の伸び悩み、そして地理的にきわめて近く敵国となりかねない国々が軍事力を著しく増大しつつあることによる安全保障上の脅威など、日本が国家として厳しい現実にぶつかっていることは否定できない。だが、日本の成否入り交じる実績と相対的能力の低下は認めたうえで、そこから本書の根幹となる、より興味深い謎が見えてくる――そうした日本が「失われた三〇年」から浮上し、世界全体に関与する適格性をもった存在、インド太平洋地域の新たな地政学にとっていっそう重大な存在になってきたのは、なぜなのか。本書はこの問いに対し、日本自身の変容と、国際秩序の劇的な変化、この両面から答えを探っていく。

前者については注目すべき特徴が三つある。第一に、西側諸国と比べて日本にはポピュリズムに流されない強靭性（レジリエンス）があること、顕著な社会的一体性があること、そして民主制の安定が見られること。第二に、制度改革があり、巧みな政治運営の時期があり、政治指導者の統率力が強化されたこと。さらに第三に、インド太平洋における経済および安全保障の協力関係を結び直す連結性（コネクティビティ）の追求に主眼を置いた大戦略（グランド・ストラテジー）があること。目下の地政学的局面に促されて、日本は外交面で積極的役割を担うようになった。強硬な自己主張をする国々が現状維持の改変をめざして軍事力や威圧行為を展開し、経済ナショナリズムが蔓延し、アメリカの長期的リーダーシップも当然視できなくなった時代において、日本は、リベラルな国際規範の主唱国として存在感を高めている。

過去には経済的ルール形成において受動的な姿勢をとり、域内で政治的役割を担うことを避けてきた日本が、今日ではインド太平洋における経済および安全保障の協力関係を新たに構築する重要な設計者だ。「自由で開かれたインド太平洋」という広い枠組みのもと、メガ貿易協定の数々と、質の高いインフラへの投資、そしてデジタルガバナンスのイニシアティブといった経済的関与戦略を展開している。同時に、東南アジアにおける海洋保安能力の開発、域内外のアクターとの新たな安全保障パートナーシップの構築、さらにはアメリカ、インド、オーストラリア、日本という海洋民主主義国家間の協力関係（「日米豪印戦略対話」、通称「クアッド」）の結成など、安全保障面での先手を打った外交努力も行っている。日米同盟も深化した。域内有事対策における日米連携はいっそう密接になり、日本国憲法が示す制約を再解釈したことにより限定的な集団的自衛権行使も可能になっている。

アメリカ政府にとって、外交の重要事項とみなす領域、すなわちインド太平洋における大国としての役割の強化と刷新、そして中国がもたらす多面的試練の解決という点において、日本はいまや中心的パートナーだ。アメリカがいったんは貿易自由化に背を向け、最近になってようやく地域経済協力関係（「インド太平洋経済枠組み」〈ＩＰＥＦ〉）のため、試したことのないアプローチを進め始めたばかりなのに対し、日本は、アメリカが唐突に離脱した環太平洋経済連携協定（ＴＰＰ）を包括的・先進的環太平洋経済連携協定（ＣＰＴＰＰ）として合意形成に導いた。デジタルエコノミーにおける経済的基準や、国有企業の規律など、アメリカが支持する規範の普及を指揮したのも日本だ。大規模なインフラ建設計画に対する日本の莫大な投資は、中国に対するアジアの途上国の過度な依存を緩和する手助けになっている。日本企業は先端材料や新興技術において強い国際的競争力を謳歌しており、政府も産業界も中国の経済的威圧行為へのリスクヘッジを図っている。こうした最先端技術における競争力とサプライチェーンの強靭性は、いまや日米の協力関係を支えるかなめだ。日本が二〇二二年に定めた国家安全保障戦略と、防衛支出の増額、そして新しい武器システムに対する政府の積極的追求も、今後の日米の役割分担に、そして地域の抑止力に関する日米の連携的取り組みに影響をおよぼしていくことだろう。

地政学における日本の覚醒に大きくかかわっているのが、中国だ。一九七二年の日中国交正常化以来、日本は中国政府との紐帯を修復すべく数十年にわたり経済的関与のための投資を続けてきたし、中国が部分的に市場を開き世界の工場となったことの恩恵も享受するようになったが、今の日本にとって安全保障上の最大の脅威は中国が進める軍事力増大、そして国際法を無視した領土拡大の主張だ。二一世紀になってからというもの、日中の経済統合が急速な勢いで継続する一方で、実務的な協力関係と、尖閣諸島領有権を主張して中国が展開する経済的威圧行為や圧力作戦をめぐる深刻な緊張のはざまで、二国の政治的関係は激しく揺れ動いている。日本の外交努力全般が、大半は中国の存在を念頭に置いて検討されている。経済面では、中国が一帯一路構想を導入したため、開発援助やインフラファイナンスで日本が見劣りする事態を避けるべく、日本政府は手を尽くしてきた。安全保障面では、日本の安全保障の守り手であるアメリカを抑えて中国が地域覇権を握ることを防ぐため、はたらきかけをしてきた。とはいえ、日本政府はインド太平洋をはじめ、その他のどの地域においても、中国とのゼロサム的な対立を宣言してはいない。競争と協力のあいだで実際的（プラグマティック）なバランスの模索は今も続いている。

　日本は国政術（ステートクラフト）において以前よりもはるかに能力を高めたとはいえ、その前に立ち塞がる課題の数々も、日に日に大きくふくらむばかりだ。新型コロナウイルス感染拡大に対応しての入国制限、苛烈化する国家間対立、経済的相互依存の武器化といった試練が、優れた外交努力の核心にある目標――連結性戦略を通じて日本がネットワークパワーとなること――の足を引っ張る。現在そして未来の必要不可欠な任務として、アジアの長期平和を継続させ、経済統合と経済安全保障の妥協点を探っていかなければならない。政権安定期も終わり、国内政治も揺れ動いている。安倍晋三は日本の憲政史上最も長く首相を務め、二〇二〇年に発生した未曾有のパンデミックのさなかに辞任し、その後二〇二二年七月、銃犯罪が事実上存在しないはずの国で起きた悲劇的な銃撃事件で命を落とした。安倍が遺した重大かつ複合的なレガシーを足場として、その後の首相たちは有権者の信頼を維持し、党の団結を守り、経済再生と持続性のある外交政策活動のための計画を実行していかなければならない。国内でも国外でも、この国が重大な岐路に差しかかっていることは確かだ。だが、これまでにも危機の局面は何度もあった。日本は終わったと過去に決めつけたのは早計だったし、これから先も、そう決めつけるのは拙速だろう。

　本書は、過去三〇年間における日本の経済および政治的展開を鳥瞰していく。グローバル化の経緯について、また経済を外交や政治や安全保障の手段として活用する国政術、すなわちエコノミック・ステートクラフトのインパクトと、状況を見ながらそれを調整し続ける軌道修正（キャリブレーション）のプロセスについて、そして日本の安全保障政策に段階的ながら大幅なシフトを促してきた一連の地政学的試練について、掘り下げる。そうした考察を通じて、変化を続ける、いまだ不完全ではあるが、より重大な存在としての日本という国の姿を語っていきたい。

第1部 グローバル化

Globalization

第1章 経済グローバル化の中での安定

Stability amid Economic Globalization

日本はグローバル化に乗れない重商主義の国だというイメージは根深い。だが、そのイメージはとっくに現実とのずれが広がっている。むしろ、一九九〇年代半ばに始まった日本のグローバル化は、きわめて進行が速かった。二〇〇八年の世界金融危機後にはアメリカに追いついている。世界の高所得国では金融危機を受けてグローバル化の歩みが停滞したのをよそに、日本はその後の数年で倍速で進んだ。もちろん世界経済への統合にはバラツキがある。農業とサービス業では保護主義が砦のようにそびえたち、さらに外国資本に対して身構える姿勢があったせいで、自由化は確かに遅れた。しかし、こうした島国文化の名残りにさえ、それなりの変化は起きている。それどころか、日本はグローバル化を受けつけないという神話とは裏腹に、西側諸国の政治にとって有害であることが明らかになったオフショア生産が日本でも急激に進行し、輸出大国としての中国の台頭がもたらす影響をアメリカ以上に痛烈に実感することとなった。だが、日本では他の工業国を席巻しているほどの反グローバル化の波が生じていないことに鑑みれば、日本における経済統合への適応がどのように進められてきたのか、もっと正しく理解する必要がある。

世界における経済のグローバル化はどの国も均一だったわけではないし、スムーズかつ段階的なプロセスだったわけでもない。むしろ断続的な進行だ。世界は二一世紀に入って少なくとも二回、経済のシステミック・ストレスとなる危機を迎え、国同士の連結性がもたらす恩恵ははたして病気の伝染や人為的操作のリスクを呑むほどの価値があるのか、多くの者に疑問を抱かせた。二〇〇八年の世界金融危機、大国間の戦略的対立によって二〇一八年から見られ始めたグローバリゼーションの安全保障化（安全保障問題化）、二〇二〇年の新型コロナウイルス感染拡大によるロックダウン、そして二〇二二年二月にロシアのウクライナ侵攻で始まったヨーロッパの戦争……こうした危機への反応を検証してみれば、その国のグローバル化の姿勢について多くのことが見えてくるものだ。そうした目で見ると、日本はグローバル化を阻む危機にぶつかるたび、逆境で沈むことのない強靭性の増強を進めてきたことがわかる。また、日本の繁栄と国際的影響力は外の世界との連結性にかかっていることを理解していたので、ナショナリズムで凝り固まることにもならなかった。

日本のグローバル化

現時点で最も包括的なグローバル化指標は、ＫＯＦスイス経済研究所がまとめる「ＫＯＦグローバリゼーション指数」である。最新版では、二〇〇カ国以上を対象とした半世紀（一九七〇～二〇一九年）にわたる調査データを公開している。前提となっているグローバル化の定義は、「国の境界線にとらわれずに国家の経済、文化、テクノロジー、ガバナンスを統合させ、相互依存の複雑な関係を生むプロセス」だ。[1]経済面では貿易、投資、金融面での統合について、現実として生じているフローや活動と、制度としての国内政策および国際協定という点から指数を計算する。この包括的レンズを通して見た日本の経済グローバル化は、二つのキーワードで語られるストーリーと言っていいだろう。「収斂」（コンバージェンス）、そして「強靭性」（レジリエンス）だ。

他の工業国、東アジアの近隣諸国、世界経済を動かす大国（アメリカ、中国、ドイツなど）と比較した日本の経済グローバル化の進化を図1－1に示した。このグラフから読みとれる主たるポイントは、日本のグローバル化がアメリカと肩を並べ、そして追い抜くレベルまで進んできたという点だ。一九七〇年の時点で世界に対する日本の経済的相互依存度は、グラフ内で参照されている他の国々と比べて大幅に低かった（中国を除く）。その後一九八〇年代半ばから二〇〇〇年代初頭にかけて、経済グローバル化における日米の差は拡大する。アメリカのほうが急速に世界経済との統合が進んだからだ。しかし、このトレンドは二〇〇八年の世界金融危機後に逆転した。金融危機がもたらした大不況は西側の工業国でグローバル化の歩みを横ばいにした。中国に至っては、金融危機前の数十年間に続いていたグローバル化の弾みを取り戻すことはなく、経済自由化への意欲も薄れた。このグラフに示されている国々の中で、日本だけが唯一、金融危機後

図1-1　経済グローバリゼーション指数

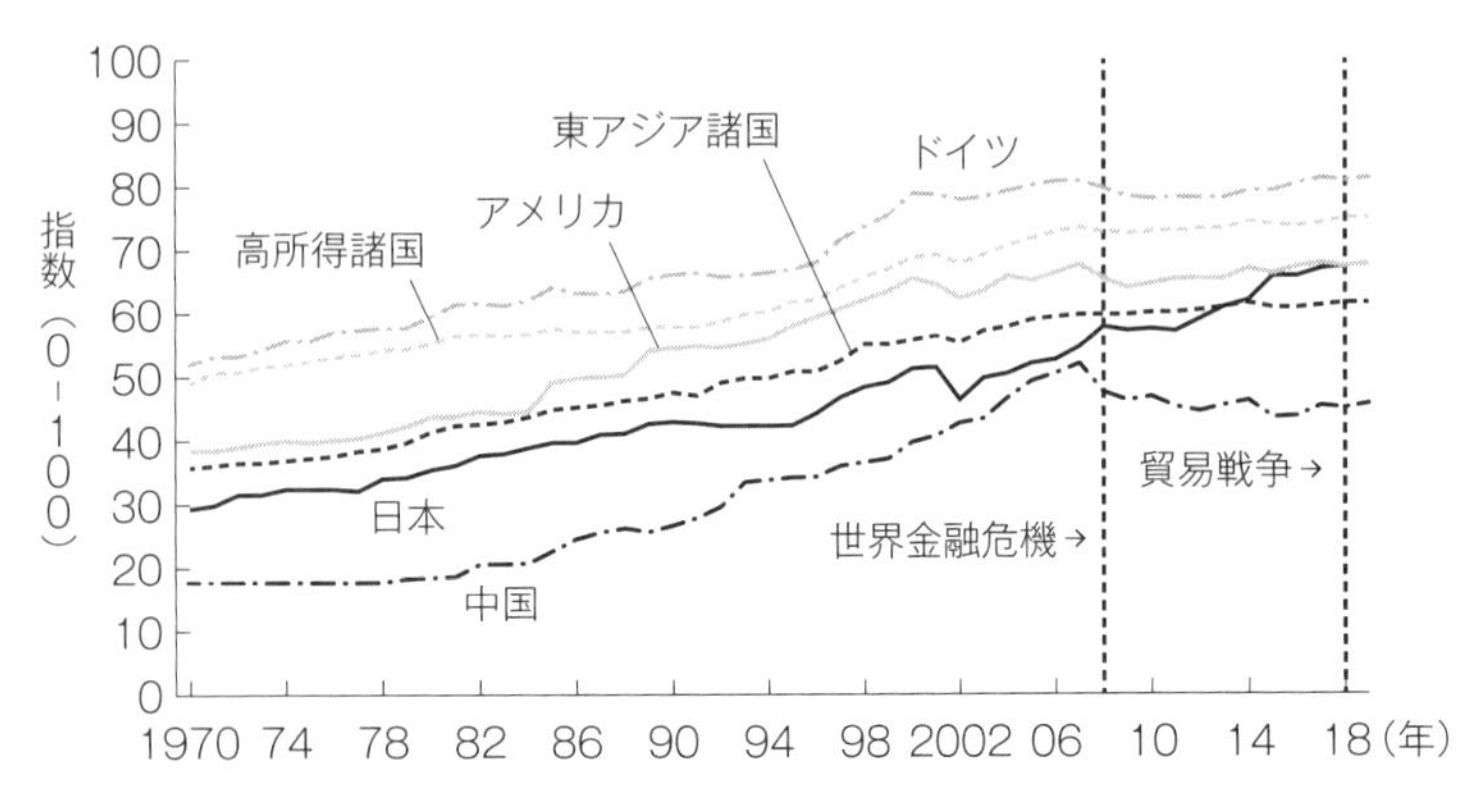

出所：Savina Gygli, Florian Haelg, Niklas Potrafke, and Jan-Egbert Sturm, "The KOF Globalisation Index—Revisited," *Review of International Organizations* 14, no. 3 (2019): 543-74, https://kof.ethz.ch/en/forecasts-and-indicators/indicators/kof-globalisation-index.html.

の世界でグローバル化を加速させている。

日本は救いがたい重商主義国家である、というイメージの根拠として、非関税障壁の威力が長く行使されてきたからだとされている。実のところ、日本の平均関税は一九七〇年代初期から工業国の中で最も低かったのだが、政府による多数の差別的措置と排他的なビジネス慣行が外国の製品や企業を寄せつけなかったようだ。しかしそれでも、貿易自由化の面から日米の比較を見れば（関税、非関税障壁、貿易協定への参加を尺度として、自由化のレベルを判断する）、日本が著しい変化を遂げてきたことがわかる。図1-2にあるように、一九七〇年代を通じて日本の貿易政策レジームはきわめて制約が厳しかったが、その後一九八〇年代から徐々に変化し、一九九〇年代半ばの世界貿易機関（WTO）設立以降は一気に自由化が進んだ。二〇一九

図1-2　制度における貿易グローバル化

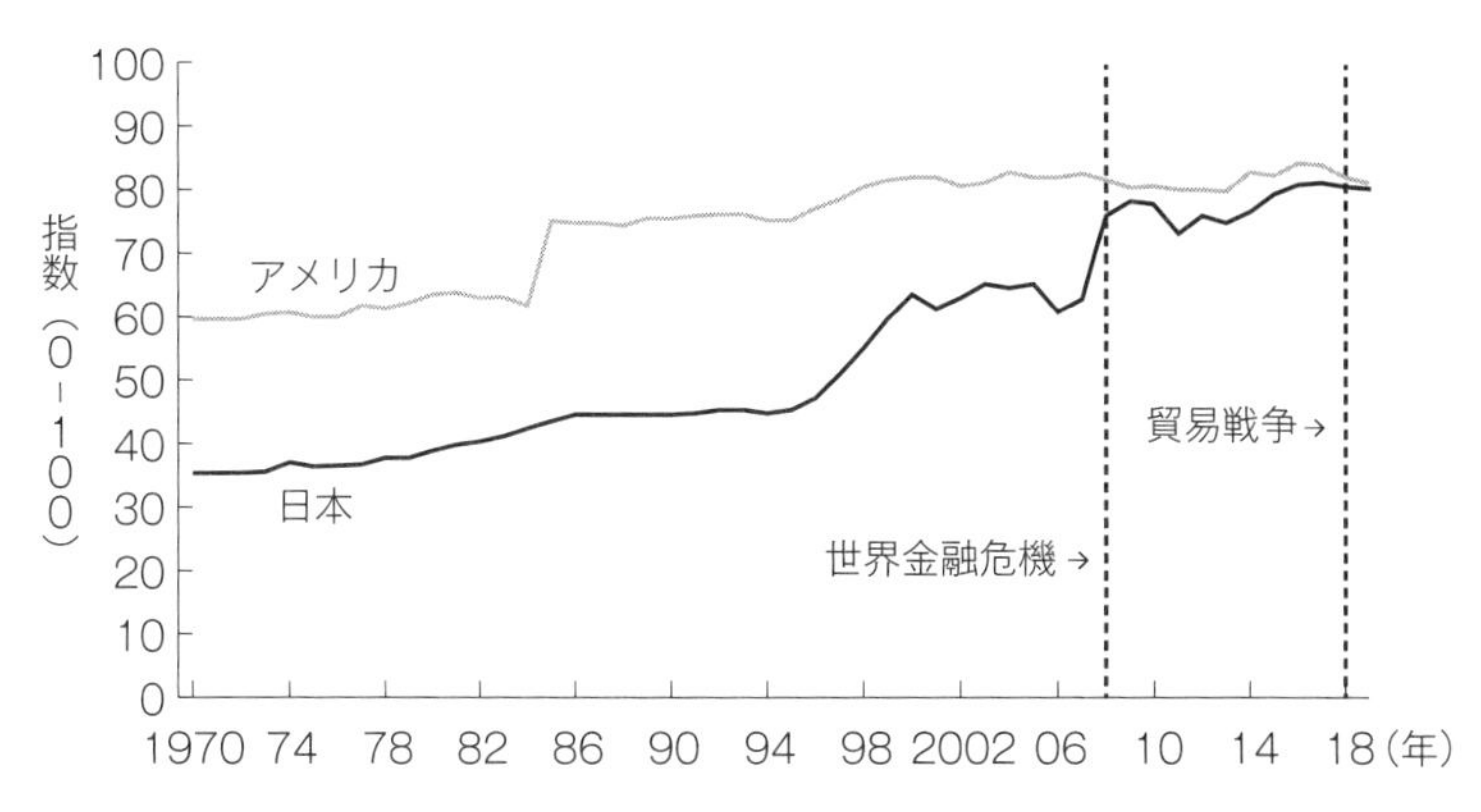

出所：Savina Gygli, Florian Haelg, Niklas Potrafke, and Jan-Egbert Sturm, "The KOF Globalisation Index—Revisited," *Review of International Organizations* 14, no. 3 (2019): 543-74, https://kof.ethz.ch/en/forecasts-and-indicators/indicators/kof-globalisation-index.html.

年には、日米政府が過去数年間にとった選択が正反対だったこと（アメリカは一方的な関税、日本はメガ貿易協定）を反映して、日本がアメリカに追いつくに至った。[2]

WTOのレポートによれば、日本の貿易統合は二〇一八年に三六・七％に達した（財およびサービスの輸出入がGDPに占める割合で判断する）。日本が結んだ数々の貿易協定によって、無税品目が倍増して全体の四〇・五％になり、自由化が大幅に進んだことも同レポートで明らかにされている。[3]製造業と農業を比べれば今も関税に大きな差があるもの の（製造業の単純平均税率は三・五％、農業は一七・九％）、貿易協定のおかげで、従来は保護されていた農業やサービスのセクターにも大幅な進歩があった。たとえば「環太平洋経済連携協定」（TPP）に参加したことにより、関税撤廃の対象にならない輸入品の割合は一〇％から五％に半減。「聖域」とされる五品目（コメ、麦、牛肉・豚肉、乳製品、甘味資源作物）の一部で関税が引き下げられた。[4] また、内国民待遇の対象となる非金融系下位セクターの数を二六から八五に増やしたので、「サービスの貿易に関する一般協定」（ＧＡＴＳ）の交渉で示したコミットメントと比べて、ＴＰＰではサービス貿易自由化のコミットメントを大きく拡大している。[5]

グローバル化の重要な側面の一つ、外国人投資家を惹きつける力に関しては、日本はひどく苦戦している。二〇二〇年の時点で、流入する外国直接投資（ＦＤＩ）のＧＤＰ比は五％で、工業国の中で最下位だった。経済協力開発機構（ＯＥＣＤ）の加盟国平均は五六％、アメリカは五九％だ。[6] しかし日本はＦＤＩ拡大の方向に進んでおり、対日直接投資への障壁は明らかに低くなった。一九九五年には対日投資残高のＧＤＰ比がたった〇・六三％だったのだから、長期デフレと人口減少のもとにあった時期に、むしろ高度経済成長期よりも大きな成果を出せていたというわけだ。この奇妙な成果は、規制の大幅な変更があったことを考えると、納得がいく。日本の開発型国家システムは、国内の幼稚産業を育てるために外国の多国籍企業の国内への進出を抑える目的で、一時期は規制のパワー（厳しい審査メカニズムと、国家経済に有害と見られる投資をはねつける幅広い裁量権とともに）を強力に行使していた。しかし、その後に外国投資制度を全面的に見直し、より自由化している西側諸国の基準のほうへと寄せて（収斂させて）いった（第９章を参照）。二〇一七年には、ＯＥＣＤの判断によればアメリカのほうが日本以上に対内直接投資への規制が強い足枷になっていたほどだ。[7]

二〇〇〇年代半ば以降の日本政府は、歴然と鈍化した経済に成長とイノベーションの刺激を与えようとの意図から、対日投資を規制するのではなく徹底的に呼び込む方向へと舵を切った。だが、日本をFDIが向けられる魅力的な存在にするには十分とは言えない。面倒な障壁はまだ残っている。リチャード・カッツの指摘によれば、日本経済全般（コーポレートジャパン）に、国内企業が外国によって買われることへの抵抗感がある。他の高所得国における対内投資では合併・買収（M&A）が大半（八〇%）を占めるのとは正反対に、日本ではM&Aがきわめて少ない（一八%）[8]。日本でビジネスを展開する外国企業を対象とした調査では、投資に対する他の障壁として、主にビジネスをするうえでのコストの高さ（税金、人件費、不動産など）と、人材確保の難しさも浮かび上がる[9]。

反対に、日本から外国への投資については、日本企業が積極的にグローバル化を進めている。一九六〇年には全世界の対外直接投資残高の中で日本はわずか〇・八%を占めるにすぎなかったが、一九九〇年には、その割合が一三%にまで拡大していた[10]。今日の日本の対外投資残高は一・九八兆ドルだ。アメリカ（九・八一兆ドル）、中国（二・五八兆ドル）、イギリス（二・一六兆ドル）に次ぐ世界四位である。対外投資残高のGDP比では、アメリカが四二・七%であるのに対し、日本は僅差で四〇・二%、中国は大きく水をあけて一四・八%[11]。国際投資活動における製造業の積極性という点では日本が突出しており、二〇二〇年の対外投資残高のうち製造業からの投資が四一%だった。その比率はイギリスでは一六・五%、アメリカは一五・五%である[12]。日本の工業生産の国際化は驚異的だ。これを後押ししたのは一九八〇年代半ばの大幅な円高だった。輸出面での競争力を失った日本企業は、持続的な対外直接投資を行うことで、これに対応した。このときの日本企業が生産プロセスをさまざまなステージで細分化し、世界各地に分散してオペレーションを立て直したことによって、グローバルなサプライチェーンが誕生し、これが国際生産のあり方、国際貿易の性質を変容させたのである。外へ向かうグローバル化の動きで、日本自身も変化していった。

経済グローバル化への適応

産業の海外移転と、外国の安い人件費で製造された輸入品の流入により、工場労働者が苦境に追いやられ、これが西側の工業国ではポピュリズムの不満を生み出す温床となっている。日本も製造基盤の少なからぬ割合をオフショア化する一方で、中国を筆頭として途上国からの輸入品が激増したことで、こうしたグローバル化の影響をとりわけ強烈に実感させられている。産業空洞化への懸念と、競争上の脅威である中国への懸念は、日本のメディアでも学術界でも繰り返し議論されている話題だが、それでも日本では極端なほどの反グローバル化の波は起きていない[13]。実際のところ、日本のグローバル化にかかわる政治問題の中でも突出して注目すべき側面として、保護されているセクター（農業など）は強硬に自由化に抵抗しているものの、より国際的競争にさらされているセクター（製造業など）ではそうした抵抗が見られず、むしろ日本企業は国際生産を支持し、中国からの輸入を歓迎している。諸外国では経済グローバル化の勢力――オフショアリングと、低賃金国との輸入競争――のせいでポピュリズムが焚きつけられ、社会的分断が起きているというのに、日本が経験しているのは正反対の状況だ。

日本において、アウトソース化は政治的地雷原ではない

日本の製造業は著しく国際化している。日本経済が最初に世界の注目を集めたのはその猛烈な輸出攻勢だったが、二一世紀に切り替わる頃からは、国内よりも国外で生産される日本ブランド製品が増えていった。[14] この変容は数十年かけて進んできた。日本が一九六〇年代から一九七〇年代に行った初期の外国投資は、自国の弱みを補うことが目的だった。具体的には天然資源の不足、それから人件費上昇と、石油ショック後のエネルギーコスト高騰といった弱点への対策だ。しかし一九八〇年代半ば以降は、アメリカが振るう「見える手」に大きく押される形で、急激なペースで外国投資を行っている。アメリカにおける保護主義の高まり（日本車に輸出の「自主規制」を強制した）に懸念を抱いた日本企業は、組立工程の拠点をアメリカに移すという方法で対応した。プラザ合意（一九八五年）でアメリカの経済外交によるドル高是正がなされたことも、日本の製造業の国際化に多大な影響をもたらした。

ドルに対する円の価値が二倍になったことで、日本のメーカー各社は、前例のないスピードで製造工程を海外に移すという対策をとった。その後にまた円高の波が起きたとき（一九九〇年代半ばと、世界金融危機後の数年）にも、日本の外国投資は急増している。日本の対外直接投資額は一九八三年に年間三六億ドルだったが、一九八八年には三四二億ドル、二〇〇七年には七三五億ドル、そして新型コロナウイルス感染拡大前の二〇一九年には二五八三億ドルに到達していた。[15]

さらに重要なのは、日本企業が製造活動の少なからぬ割合を東アジア域内の別の場所へと徐々に移していったことだ。製造ネットワークを通じて、事実上、東アジア地域が緊密に結びつくこととなった。必然的に、貿易パートナーや投資先として、日本にとってのアメリカ中心性は薄れ、むしろアジア――特に中国――が日本の国際的経済活動で重要な位置を占めるようになったのである。そして東アジアのメーカーとの競争が激しくなってくると、日本企業はバリューチェーンの上流へと移行し、先端材料や高性能な製造機器を専門とすることで、ウリケ・シェーデの考察にあるように、アジア生産網の技術的基軸たる立場を確保した。[16]

日本企業は先頭に立ってグローバル・バリューチェーン革命を推し進め、このことが国内の政治経済にも甚大な変化をもたらした。プラザ合意前の日本の産業界は国外での生産をさほど重視していなかった。海外生産比率（日本企業が国外にある工場で製造を行う割合）は一九八五年には三％にも達していなかったが、通貨変動と、国境をまたぐ分散生産の技術的推進によって、その状況も急速に変わる。ほんの一〇年後の一九九六年には海外生産比率が三倍の一〇％になり、二〇一五年から二〇一八年にかけての最盛期には二五％に届いていた。細かく見てみると、輸送機械の海外生産比率は二〇一八年に四六・九％、汎用機械では二九・一％、情報通信機械では二七・八％だ。[17]産業のグローバル化は製造業における輸入浸透率のめざましい上昇にも表れており、一九九〇年の九％から、二〇一二年には一九％になった。特に繊維と電気機械において急激で、輸入浸透率は繊維が五〇％、電気機械が二一％である。[18]

製造能力を相当な規模で国外に移転させたにもかかわらず、他の工業国で頻繁に発生しているように、労働組合や労働者がオフショアリングを槍玉に挙げてグローバル化叩きを展開しているかと言えば、必ずしもそうではない。日本には産業の海外移転に対する反対をあえて叫ばない要因がいくつかあるのだ。一つは、外国投資は日本企業にとって競争力を維持するための重要な活動であること。特に人口減少のせいで国内市場が縮小しているので、どうしても国外を向かざるを得ない。また、多くの日本企業がニッチな重要技術に携わっており、それゆえに複雑なサプライチェーンの中枢にいる。日本企業の国外生産と、国内の本拠地で行う研究開発能力の増強、そして国内の雇用創出のあいだに、正の相関関係が見られることは複数の研究で指摘されている。[19]ただし、対外直接投資と、より付加価値の高いオペレーション、そして国内の雇用に正の相関関係が見られるのは日本に限ったことではなく、アメリカにも当てはまるパターンだ。[20]違いは雇用調整のやり方にある。日本の場合は雇用保障に重点を置くので、大量解雇は起きないのだ。

実際、海外生産比率の急激な上昇にもかかわらず、日本の失業率は二・五％から五％程度で推移している（図１−３参照）。正社員の解雇にはさまざまな法的ハードルが設けられているので、日本企業は構造的衰退、低成長、技術革新、そしてグローバル化といった条件を前にしても、正社員解雇には踏み切らずに済むよう力を尽くすのである。解雇をしたい場合は高いハードルをクリアしなければならない。その解雇が不可避であることを示すだけでなく、他のコスト削減手段も追求する。たとえば役員報酬の削減、子会社間での人材再配置、労働時間の短縮、そして自発的な早期退職の交渉などだ。[21]だが、雇用調整の負担の矛先は、増え続ける非正規労働者に向くようになった。主に女性とパートタイムの労働者だ。これについては第４章で論じたい。

図1-3　日本の海外生産比率（製造業）と失業率（1985〜2019年）

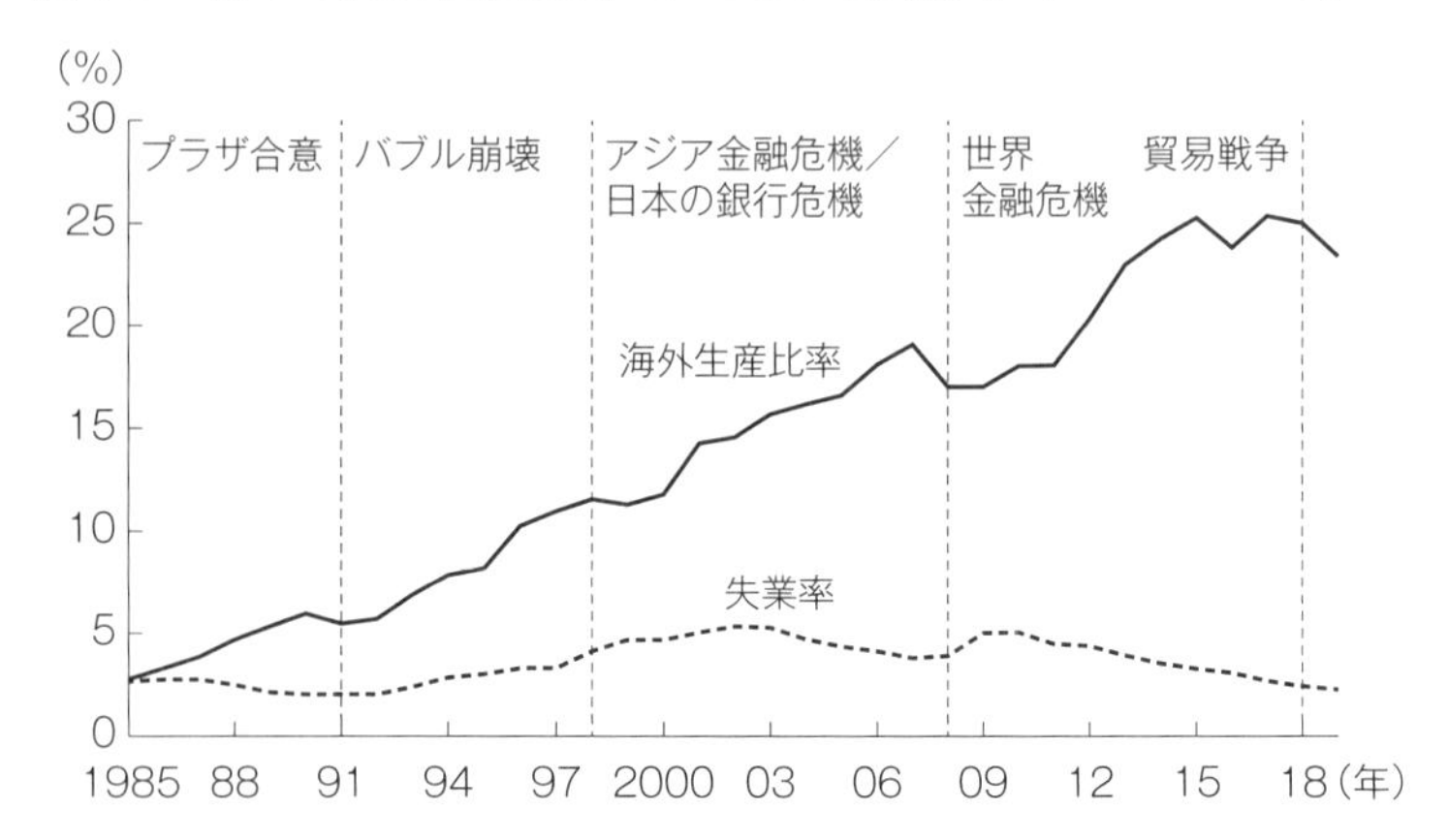

出所：海外生産比率のデータは次の資料から。経済産業省 "Survey on Overseas Business Activities," 2006, 2008, 2017, http://www.meti.go.jp/english/statistics/tyo/kaigaizi/index.html, および財務省"Financial Statements Statistics of Corporations by Industry," https://www.mof.go.jp/pri/reference/ssc/results/index.htm; 失業率のデータは次の資料から。OECD, "Unemployment Rate (Indicator)," https://data.oecd.org/unemp/unemploymentrate.htm.

起きなかったチャイナショック

何百万という非熟練労働者が世界経済に組み込まれたせいで工業国の中間層が弱体化した——とグローバル化批判派は考えている。この見解においては、低賃金経済圏からの輸入品が激増した結果として、先進国で工場が次々と閉鎖され、製造業の雇用が縮小したというわけだ。実際の記録を見れば、そこに示されているのは実のところウィン・ウィンのダイナミクスであり、ほとんどの国ではグローバル化が進むに従って生活水準が上がっている。[22] だが、経済自由化が分配におよぼす影響を危惧する声は、ポピュリズム信奉者を動員する火種として残っている。

　二一世紀に新興経済圏で起きたドラマチックな成長ぶりに、日本も影響を受けなかったわけではない。だが、中国が輸出大国として台頭したことを原因とする雇用消失が日本で国中の支配的な話題となってはいない。それとは正反対なのがアメリカだ。何より顕著だったのが二〇一六年の大統領選で、このときは「チャイナショック」をめぐる議論が最大の争点だった。[23]貿易への不信感が候補者討論会におけるメインテーマのようなもので、署名したばかりのTPP協定を支持する候補者は一人もいなかった。[24]

その点で日本は国際貿易および製造業の新たな現実をどのように経験してきたか、谷口美南の論文が考察している。途上国からの輸入が一九九五年から二〇〇七年で三倍に増え、日本は慢性的に対中貿易赤字に陥り、国内の製造工場の数は一九九〇年の四三万五〇〇〇拠点から二〇一〇年には二二万四〇〇〇拠点へと減少し、雇用において製造業が占める割合も同時期に二二%から一四%に縮小した。ただしアメリカの場合との決定的な違いは、対中貿易が労働市場に与えた影響だと谷口は述べる。中国からの輸入が積極的であった都道府県ほど製造業関連の雇用成長が見られ、その輸入品が中間財であった場合に、とりわけ顕著にその傾向があるのだという。[25]

実際のところ、日米それぞれの対中貿易関係には、重大な相違点がある。中澪および深川由起子の論文が示すとおり、二〇〇一年に中国がWTOに加盟してからというもの、日本では中国からの輸入が急速に増えた。それ以降、総輸入量において中国からの輸入が占める割合は、アメリカよりも日本のほうが大きい。中国のグローバル化は確かに日本に影響をおよぼしているのだが、明白な差が表れるのは、むしろ輸出の側面だ。具体的に言うと、アメリカよりも日本にとって、中国は大きな輸出市場となっている（日本の総輸出量において中国への輸出が占める割合は二一・六%、アメリカで中国への輸出が占める割合は一〇・五%)。それよりもさらに重要な点として、中国との貿易フローにおいて中間財が占める割合は、日本では六四・六%、アメリカでは四〇・八%で、歴然と日本のほうが大きい[26]。

日中経済関係の中心にあるのは部品貿易なのだ。これが重大な意味をもつ。先進経済圏を対象とした最新の調査で明らかになったところによれば、バリューチェーン貿易を考慮に入れて計算すれば、もちろん地域的な差は残るにせよ、輸入が製造業の雇用に与える負の影響は歴然と小さくなる[27]。カギを握るのは産業内・産業間の連関だ。材料が安く手に入るなら、下流事業で競争が高まり、雇用創出が促される。たとえばヤクビクとソウルゼンバーグの共著論文によると、中国からの輸入を原因とするアメリカ製造業の雇用消失は、バリューチェーン効果を計算に入れると、当初のチャイナショック研究論文の数々で指摘されていたよりも三割は少ない[28]。

日本がチャイナショックを被らなかった大きな理由は、このアジアの二カ国がグローバル・バリューチェーンにおける生産シェアリングを通じて、より深く統合されており、それゆえに貿易が流通にもたらす影響がそれほどの軋轢とはならなかったからなのだ。

二一世紀のグローバル化危機を乗り越える

世界金融危機

二〇〇八年の世界金融危機は、主に二つの意味で、グローバル化に併う危機であったと言える。まず一つ目として、この金融危機は世界各国の運命を一蓮托生とする深い相互依存の関係を浮き彫りにした。複雑に交差する資本フローが活発に行き来することで、多くの成長機会が生まれたが、それは脆弱性を伴っていたのだ。こうしたリスクが明らかになると、メルトダウンの非難の矛先をどこに向けるべきかは答えの出にくい厄介な議論になった。アジアの過剰貯蓄が、西側諸国における過剰消費・過剰債務の背景となった低金利環境を誘発したのか。それとも、世界の金融システムの中枢にいる国アメリカにおける明らかな規制の失敗と、そのアメリカで始まった不動産バブル、そして多数の市場にまたがった不良サブプライム資産のせいで、崩壊が起きたのか。見解は割れているが、この議論の中で一つ一貫している点があるとすれば、それは相互連結性の存在を強く認識している点だ。特に、各国の景気が悪い中で相互連結性が広がっていた。過去に起きた金融の混乱は一国または一地域に限定されるものだったが、今回はそれとは対照的で、世界経済全体が二〇世紀前半の大恐慌以来と言える最悪の不況に陥った。[29]

日本に世界金融危機を運んできたのもグローバル化だ。その到来は猛烈だった。最初のうちは火の粉をかぶることはなかった――一〇年前に国内で銀行危機を経験していた日本では、当局が金融規制を強化していたし、銀行の警戒心も非常に強く、信用度の低い金融商品に手を出す範囲は限定的だったからだ。それでも世界経済に深く統合されていたせいで、リーマンショックによる資本フローの逆流（東京証券取引所の上場株の二割を外国人投資家が保有していた[30]）と、工業国の需要激減に伴う輸出市場崩壊の煽りをくらった。二〇〇九年二月に底を打った時点で、日本からの輸出は一年前のたった半分。その年のＧＤＰ成長率はマイナス六・三％で、戦後最悪となり、先進工業国の中でも最悪だった。グローバル化が日本を大きく揺るがしたのである。

もう一つ別の意味においても、二〇〇八年の世界金融危機の経緯には、グローバル化の産物と言える特徴がある。金融危機全般にどう対応すべきか、工業国間で政策アイディアが共有されていたことだ。日本の銀行危機の教訓が西側諸国に伝わり、二〇〇八年のシステム崩壊がもたらす奈落を目の前にしたとき、それが各国にとって重要なロードマップになった。日本が一九九〇年代に最終的に選んだ対策とは、金融セクターの資本再構成、大規模な金融刺激策、ゼロ金利を加えた金融緩和であり、世界金融危機の際に各国がこれらを早急に取り入れていった[31]。だが、日本はずっと二重のハンディキャップのもとにあった。リプシーと滝波の論文が示した巧みな解説によれば、ハンディキャップの一つは「先行者の不利益（ファーストムーバー・ディスアドバンテージ）」を負っていたことだ。日本は一九九〇年のバブル崩壊、それに続く銀行危機、そして金融規制の「護送船団方式」の消滅といった一連の事態への対応が後を引いていた[32]。そのため二〇〇八年には効果的な政策措置が遅れ、日本の経済および社会に多大な代償を強いた。片田さおりは、日本が背負っていたもう一つのハンディキャップとして、「金融危機疲労」があったと指摘している。世界金融危機による不況が到来したときの日本は、財源の制約（公的債務のGDP比は二〇〇％を超えていた）と、すでにゼロパーセントになっていた金利と、その数年前から続いてきた金融刺激策に反応を示さなくなった経済主体（ビジネスおよび消費者）といった要因により、すでに疲弊しきっており、そんな状態で成長を取り戻すための戦いをしなければならなかったのである[33]。

こうした理由で、世界金融危機からの日本の回復は、アメリカよりも遅れた。ただし日米を直接的に比較するのは難しい。二〇一一年三月一一日に別の衝撃が日本を襲ったからだ。東北地方で起きた「三重の災害」（地震、津波、原発事故）のことである。日本の外向的経済モデルは、三年というきわめて短期間のあいだで次から次へと痛めつけられた。具体的に言うと、世界金融危機のせいで生じた需要ショックに加えて、被災地の生産ネットワークが負ったダメージで生じた供給ショック、さらには3・11後に全国的に原子炉を運転停止したことで生じたエネルギーショックを被っている。だがそれでも、大不況による社会的コストという点で比べるならば、日米の結果は逆転する。アメリカでは失業率がピーク時に一〇％に達していたのに対し、日本では五％にすぎない。二〇一四年になってもアメリカでは失業率が世界金融危機前を上回っており、さらに長期失業者の割合がきわめて大きかったのだが、日本はどちらの値でもアメリカよりも良い状態にあった[34]。

とりわけ注目されるのは、日本が世界金融危機後に外向的経済統合を深化させた点だ。他の国々がグローバル化を鈍化させる「スローバリゼーション」に陥り、資本フローが急激に縮小し、サプライチェーン貿易が停滞したのとは対照的である[35]。世界において、国境を越える資本フローのGDP比は二〇〇七年の二二・五％から二〇一六年には六・一％に下降した。縮小率が最も劇的だったのは西欧諸国の銀行で、この時期の海外債権は四五％も減少した。日本ではそれとは正反対で、日本の銀行はこの時期に外国資産を一・五倍に拡大し、総額一・四七六兆ドルに到達している[36]。

二〇〇八年の世界金融危機後にグローバル・バリューチェーンへの参加を失速させた他国とは

図1-4　「貿易はよいことである」と考える回答者の割合

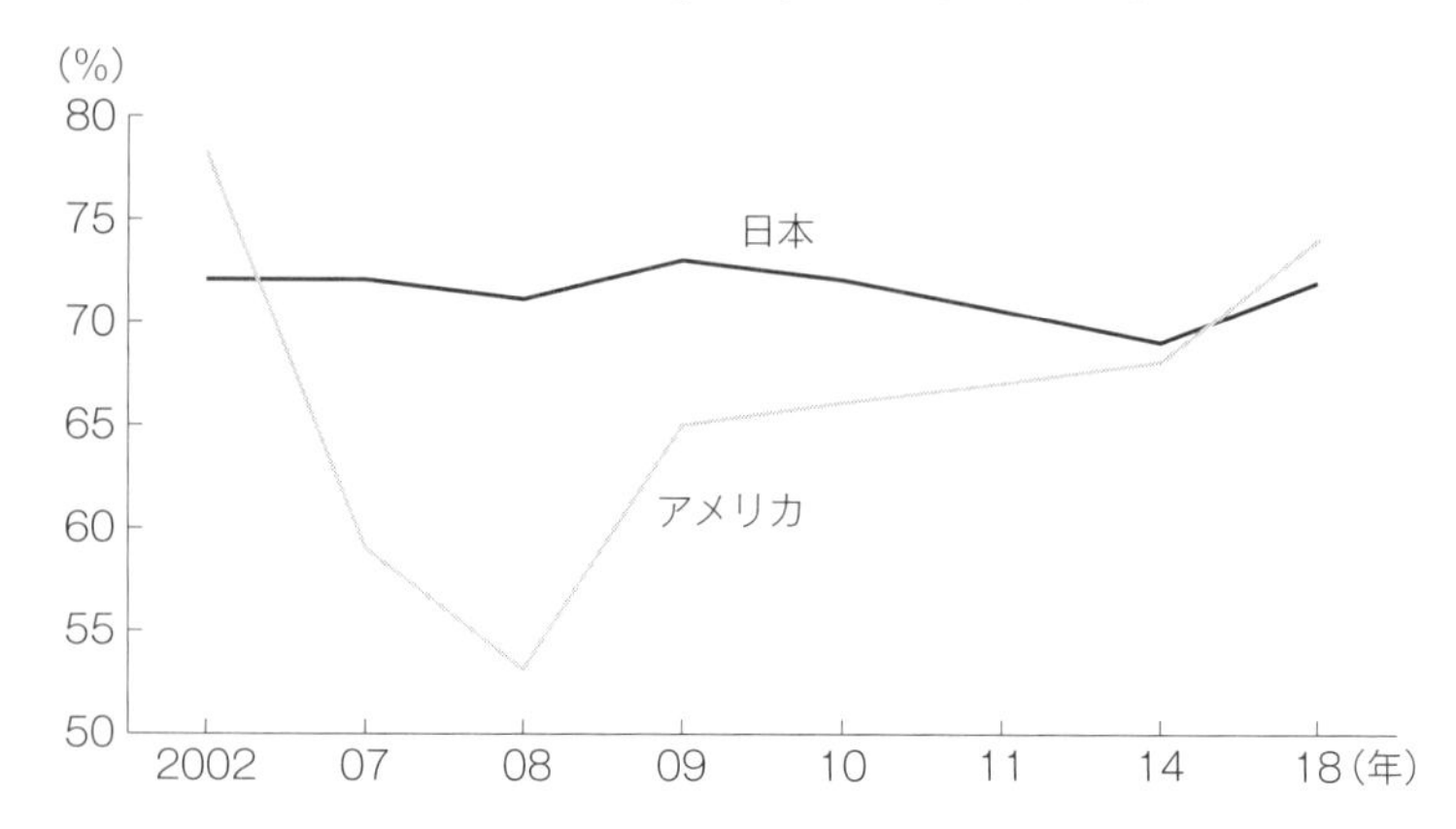

出所：Pew Research Center, "Global Trends and Attitudes Survey," 2002, 2008, 2014, 2018, https://www.pewglobal.org/datasets/2018; Pew Research Center, "Pew Global Attitudes & Trends Question Database," https://www.pewresearch.org/global/question-search/?qid=1011&cntIDs=&stdIDs=.

対照的に、日本企業はアジア地域にまたがる生産ネットワークへの依存を強めた。生産の前方・後方連関の度合いを測る指標、「グローバル・バリューチェーン参加指数」を見ると、日本の経済統合が深まる一方で、中国とアメリカが経済統合から後退した、または統合の歩みを遅滞させたことがわかる[37]。また、大不況下のアメリカでは自由貿易をよしとする空気が大きく崩れたのに対し、日本は深刻な貿易ショックを経験しながらも、貿易に対する一貫した世論の支持が変わることはなかった（図1－4参照）。

安全保障ファーストのグローバル化[38]

日本の外向的経済統合は、二一世紀に起きた最初のシステミックなグローバル化危機に際し、強靭性を発揮した。今日、世界の経済統合は、ふたたびいくつかの逆風にさらされている。性質はまったく異なるが、強烈という点では負けていない。直接的な引き金（西側における有害な金融資産）のせいで突発的に危機が起き、その後は雪崩式に波及効果がおよぶのではなく、今回のグローバル化危機はゆっくりと混乱が広がり、グローバル化を脅かす攻撃が全方位から生じるという形だ。さまざまな要素が収斂し、経済的相互依存のリスクが高まることで、国家間にも国内にも同様の波紋を引き起こしている。世界経済における摩擦が増え、複数の国家政府が自国の国益のために国際的経済取引を規制・禁止する権利を声高に主張するようになってきたのである。

とりわけ米中の戦略的対立はグローバル化の姿を書き換えつつある。経済的相互依存の紐帯が深まれば双方にバランスよくメリットが生じ、米中関係を安定させるアンカーになり、中国が責任あるステークホルダーとして台頭する道を固めることになる、という当初の楽観的観測は、いまや後退している。中国がハイテクセクターにおける自立獲得のため市場歪曲的な政策に力を入れ、そうした中国の国家資本主義を是正するにあたりＷＴＯが無力であったことから、アメリカ政府では過去の関与政策に対する懐疑的な認識が広がった。中国が経済的パワーを駆使して大々的に軍事力を増強し、さらに経済的威圧行為を通じて他国にも影響をおよぼせるようになり、米中の関係悪化は進むばかりだ。二〇一八年から貿易戦争が始まり、国家安全保障の面から経済フローを規制する対策が強化され始めたことは、この二国関係悪化の影響の広がりを示している。

新型コロナウイルスの感染拡大も経済グローバル化にブレーキをかけた。医療用品の輸出禁止が即座に敷かれたことや、ワクチンナショナリズムが広がったことに裏づけられるように、この世界的公衆衛生危機は、国際的協力関係の深刻な限界を浮き彫りにした。生産停止と経済活動鈍化により、緊密に連携していた「ジャスト・イン・タイム」式のサプライチェーンは大混乱を呈し、生産の国内回帰を求める声が大きくなった。二〇二二年に起きたロシアによるウクライナ侵攻も、世界的な食料不足と石油価格高騰をもたらし、それが成長を足止めするとともに、広範囲におよぶサプライチェーンの運営コストを莫大なものにした。また、アメリカと、その同盟国がロシアおよびその指導者層に科した前例のない規模の制裁（金融、貿易、輸出に関する規制）は、経済的相互依存がますますステートクラフトの武器として用いられるようになっていることを強く示している。

　こうした逆風があるとはいえ、グローバル化が終焉を迎えている証拠は見られない。むしろ、新たなリスク環境に合わせて、グローバル化のあり方は変化している。さまざまなデジタル化が後押しとなって、サービス貿易は世界ＧＤＰ比で伸び続けているし、[39] 現代の多くの問題にも――ワクチンを開発するのにも、国家間取引を通じて食料などの不足を補うのにも――グローバル化がソリューションとなる。世界の二大国家が全面的に分断（デカップリング）されるという選択肢は、米中どちらにとっても代償を負ってでも選びたい道ではないが（少なくとも今のところは）、貿易とテクノロジーにおける制約の数々が、その制約を被るハイテク分野のサプライチェーンに分散化を促している。そうしたグローバルなサプライチェーンを運営するにあたっては、ほんの少し前までは「いかに効率よく運営するか」が大きな焦点だったが、増大するリスクと、いついかなる時にも変更されかねないルールを前に、今は「いかにリスクヘッジをするか」が最大の懸念点だ。また、各国政府が貿易、投資、テクノロジーのフローを管理（規制で）および促進（産業政策で）する権限を増大させていることから、グローバル化の今後の現象として、国家と市場の境界線も引き直されていくと考えられる。

このようにグローバル化が安全保障にかかわる問題となることを、グローバリゼーションの安全保障化と呼ぶ。これは世界金融危機がもたらした影響以上に深遠な影響を日本に与える可能性が高い。すでに、前述したような情勢変化を考慮して経済安全保障対策を進める包括的な取り組みも広がっている（第10章を参照）。リスク要因は多種多様だが、日本のグローバル化を見直すにあたり、最も大きな意味をもつのは中国とのさまざまな関係の軌道修正だろう。内閣府が二〇二二年に発表したレポートは、中国からの輸入への過度な依存がもたらすリスクという問題に焦点を合わせている。同レポートはアメリカおよびドイツとの比較を通して、日本の輸入集中度の高さを説明した[40]。図1－5に示したとおり、日本は、供給元がきわめて少数の地域に限られる輸入品の数が最も多い。アメリカが一七一九品目、ドイツが九九〇品目であるのに対し、日本は二三〇五品目だ。そして輸入の最大供給元は突出して中国である（三九％）。アメリカの場合も中国からの輸入の割合は大きいが日本ほどではなく（二五％）、ドイツの場合はさらに小さい（一三％）。輸入が単一の供給元に極端な地理的集中となっていると、他の供給元を見つけることが難しく、危機耐性という点で妥協することになる――と同レポートは警告している。

ただし、これからの中国との経済関係がどうなっていくかについては、民間セクターも投票権をもっている。図1－6が示すように、中国を通るサプライチェーンに伴うリスク増大は認識さ

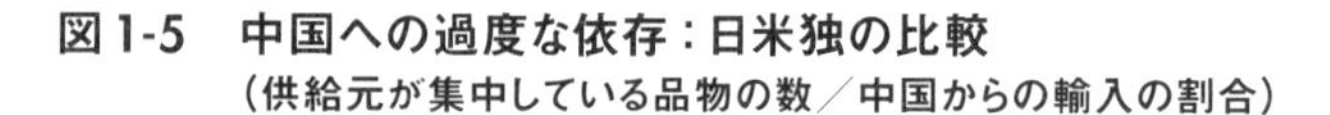

図1-5　中国への過度な依存：日米独の比較
（供給元が集中している品物の数／中国からの輸入の割合）

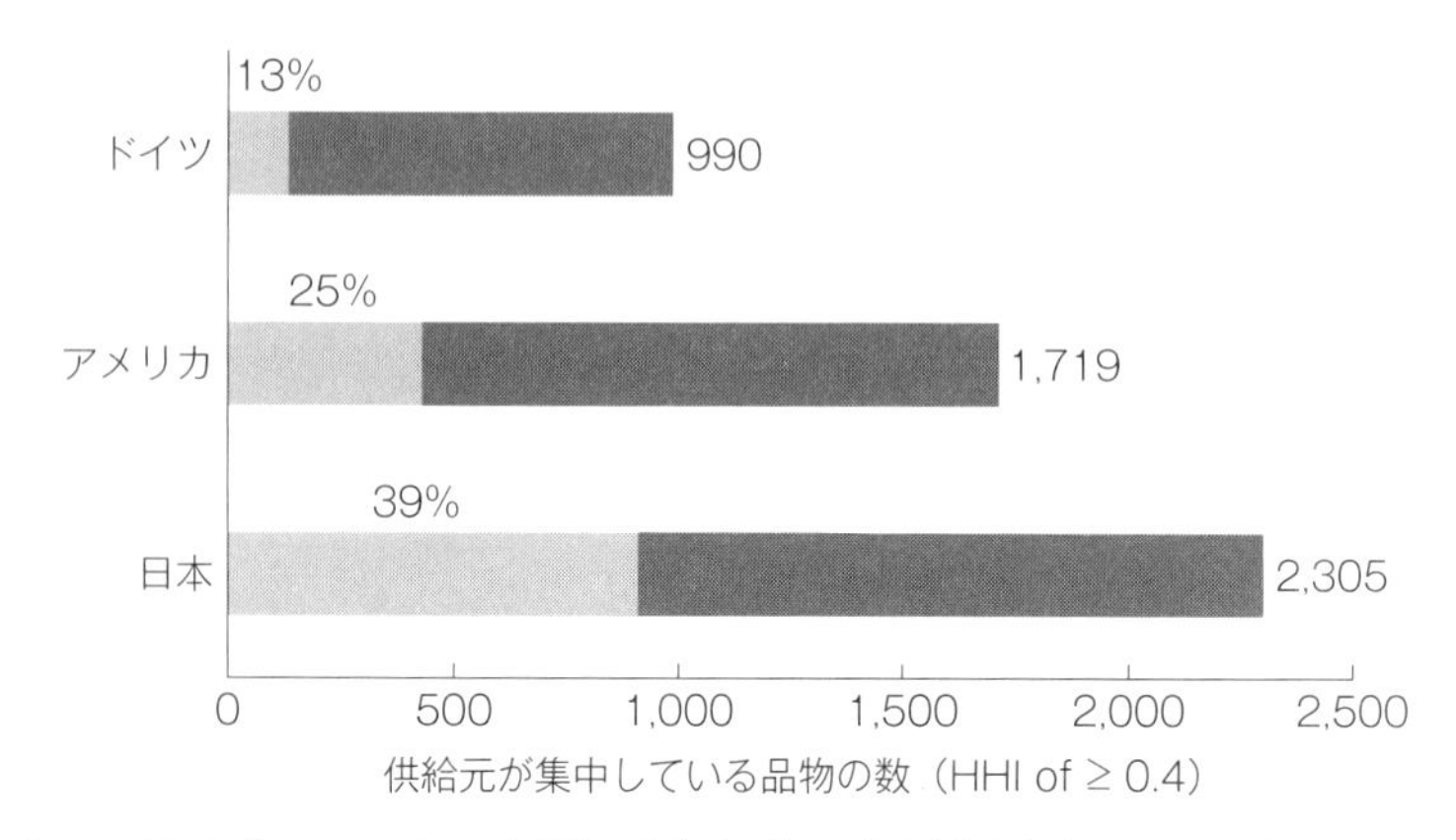

注：ハーフィンダール・ハーシュマン指数（HHI）は、輸入の地理的集中を測り、0から1の値で示す。このグラフに示されているのは同指数が0.4以上（集中度が高い）の品目。パーセンテージは、その中で中国が供給元1位となっている品目の割合。

出所：内閣府「中国の経済成長と貿易構造の変化」『世界経済の潮流　2021年　II』2022年2月、P.60。https://www5.cao.go.jp/j-j/sekai_chouryuu/sa21-02/sa21.html

れており、日本経済研究センター（ＪＣＥＲ）の調査に応じた日本企業のうち四一％が、生産拠点としての中国の役割は今後は小さくなるという予想を示した。しかし、市場としての中国の重要性について尋ねると、回答者の六九％が、今後も同等に重要である、もしくは今後さらに重要性が増すと答えた。日本経済が中国市場を捨てる気はないことがここに表れている。

図1-6　中国への将来的な依存について

Q. 市場としての中国が今後の
日本経済にとって持つ意味を
ひとつ選んでください。

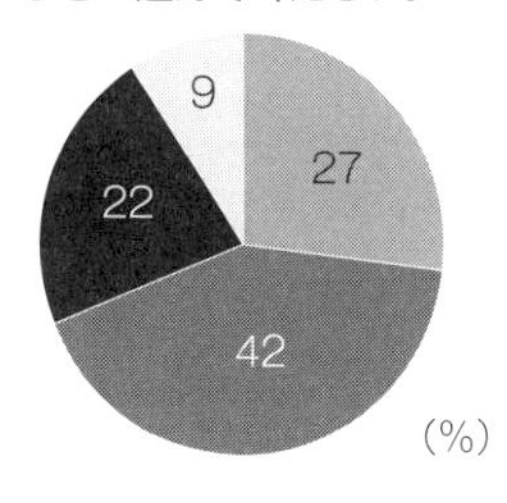

Q. 生産拠点としての中国が今後の
日本経済にとって持つ意味を
ひとつ選んでください。

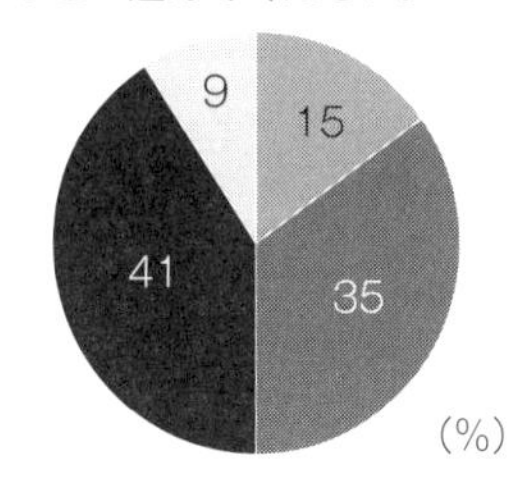

■ 今後も重要性を増す　■ 今後もいままでと同程度の重要性を維持する
■ 今後、重要性は低下する　□ わからない

注：この調査は2020年7月14日-16日に実施された。回答者は日本に拠点を置く日本の上場企業に正社員として勤務する20歳以上の3,000人。

出所：公益社団法人　日本経済研究センター（JCER）「『ポストコロナ時代の米中関係と日本』上場企業3000人調査」、2020年9月4日。https://www.jcer.or.jp/jcer_download_log.php?f=eyJwb3N0X2lkIjo2ODQyMSwiZmlsZV9wb3N0X2lkIjoiNjg0MjIifQ==&post_id=68421&file_post_id=68422

第2章 日本の外国人労働者

Foreign Workers in Japan

タブー解禁と入国制限

第二次世界大戦後、日本はきわめて厳しい出入国管理政策を採用した。国籍は出生時の両親のいずれかが日本国籍であるかどうかを根拠に付与し、民族的均一性の利点を強調し、必要な外国人労働者の入国には別枠を設けた。日本の移民政策には今も島国文化が深く根を下ろしているのだが、それでものろのろと、そしてもたもたとではあるものの、この国は変わりつつある。それまでの歴史的経緯と、そのとき目の前にある政策課題、この二つを反映する形で、日本に住む外国人の構成は過去三〇年間で著しく変容してきた。韓国・朝鮮系永住者（「在日」と呼ばれることが多い）については、数世代をかけて社会保障制度の適用範囲が広がり、国籍取得者の割合の上昇に伴って、在留外国人に占める割合は大幅に縮小した。そして一九九〇年代以降、日本政府が労働者を入国させる別の入り口（サイドドア）を作ってからは、日本における外国人労働者（日系ブラジル人や、途上国から外国人技能実習制度を通じてやってくる実習生など）の数が急速に増えた。世界金融危機が起きると日系ブラジル人の多くがブラジルに戻り、その後の一〇年間は、主に技能実習制度の拡大によって在留外国人の規模が三倍になった。

　しかし、事実上の臨時労働者となる外国人のための制度を政府が認めず、相応の労働者保護や社会統合支援も行わなかったため、移民に関する日本のアプローチは深刻化する労働力不足問題の解決策としての効果を発揮しなかった。二〇一九年の入管法改正ではそれまでのタブーが解禁され、初めて単純労働者を対象とした在留資格が設けられ、その一部に長期定住への道も開かれている。多くの工業国で移民政策を縮小する方向へ進んでいた時期に、日本の移民管理体制は自由化が進行したのだった。同様に、多くの先進工業国では外国人排斥感情で既存の政治システムや移民制度が覆され、より厳しい規制環境へと進んでいたのとは裏腹に、日本でそこまでの風潮が見られることはなかった。

　だが、新型コロナウイルスの感染拡大は、日本がその路線を維持していくことがはたして可能なのか、新たな疑問をつきつけた。政府は二年以上にわたり、非居住外国人の入国を阻止する厳しい入国管理対策を敷いた。日本経済の未来を守るためには移民受け入れにあらためて積極的になる必要があることを考えると、二〇二二年春の岸田文雄政権による入国制限緩和で、一筋の希望は見えたと言えるだろう。

戦後の移民レジーム

移民・移住をめぐる日本の歴史を見ると、過去の経緯が現代の状況に長く影響をおよぼしていることがわかる。国境を越える人の移動という点で最初に起きた大々的な流れは、日本から外国への送り出しだ。農民や労働者が、よりよい経済的チャンスを求めて太平洋を渡り、ブラジル、ペルー、メキシコといった国々に大規模な日本人コミュニティを作った。[1] そして日本の帝国主義時代には、植民地から大勢の移民流入が発生した。自発的な入国ではあるが、戦争が進行し日本の労働力不足が深刻化したことに伴う強制的な移住でもあった。第二次世界大戦終結時に日本国内にいた韓国・朝鮮人は二〇〇万人以上、中国人と台湾人も数千人。[2] 一九四七年に、急に日本国籍をもたない「外国人」となった彼らの多くは、戦争で疲弊した日本に明るい見通しを感じることができずに母国に帰ったのだが、残った者も多かった。数世代にまたがる在日韓国・朝鮮人コミュニティの存在は、日本に移民受け入れという経験があった証拠であり、そのことは決して否定できない。[3] さらに数十年後、労働力不足解消を目的として、日本人を先祖にもつラテンアメリカ住民（たいていは、同じ日本人であることを意味して「日系人」と呼ばれる）に日本で働くよう呼びかけが行われたのも、過去の経緯がその後の移民対策を形成した一例だ。

戦後の日本は、自給自足型の国家たらんとすることを公言し、この国は過去に移民が流入したことのない完全な民族的均一性をもった国であるという神話に沿う形で、出入国管理レジームを整えていった。一九五一年に施行した「出入国管理及び難民認定法」（入管法）では、日本人国籍を出生にもとづいて狭く定義しており、日本で生まれれば自動的に日本国籍が得られるものではないとしている。また、非熟練労働者の新規入国には一時的な在留ビザの取得のみを認めた。これらは「移民政策」ではなく、政府高官らの主張によれば、あくまで「外国人政策」だ。[4] 国民健康保険および年金保険、公的機関での勤務、公営住宅への入居など、重要な社会福祉制度は在留外国人に開放せず、帰化申請にも厳しい要件を課した。それまでの国籍を放棄する、日本人名を名乗る、経済的自立と文化的同化を証明するといった正式な条件に加えて、申請を承認するかどうかは当局に広い裁量権があった。[5] 難民については全般として鎖国政策を続けており、迫害認定の基準はきわめて厳しく、[6] それゆえに難民認定率は一％未満と、国際的水準に照らして大幅に低かった。[7]

つぎはぎの改革：不完全な統合とサイドドア

出入国に関する日本の制限的アプローチは全方面におよんでいたが、だからといって、変化が起きなかったわけではない。図2－1は規制レジームの変化をグラフにしたもので、一九八〇年代以降は緩和の方向へ進んできたことが表れている。[8] 重要な変化が起きたのは一九八〇年代半ばで、政府は健康保険、年金、児童扶養手当といった社会福祉制度の対象に在留外国人も含めることとした。これは人権に関する通念に合わせたものであると同時に、それらを求める在日韓国・

図2-1　日本の移民政策

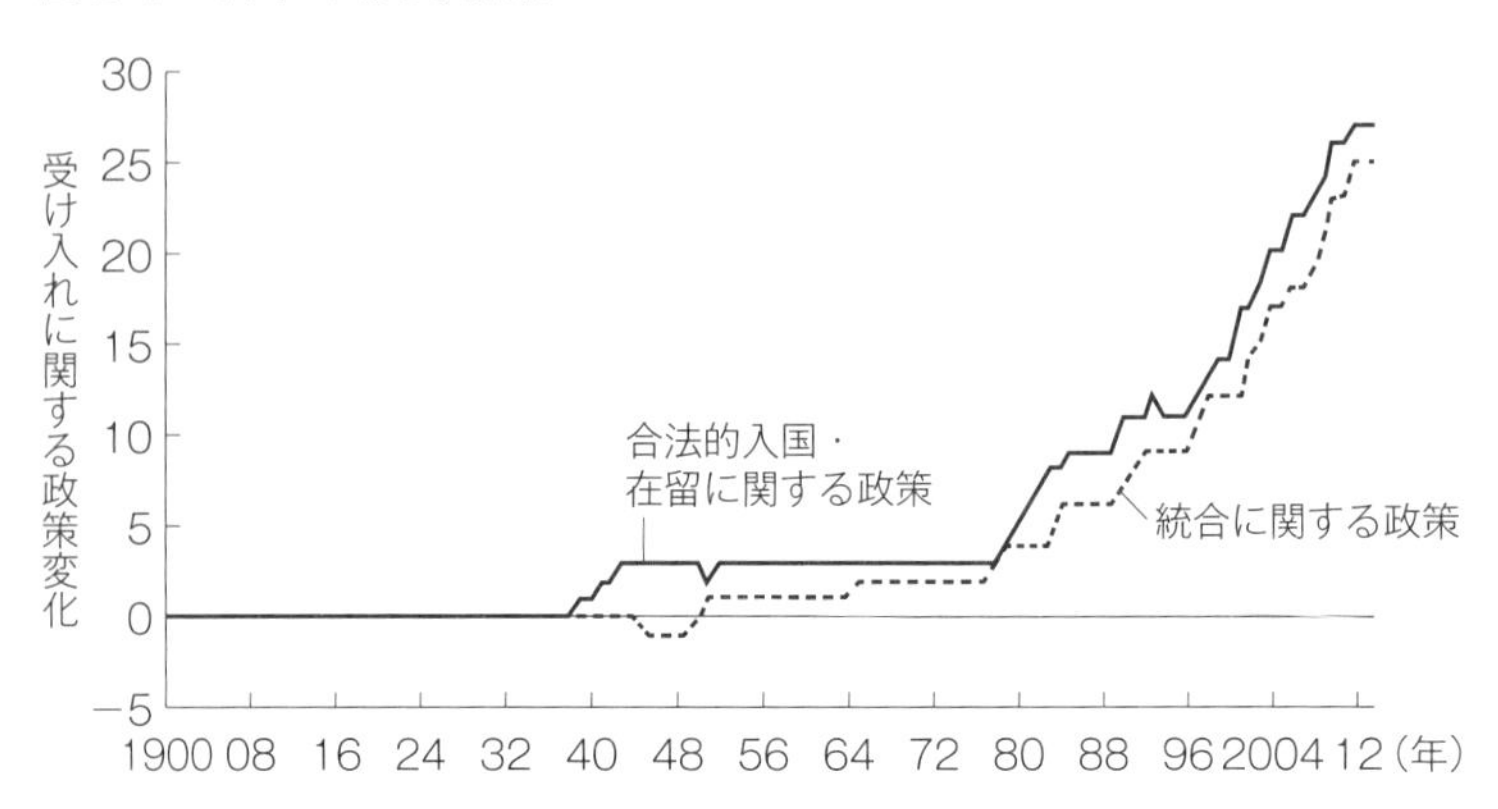

出所：*DEMIG Policy, version 1.3, online edition,* International Migration Institute, University of Oxford; Sarah W. Goodman and T. Pepinsky, "The Exclusionary Foundations of Embedded Liberalism," paper presented at the 2019 IPES Conference Program, San Diego, California, November 2019.

朝鮮人コミュニティからの声が大きくなっていたことに応じたものでもあった[9]。

特に一九九〇年の入管法改正が著しい変更だったと言える理由は、高度な技能をもった人材にはっきり門戸を開いたというよりも、単純労働者を入国させる非公式なチャネルを開いたという点にある。長期在留資格を新たに創設したほか、日本人の子孫は三世まで日本で就労可能にして、彼らには延長可能なビザを交付し、家族再結合の権利も与えた。技能実習制度も体系化した。表向きはアジアの途上国に技能を移転するのが目的だが、本来は日本国内の産業や中小企業で深刻化していた人手不足を埋めることがねらいだ。マイケル・ストラウスの説明によると、経済界はもっとオープンな移民政策を望んでいたが、社会の不安定化を恐れる政治家や官僚を説得できなかったために、労働力不足解消には十分とは言えないサイドドア（裏口）的な方法で単純労働者を入れる道が作られたのだった。[10]

このような経緯ではあったものの、日本における移民のあり方は多様化し変容していった。帰化率の上昇と、日本国籍をもつ者との結婚を通じて、在留外国人層における在日韓国・朝鮮人の割合は縮小し、日本にいる外国人人口のわずか一五％になった。[11] 在留資格が新設されたことで、日本にいる日系人の数は一九八六年の二一三五人から、一九九三年には一五万四六五〇人になった。同じ民族である日系人ならばスムーズに同化するだろうという入国管理局（現・出入国在留管理庁）の考えが安易な思い込みだったことは、入国者の増加によってすぐに露呈している。日系人の押し寄せは、国から十分な統合支援もないまま外国人労働者を受け入れることの深刻な欠陥を浮き彫りにし、地方自治体が日本での生活への適応を支援するための方針変更に追われた。二〇〇八年に景気後退によって多くの工場が稼働しなくなったときには、政府は補助金を出して日系人の自発的な帰還を促したが、その一方で技能研修、住宅、子どもの教育などの面で、在留外国人に対する緊急支援策も導入した。[12]

技能実習制度の名目と現実のズレも多くの問題を生んだ。三年限定で在留を認められる実習生たちは、家族を帯同することができず、労働関連法の保護を受けることができず、インターンシップ先を別の会社に切り替えることもできない。パスポートを没収し超過勤務や低賃金労働を強いる雇用主への不満は鬱積した。政府は二〇〇九年になってようやく労働基準法の保護適用範囲を技能実習生にも広げた。二〇一六年の時点では、日本で働く実習生が日系人よりも多くなり、前者が二一万一一〇八人、後者が一三万二六六九人だった。[13]

公式な説明がどうであったにせよ、移民をめぐる日本のレジームは、熟練技能人材よりも非熟練労働者が多く流入する結果をもたらしている。[14] インドネシア、フィリピン、ベトナムとの貿易協定に熟練看護師の受け入れ枠を含めようとする取り組みは、大きな成果にはつながらなかった。日本看護協会からの反対を受けた日本政府が、きわめて厳しい認可条件を設定したために、人口高齢化に鑑みれば差し迫ったニーズがあるにもかかわらず、看護師の入国はごくわずかだ。情報通信（ＩＣＴ）産業でもグローバルな人材が求められているのだが、このこともっぱら看過されている。二〇一二年には、熟練技能人材に優遇的に永住権を出すポイント制の在留資格制度が導入されたが、年金のポータビリティが十分ではなかったり、職場で英語が通用しなかったり、年功序列のような従来ながらの経営慣行があったりなど、足を強く引っ張るさまざまな要素はほとんど解消されなかった。[15] グローバル人材を呼び込むという点での遅れを痛感した日本政府は、二〇一七年に、ポイントが八〇を超える高度人材を対象として、一年という記録的スピードで永住権を取得できる制度を作った。[16] 二〇一七年に八五一五人だった熟練技能人材の数を二〇二二年までに二万人に増やすことが目標だったが、[17] それも日本における外国人労働者一五〇万人の中でごくわずかな割合にすぎなかった。

それでも厳しい入国制限は段階的に緩和され、在留外国人にセーフティネットの適用範囲が広がり、国内に住む非日本人の構成は目に見えて変わってきた。そのことによって世論に大きな変化は起きなかったし、国内政治に甚大な影響も生じなかった。戦後からこのかた、日本の移民レジームは主要政党のいずれにとっても、掲げるべき象徴的な争点とはなっていない。政党のアイデンティティを築く際に移民政策が旗印となることはないし、有権者に投票を呼びかける武器になることもない。このように政治的重要性が低い理由は、一つには移民がそれほど多くはなく、非公式なチャネルで入国する外国人労働者も膨大というわけではないからなのだが、別の理由としてジェフ・キングストンが指摘するとおり、「どの党も外国人排斥主義を俎上にあげない」という点がある。[18] ただし、これまでに二度の大きな例外として、移民政策が政党間論議で大きく取り沙汰されたことがあった。一度目は二〇〇〇年代に、在留外国人に地方参政権を付与する法案が国会で審議され、却下されたときのこと。二度目はそれから一〇年後、外国人のブルーカラー労働者が実際に必要であると日本が自覚したときのことだ（次のセクションで述べる）。国会では与党の連立パートナーである公明党（仏教団体である創価学会とつながっている）が、一般党員に在日韓国人コミュニティのメンバーが多いことがおそらく動機となって、永住外国人に地方参政権を付与すべきだと再三にわたり主張した。自民党はこの動きを支持せず、法案が成立することはなく、国の政策は変わらなかった。[19]

だが、それよりもさらに興味深い戦線――より積極的な統合支援をすべきだとする意見と、民族的少数派を拒否する姿勢との衝突――が繰り広げられたのは、国会よりも地方レベルである。一九九〇年代から、各地の自治体が在留外国人の権利をさらに拡大（今回は政治的権利）する方向で動き、国会の行動を待つことなく、複数の地方都市が外国人市民代表者会議を設置し、外国人住民の投票制度を導入して、日本国籍をもたない住民にも地元の出来事に対する発言権を部分的ながら与えるようになった。[20] 一方で二〇〇〇年代半ばには移民排斥主義者の右翼運動が台頭した。これは昔とは大きく異なるものだった。帝国時代の日本が掲げていた従来の汎アジア主義を振りかざすのではなく、少数派を標的とした路上デモにネットで参加を呼びかけて参加させるという手法をとっていたからだ。[21]そうした運動の一つ、「在特会」（在日特権を許さない市民の会）は韓国人全体への強い怒りを焚きつけ、在日朝鮮人が特権をもっている、という非難を打ち出して、在日コミュニティを敵視するよう煽った。だが、彼らの極端な見解が世論の主流になることはなかった（これについてもあとで論じる）。国会は二〇一六年に「本邦外出身者に対する不当な差別的言動の解消に向けた取組の推進に関する法律」、通称「ヘイトスピーチ解消法」を通過させたことで、ある程度の対策をとろうとしたが、採択された法案はヘイトスピーチを禁止したり罰則を与えたりするものではなかった。この取り組みを一歩先へ進めたのは、やはり自治体である。二〇一九年には川崎市議会が、ヘイトスピーチと差別行動に対して刑事罰を付すことを決定した。[22]

外国人労働者にフロントドアを開く

二〇一八年、政府は単純労働者を入国させるために入国管理体制の変更が必要であることを初めて認め、国会で移民政策が大々的に議論されることとなった。非熟練労働者の受け入れ拒否を続けることはもはや現実的ではなかったのだ。理由はいくつかあったが、第一に、理屈と現実の乖離が明白になっていたことが挙げられる。日本国内にいる外国人労働者の層は、世界金融危機

図2-2　日本における外国人労働者の数（2008～2021年）

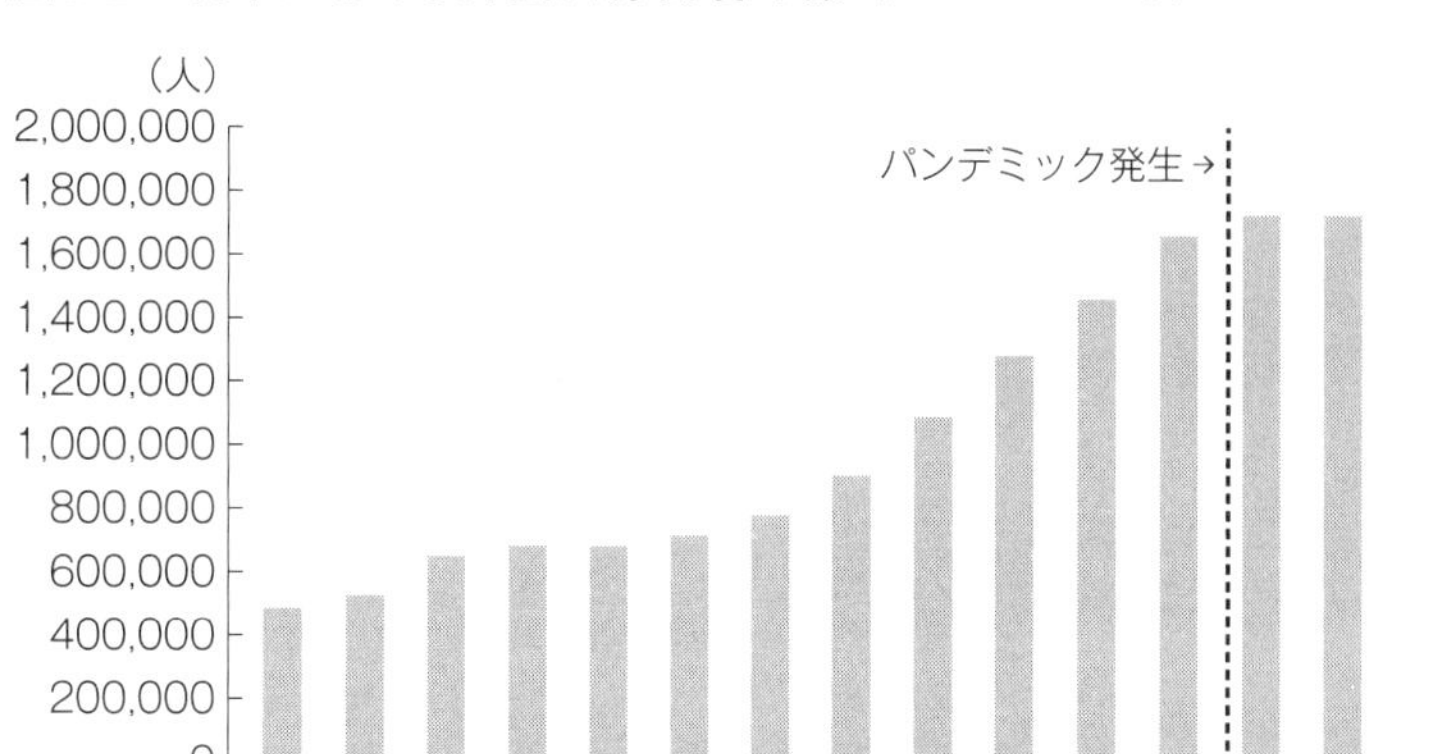

出所：厚生労働省「外国人雇用状況の届出状況について」（2008～2021年）。https://www.mhlw.go.jp/stf/seisakunitsuite/bunya/koyou_roudou/koyou/gaikokujin/gaikokujin-koyou/06.html

後の一〇年間に三倍に増え、五〇万人未満から一五〇万人へと変化していた（図2－2参照）[23]。都市部ではサービス業（コンビニエンスストア、レストラン、ホテルなど）で外国人スタッフの存在が目立つようになっていた。彼らの多くは、アルバイトで働くことが認められたビザを持つ交換留学生だ。一方、農業人口の高齢化を痛感している郊外では、農作業などを外国人実習生に大きく依存するようになった。たとえば二〇一〇年代後半の茨城県で農業に従事していた若者の三人に一人が外国出身だった[24]。

その一方で、非熟練移民（日系人と実習生の）を取り込む非公式のサイドドアには日本での生活に適応するための支援策もなく、労働保護の措置も不十分で、問題が多かった。しかも、こうしたサイドドアでは、増大する労働力不足問題を解消することもできていなかった。特に深刻だったのが看護、農業、建設だ。政府の推算によれば、二〇二五年までに建設業では七八万人から九三万人、看護および高齢者介護では五五万人の人手不足になる。農業では四万六〇〇〇人から一〇万三〇〇〇人の幅で人手不足が生じる見込みだ[25]。日本の移民政策は思慮が浅く（日本の社会および経済において非熟練外国人労働者が事実上担っている役割を理解していないという点で）、同時に非効果的（労働力不足を埋められない非公式チャネルに頼っているという点で）であるようだった。

二〇一九年に発効した改正入管法は、いくつかの面で、こうした状況に新しい突破口を開いている。第一に、労働力不足に悩む一四種類の産業において、中レベルの技能をもった単純労働者を受け入れることが可能になった。このとき新たな在留資格が二つ創設されている。一つは低レベルの技能をもつ労働者のためのビザで、既存の実習プログラムから最大五年延長して働くことができる。ただし、家族再結合の特権は付与されていない。もう一つは、建設や造船など専門性の高い産業に関連した高レベルの技能をもつ労働者のためのビザで、こちらは家族を帯同できる可能性がある。どちらの労働者にも勤め先を変える自由があり、賃金は産業の標準に沿った額で支払われる。ただし、入国前の時点で日本語がある程度は流暢に使用できることを示さなければならず、当該産業の専門技能について試験を受ける必要がある。

第二に、改正された法的枠組みでは、中央省庁が統合支援策の国家的システムを作る必要があることを初めて認めた形となった。新規に入国した外国人が日本での生活に適応できるよう、多言語での支援を提供するワンストップセンターを一〇〇カ所設立することを求めるとともに、入国管理局を出入国在留管理庁として新たにし、外国人労働者の生活および労働環境向上に努めるよう義務づけている[26]。さらに第三の突破口として、政府の主張によれば二〇一九年の改正入管法はあくまで外国人臨時労働者に関する制度であって、移民受け入れを定めるものではないのだが、それでも高度技能をもつ労働者ならば無期限でビザの三年更新ができ長期滞在が可能で[27]、永住権取得の可能性もありうることとなった[28]。

この二〇一九年の移民政策改革も、いくつか重要な形で、日本の過去の経緯に沿ったものだった。政府は引き続き、外国人労働者の流入を望ましい経済セクターに振り分ける采配をとり、その後五年間にわたる受け入れ者数を上限三四万五〇〇〇人と定めている。賛否両論のあった外国人技能実習制度を入れ替えることはせず、改正法で同制度を発展させ、雇用主の不当行為を防ぐための対策をいくつか加えた。この法案が提出されたときには国会で激しい論争となり（身体的な衝突もあった[29]）、反対政党は制度が悪用される可能性（正規の雇用ではなく実習制度ばかりが広がるのではないか、日本の医療を利用する資格がない者が医療に頼るのではないかなど）や、適応支援の不十分さ、国会審議における情報不足・時間不足などを批判した。だがここで着目したいのは、反対派も政策変更の前提——日本には単純労働者が差し迫って必要であること——には疑義を差し挟まなかった点だ。技能のレベルを問わず外国人労働者は日本の未来にとって必要不可欠である、という明白な認識について、国民からあからさまな反発が起きることもなかった。二〇一八年一二月に日本テレビが行った世論調査でも、外国人単純労働者の増加に対する賛成派が反対派を上回った（賛成派が四六％、反対派が三九％[30]）。

実際のところ、移民に対する国民の見解を諸外国と比較してみても、日本が格段に懐疑的あるいは防御的であるとは言えない。二〇一九年三月のピュー・リサーチセンターによる調査でも、「移民によって国は強くなる」という設問に対して日本人回答者の五九％が賛同を示しており、調査対象となった一八カ国の中央値である五六％を上回っていた。移民を社会および文化に溶け込ませていくことへの前向きさについても、日本は他国を上回る（中央値四五％に対し、日本は七五％）。さらに日本の回答者の半分が、移民のせいで犯罪が増えるという見解を否定する答えを選択し、六〇％は、移民をテロリスク上昇と結びつけない認識を示した。[31] 別の複数の調査でも、外国人に対する不寛容の広がりは確認されていない。鹿毛利枝子らの論文では、日本における調査回答者の六〇％が、移民について経済的または文化的理由から肯定的な見解をもっていたと説明している。[32] 日本で働く外国人が、もはや視界に入らない水面下の存在ではなくなり――外国人労働者の層は急速に厚みを増している――日本が外国からの単純労働者に対して正式に門戸を開いた時期に、こうした姿勢が見られるというのは、非常に興味深い発見である。

だが、入管法が改正された二〇一九年に外国人労働者の数がすぐに増加した一方で、新設された在留資格の活用については滑り出しが振るわなかった。政府は四万七〇〇〇人が新しいビザで入国することを見込んでいたが、実際にはわずか一六二一人にとどまっている。デボラ・ミリーの指摘によれば、この目標未達は、外国人労働者が渡航前に母国で試験や認可を受けるためのインフラ準備に時間が必要だったことを表している。改正初年度に日本はアジア一二カ国と交渉して協定をとりつけた。しかし、プログラムのメカニズムがちょうど整ったというタイミングで新型コロナウイルスの感染拡大があり、プログラムは事実上の棚上げになった。政府は感染拡大阻止のため入国管理を厳格化し、すべての外国人（労働者、留学生、観光客）の日本入国を制限した。そのため、パンデミック後の外国人労働者の数を年間増加率で見ると、それまでの著しい上昇（二〇一八年と二〇一九年は、前年比一三～一四％増）と比べて、ほとんどゼロに近い数字（二〇二一年は〇・二％増）となった。

ふたたび鎖国へ？　新型コロナと日本

二〇一九年末に始まった新型コロナウイルスの感染拡大は、大量の犠牲者（世界保健機関〈WHO〉の発表によれば、二〇二二年四月時点で死者数は六〇〇万人以上）と深刻な景気後退をもたらすと同時に、効果的に連携して健康危機に対応するという点でも、世界人口の大半にワクチンを行き渡らせるという点でも、国際的協力関係がうまく成り立たない様子を浮き彫りにした。あらゆる国の政府が、人命の救助と暮らしの保護と国民からの信頼維持の取り組みに苦戦することとなった。

パンデミックの始まりから二年半が経ち、急速に変異するウイルスの第七波が起きている時点で、日本の新型コロナウイルス対策はきわめて手堅い成果を出している。二〇二二年半ば現在で見れば、日本は人口当たりの新型コロナウイルス関連死がOECD加盟諸国の中で最も少なかった（一〇〇万人当たりで二四六人）[33]。ワクチン接種も人口の大多数におよんでいる（二〇二二年六月時点で七六％が少なくとも最初の接種二回を済ませ、六〇％が三回目を接種済み[34]）。空気感染する新しいウイルスにどう対処すべきか、国内の感染症学者の提案で早々に策定されたアプローチは、「3つの密」（密閉空間、密集場所、密接場面）を避けるという的確かつ伝達しやすいスローガンで実施された[35]。他の国々、特に中国で極端な様相を呈した過酷なロックダウンを、日本はせずに済んだ。警察による取り締まりで個人の移動を強制的に制限することは憲法上認められていないので、日本政府は再三にわたり緊急事態宣言を発して勤務時間の制限や大規模集会の中止を求めつつ、従うかどうかは完全に個人の判断にあるとした。マスク着用も国民にほぼまんべんなく浸透し（新型コロナウイルスの感染拡大前からマスク着用の習慣はあった）、アメリカのように着用の有無が社会全体を分裂させるほどの大問題にはならなかった。

現段階において日本の成果は穏当なのだが、ここに至るまでの経緯には壁にぶつかったり間違いを犯したりといった紆余曲折があり、国民の信頼に影を落としている。二〇二〇年に見切り発車でスタートした「ＧｏＴｏトラベル」キャンペーンは、国内の観光業を活性化するための試みだったが、感染が再拡大する結果となり、打ち切られた。ワクチン接種プログラムの実施に手間取ったことも（新たに開発されたｍＲＮＡワクチンについて、日本政府がアメリカでの臨床試験に頼るのではなく、国内で独自に臨床試験をすることを求めたため）、国民の不安と不満を煽る結果となった。菅義偉政権が二〇二一年夏に無観客のオリンピック開催を進めたことも同様だ。オリンピックはなんとか安全に行われたのだが、主催国として開催を断行したことへの不支持が、菅総理がわずか一年で辞任する大きな要因となった。イヴ・ティベルゲンが指摘したように、日本の国民は新型コロナウイルスの感染者数がほんの少しでも増加することにひどく過敏で、それが指導者層に対する強い圧力になったのだった[36]。

菅に代わり二〇二一年秋に首相に就任した岸田は、より感染力の強いオミクロン株の拡大傾向が見られ始めた一一月の時点で、即座に厳格な出入国制限を敷いた。主に外国人の日本入国を排除するという規制強化の判断を、国民は支持した（世論調査では九〇％が賛同すると答えている[37]）。もちろんパンデミック期の国境閉鎖は一般的な判断だ。試算によれば、二〇二〇年には世界人口の六三％に相当する一八九カ国で、ウイルス伝播を低減するため国境を閉鎖した[38]。しかし日本が行った国境閉鎖措置は、二つの重要な意味で際立っている。一つ目は、日本がG7諸国の中で最も厳しく、最も長期にわたって出入国制限を維持したこと。他の工業国は外国との行き来を日本よりもかなり早くに解禁した。そして二つ目は、入国可否を判断するにあたり、公衆衛生科学ではなく国籍に関するステイタスを基準としたことだ[39]。日本政府は法務省の勧めに沿って、入管法のもと、二〇二〇年二月一日の時点で感染率が高い国からの外国人の入国を拒否するという決断をした。非営利シンクタンク「アジア・パシフィック・イニシアティブ」が新型コロナウイルスへの政府対応を調査したレポートでは、この判断を「特定の個人に限定せず、その地域に滞在していた全ての外国人の入国を原則、拒否するという、極めて異例の措置」と述べている[40]。二〇二〇年七月には国家安全保障会議の決定により、制限対象の国を一四六カ国に拡大し、永住者であっても該当国から帰国した場合は再入国を拒否することになった。政府はこのような措置をとる理由として、入国時の検査対応能力が不十分である点を挙げたが、長期在留者と国民は同等に扱うのが一般的な慣行であるため、この措置は国際社会と足並みがそろわないものだった。その後の検査能力向上に伴い、政府は二〇二〇年七月下旬から段階的に長期在留者の再入国を許可するようになったが[41]、外国人非居住者に対しては、入国禁止に近い対応をさらに二年近く継続した。

外国国籍をもつ者が日本で働く、事業を行う、親族を訪ねる、研究するといった目的で入国することができない状態が続いたことは、日本の経済的利益に打撃を与え、日本と世界との結びつきを弱める結果になった。岸田政権は経済界からの強い要請と国際的な反発を受け、二〇二二年三月から入国制限の緩和を始めた。まずは就労、留学、研究目的のビザを延長し、五月末までに、入国停止になっていた全外国人留学生に許可を出すと公約した[42]。

国籍を判断基準とした入国拒否の措置を長引かせたのは、結果的に、日本のパンデミック対応における失策だった。国際協力機構（ＪＩＣＡ）がシンポジウムで示した新しい試算によれば、日本がＧＤＰ年間成長率一・二四％を維持するためには二〇四〇年までに外国人労働者の人口を四倍の六七四万人まで増やす必要があるので、この点に照らして考えると入国拒否は特に悪影響だったということになる[43]。今後とりわけ切迫して外国人単純労働者の存在を必要とするのは製造業（一五五万人）、卸売・小売業（一〇四万人）、建設業（五〇万人）で、そうした労働者のほとんどは東南アジアや南アジアから入国すると予想されている（ベトナムだけで三割近くを占める）。送り出し国のほうでも人口構成が変化し、生活水準も上がりつつあるのだから、労働者の呼び込みはいっそう困難になっていくはずだ[44]。

この先、より優れた統合支援と、より魅力的なビザプログラムが必須であることは間違いない。短期就労の滞在では意味がないので、日本政府は二〇二一年秋の時点で、一四の指定分野において全単純労働者のビザを無期限更新可能とする準備を整えていたようだ。[45]だが、オミクロン株の流行でふたたび日本人以外の入国を拒否する判断をしたため、これらの計画は棚上げになった。入国制限の緩和は歓迎すべき進歩であるだけでない。入管法を大胆に改革し、外国人労働者を公に呼び込んだにもかかわらず、その後のパンデミックに伴い国際的な人の移動を過剰に制限しすぎたせいで、より重要な長期目標を阻害するという、この一連の経緯を日本が乗り越えていくつもりであるならば、歓迎どころか必須の判断であると言えるだろう。

第2部 経済

Economics

第3章 「失われた三〇年」の失敗、そして成功

What Went Wrong (and Right) during Japan's Lost Decades?

日本経済はここ三〇年にわたり低迷している。第二次世界大戦後の日本は戦後の荒廃からドラマチックな再建を果たし、競争の激しい産業で海外市場を次々と席巻し景気を上昇させ、一九七〇年代の石油ショックのように日本にとって最も弱い部分を揺るがす危機にも巧みに対応した。こうした実績はこれまで長く称賛の対象だったし、中でも戦後日本の際立った偉業は、裕福な中流社会を創出したことだ。だが、過去四半世紀に目を向ければ、数多くの逆転現象が起きている。一九九〇年代前半のバブル経済崩壊後は、低成長と頑固なデフレを抱え込んだ。歴代政権はいずれも持続的成長に回帰する道を探ってきたが、多くが空振りだった。急速な少子高齢化など、人口動態の下降傾向のせいで、試練はいっそう厳しくなるばかりだ。景気後退は社会にも影響をおよぼし、所得格差も急激に進行した。(1)

とはいえ、過去四半世紀における日本のパフォーマンスは景気下降の一直線をたどってきたわ

けではなく、経済システムが硬直化してしまったわけでもない。日本の経験の中には、何度かの爆発的な成長、企業再生、政策実験、そして大きな外的ショックや自然災害からの回復も含まれている。日本の過去三〇年間の社会経済的記録を見れば、人口減少があり、経済政策の失態があり、格差社会の拡大があるなど、気の滅入るような事例が多い一方で、日本式資本主義の中枢的制度に見られる順応性の高さや、経済改革の進行や、強靭な社会的一体性といった興味深い特徴も目立つ。日本をおおざっぱに総括するのは当を得ない――破竹の勢いの経済大国という、すでに崩れ去ったイメージが的外れだっただけではなく、活気のない日本という今も継続している印象のほうも、的確に語っているとは言えないのである。

紆余曲折：日本の経済パフォーマンス

日本経済の試行錯誤と実績は図3－1に見てとれる。一九九〇年代前半の下降はまさに突然のもので、バブル崩壊と不景気突入で地価も株価も暴落した。日本は一時的に後退しただけだと想定する声も多かったのだが、その後数年で銀行危機の重大性が見えてくるにつれ、その意見は希望的観測だったことが明らかになった。タイミング悪く一九九七年に消費税引き上げを行ったことと、戦後初めて大型金融機関の破綻が相次いだことで、さらなる不況拡大がもたらされ、長引くデフレの始まりが誘発された。二〇〇〇年代前半の小泉純一郎政権のもとでは、特に不良債権問題の処理後に成長回帰が起きたが、その回復は短命だった。二〇〇八年の世界金融危機で日本

図3-1 日本の実質GDP成長、コアインフレ率、失業率の推移

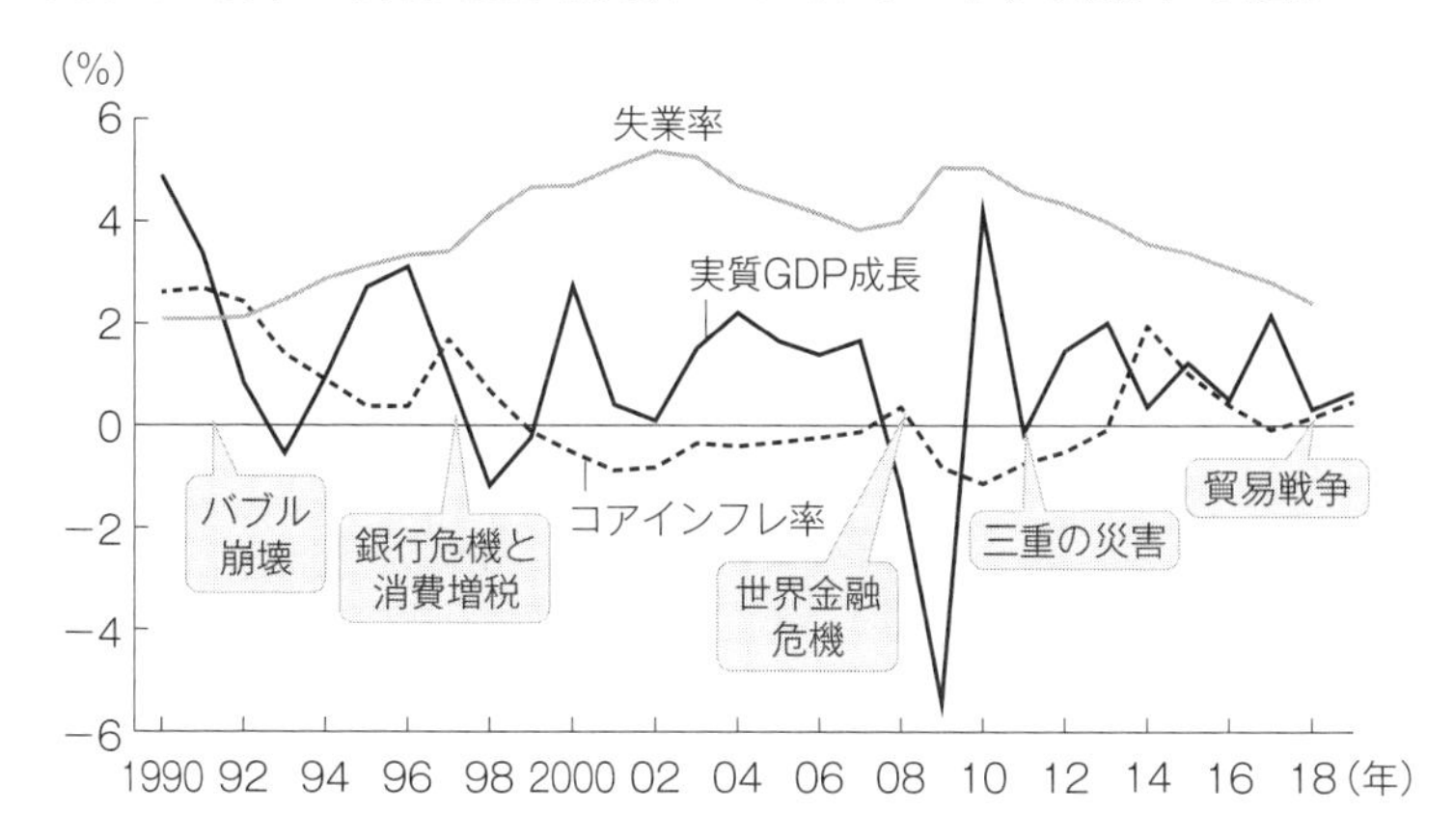

出所：GDPのデータはOECDの次の統計から。OECD.Stat, "Gross Domestic Product (GDP), Growth Rate," https://stats.oecd.org; 失業率のデータはOECDの次の統計から。OECD, "Unemployment Rate," https://data.oecd.org/unemp/unemployment-rate.htm; インフレのデータはOECDの次の統計から。OECD.Stat, "Consumer Price Indices (CPis): Consumer Prices—Annual Inflation," https://stats.oecd.org.

からの輸出品に対する世界の需要が干上がったことで日本のGDPは急降下し、V字回復も二〇一一年三月一一日の「三重の災害」によって崩れた。甚大な地震と津波が日本を襲い、多くの人命が失われ、報道によれば二万人近い犠牲者が出ている。それに続いて福島県で原発事故が起き、日本はエネルギーミックスにおける原子力の利用を引き下げざるを得ず、景気回復はさらに遠のいた。

安倍晋三首相が進めた改革プログラムは、戦後最長の景気拡大期を作り出し、一五年にわたるデフレの流れにようやく歯止めをかけた。だが、この景気回復は不安定なもので、二〇一四年および二〇一九年の消費税引き上げの際には景気縮小が起きている。外的な経済環境もいっそう過酷になった。二〇一八年の米中貿易戦争の始まりとともに明らかに風向きが変わり、報復的な関税のかけ合いが生じて、国際貿易の流れも減速。二〇二〇年の新型コロナウイルスによる世界的なパンデミックは、需要と供給に二重のショックをもたらし、同年の世界経済を急降下させた。急速に変異するウイルスが再三にわたりもたらす感染拡大の波、中国の「ゼロコロナ政策」とそれに伴う極端なロックダウン、そしてロシアによるウクライナ戦争の勃発が食料および燃料の価格に甚大なプレッシャーを与えたことにより、回復の見通しがほとんどつかない状態になった。

ただし、低成長期の日本の経済パフォーマンスを語るにあたっては、あと二つ重要なトレンドに触れなければならない。一つは、再三にわたり深刻な経済的ショックを経験したにもかかわらず、失業率の急上昇は起きていない点だ。日本の失業率は最高でも五・四%で、これは多くの工業国にとってはうらやむべき数字である。そしてもう一つは、二〇一〇年代の日本の経済成長の様子が、人口一人当たりGDPではG7諸国に見劣りしていない点だ。二〇〇〇年代の日本の年間成長率は一人当たりたった〇・四%で、その他のG7諸国の平均は一・〇%だったのだが、アベノミクス期における日本のGDP年間成長率は人口一人当たり平均一・三%で、G7の残りの国々の平均である一・二%をわずかながら上回っていた[2]。

経済成長、インフレ、失業率に関する目立った数字は、日本の経験に一定の意味合いを与えるものだが、これらは、さらに興味深い数々の疑問の前奏にすぎない。本章以降で考察していきたいのはそうした疑問のほうだ。日本は何度か深刻な景気後退からの回復を成し遂げてきたのに、なぜバブル崩壊後はこれほど回復に苦しんだのか。政治的リーダーシップの交代によって経済改革の見込みにはどんな違いがもたらされたのか。低成長と賃金停滞の時代に、中間層で構成される社会はどう対応しているのか。そして、アベノミクス後の時代においてとりわけ重要な問題、すなわちデジタルや環境や人的資本をめぐる変革の見込みはどうなっているのだろうか。

失われた一九九〇年代：バブルと銀行危機

一九九〇年代は日本にとって、まさに失われた一〇年となった。資産バブルのタネがまかれたのは日本が絶好調だった一九八〇年代だ。この時期には日本企業が海外で大きな市場シェアを獲得し、アメリカ側が均等な競争機会と日本市場へのアクセスを要求して、日米政府は過熱する貿易交渉でにらみ合っていた。一九八五年のプラザ合意で急激に円高が進行したが、これも日本の資本力をあらためて誇示する結果となった。製造業がいっせいに外国投資を行って工場を海外に移したほか、日本企業がニューヨークのロックフェラーセンターなど、いわゆる「トロフィー不動産」を続々と買い上げた。円高が経済にもたらす影響を懸念した日本銀行が、経済活動を刺激すべく金利を引き下げたことで、結果的に一九八〇年代後半で日本経済は四％という驚異的な成長を果たした。[3] 株価と地価の高騰が、日本は無敵だという空気を生み出していた。日経平均株価は一九八四年には一万円に届くか届かないかだったが、一九八九年一二月の最高値では三万八八九一六円にまで上昇している。不動産価格も一九八〇年代末の時点ですさまじい上がり方をしていた。[4]

だが、このときの資産価値ブームは、二つの誤った確信のもとで生じていた幻想だった。一つは、不動産価格は天井知らずで上がるだけ——戦後ずっとそうだったように——だという確信。もう一つは、金融不安が起きる可能性があるなら政府が介入して阻止するに決まっているのだから、爆発的な信用拡大によって犠牲者が出るはずなどない、という確信である。[5] 後者に関して、日本の金融市場が厳重に規制されていた時代には、そうした介入が昔から続く慣習として行われていた。政府はそのための「護送船団方式」を導入し、銀行同士の足並みをそろえさせ、必要があれば介入して救済措置をとっていた。こうした状況で、規制緩和と国際化で大企業が資金余剰になると、モラルハザードが進んだ。銀行は新たな顧客を求めてリスクの大きい不動産市場での取引を拡大した。一九九〇年、日本銀行が資産価格バブルを一服させるため金利を引き上げると、ねらった以上の効果が出て、株価と地価が急落（日経平均はたちまち半減、不動産価値は三割減）。景気は一気に冷え込み、企業でも家計でも突如として資産が激減した。だが、それからの景気沈滞がどれほど甚大なものになるか、この時点では予見されていなかった。

銀行側はバランスシート悪化を認めず、それよりも債務不履行を防ぐために不採算企業に融資し続けるほうを選んだ。こうした窮境企業、いわゆる「ゾンビ会社」は日本経済の重荷となった。営業している限り生産性水準を下げるし、かといって市場から退出して経済を動かすことにもならない。[6] 政府が銀行破綻阻止のために資本を注入しながらも、経営不安のある銀行にリストラを要求しなかったせいで、「ゾンビ銀行」も生まれた。それでもいくつかの問題が積み重なるのは避けられたはずだったのだ。一九九〇年代半ば、日本政府は住宅金融専門会社を救済するため総額六八五〇億円を投じている。救済金額としては少額だったが、国民の激しい非難に直面したため、市場参加者と政府当局はそれよりもはるかに大きなノンバンク系の融資問題は放置しておくことを選んだ。(7)

適切な規制が先送りされ、これが日本経済を危うい状態にしていた。景気回復の見込みを示唆する初期兆候が見られると、橋本龍太郎政権はこれに安心して、一九九七年四月の消費税引き上げに踏み切った。増税後の景気悪化は一時的なものだ、という政府の期待とは裏腹に、経済活動はその後ずっと低迷し続けた。さらに悪いニュースが飛び込んできたのが同年夏のこと。アジア通貨危機が始まり、日本の輸出にも影響が生じたのである。それからほんの数カ月間で、名の知れた証券会社と銀行が立て続けに破綻し、秋頃には本格的な銀行危機に陥っていた。護送船団方式は正式に放棄された。政治家たちは大蔵省(現・財務省)から、その主たる権限である銀行監督の任務を取り上げ、新設した金融監督庁(現・金融庁)に移行することで、自分たちの負うべき責任を果たしたことにした。日本長期信用銀行など、致命的なダメージを負ったいくつかの銀行は国有化されたが、金融業界全般で不良債権問題を解決するという、より大きな任務は実行されないままだった。日本はこうして長期デフレ時代に突入した。

なぜ日本は投機バブルから回復できなかったのか。そして、なぜこれほど長く行き詰まり、景気沈滞をいっそう過酷なものにしたのか。星とカシャップの論文が考察しているように、日本は先進国にキャッチアップするプロセスが終わり、さらには人口高齢化によって成長のポテンシャルが下がり始めると、もう高度成長を続けることができなくなった。(8)ただし、こうした長期的変化だけで、日本が一〇年間を失う運命が決定づけられたわけではない。数々の重要領域における政策の失敗が、日本の惨憺たるパフォーマンスに大きく寄与したと言える。

特に三つの失策のツケが大きかった。第一の罪は、不良債権に対して早期かつ断固たる対策をとらなかった点だ。この不作為が生じたのは、国民の支持を得られない救済措置をあえてとろうとする政治的意思が欠落していたからだが、それだけが理由ではない。規制緩和と国際化により不健全な融資と投機バブルのリスクは高まっていたのだから、経営破綻した金融機関を再建するための金融監督とメカニズムの厳格化がぜひとも必要だったにもかかわらず、その認識が欠落していたのだった。

第二の罪は、日本銀行が状況のハンドリングに対してあまりにも消極的であったことだ。慣例的な金融政策に固執し、インフレ懸念に主眼を置いたまま、景気刺激に本腰を入れなかった。一九九九年に試したゼロ金利政策は短命に終わったし、量的緩和も二〇〇一年から二〇〇三年にかけては徹底したものではなかった。(9)

第三の罪は、マクロ経済政策と財政政策の食い違いが頻繁に生じたことだ。日本政府が効果的なケインジアン的景気刺激策をとっていたのか、それとも投じた額が喧伝されていたよりも少なかったのか、あるいは生産性の低い公共事業に差し向けてしまったのかは、今でも激しく議論されている。だが、経済低迷に対してマクロ経済的な政策協調がとられず、突発的な財政緊縮が拡張的金融政策で相殺されたり、その逆になったりしていたことは、カトナーらの論文が指摘するとおりである。(10)

小泉による成長回復：継続した改革、一時的だった改革

二一世紀が始まり、二〇〇一年春に小泉純一郎が首相に就任すると、日本経済は方向転換を迎える。小泉は五年強にわたる在任期間で日本の政治を大きく変革した。そもそも小泉は自民党総裁選にサプライズの出馬を果たし、一般党員の支持を集めて、彼ほど雄弁ではなかった議員たちを圧倒した。二〇〇五年には、自身の改革断行に対する「抵抗勢力」とは断固闘うという宣言どおり、名の知れた国会議員数名を排除している。小泉は日本の政治および政策決定に新しい息吹を吹き込んだ。改革プログラムへの支持を固めるべく、巧みなメディアキャンペーンを通じて都市部の有権者と直接的につながるという手法も駆使した。また、重点政策領域を指揮すべく首相が指名する諮問会議の権限を強めることで、政策決定におけるそれまでの「鉄の三角形」〔訳注：議員・官僚・利益団体の癒着構造のこと〕をつぶしにかかった。

しかし、小泉は日本の政治を作り替えたわけではなかったし、小泉による経済改革の主な施策は時の試練に耐えるものでもなかった。小泉が作ったトップダウンのカリスマ的リーダーシップは、本人が選んだ後継者である安倍晋三が小泉に逆らった議員の自民党復帰を認めたことで早々に転覆したし、その後の日本は首相が立て続けに短期で入れ替わる時代に突入したことから、リーダーが執行力を振るうことのできる仕組みも活用されないままとなった。経済改革に関する小泉の実績も成否が入り交じる。プラスの側面としては、小泉の首相在任中に、正しい政策の組み

合わせ（そして、好ましい外的環境）があれば日本は成長路線に復帰できることが証明された。特に重要だったのは、日本を不良債権の山から救い出す力を発揮した銀行システム改革だ。ただし小泉の肝入りの政策――郵政民営化によって、それまでの利権政治を支えていた郵便貯金の莫大な資金プールに政府がアクセスできないようにする――に関しては、首相退任後には棚上げ状態になった。痛みがなければ成長もないと謳った小泉のスローガンも、財政引き締めと労働規制緩和といった政策への反発につながった。

銀行システムについて言うと、そのほころびを解決しない限り、日本の景気回復はのろのろと進む程度にしかならないという事実があった。不健全なバランスシートに表れていたとおり、日本の銀行は貸し倒れ損失を抱え込むのを避けるためにゾンビ会社を支え続け、他の方面には貸し渋るという姿勢になっており、景気を後退させる信用縮小を引き起こしていた。金融セクター是正のための断固たる行動をとるべく、小泉首相は自身の経済改革の旗振り役として、慶應義塾大学教授の竹中平蔵を金融担当大臣に指名した。トップからの政治的後ろ盾のもと、竹中は最終的に国内の銀行に業務改善を行わせ、バランスシートの透明性向上、不良債権の処理、そして必要ならば公的資本注入と銀行運営陣の入れ替えを断行した。結果は劇的だった。二〇〇五年には日本の銀行システムにおける不良債権残高は半減していた(11)。

銀行業界を健全な状態に再編したことは、現在でも、小泉政権の代表的偉業である。しかし首相本人が自分のレガシーを築くために重視したのは、自身の肝入りのプロジェクトのほうだった。その野心的なプロジェクト、郵政民営化の試みは、郵便局長たち（全国郵便局長会は自民党の中心的な支持団体だった）の特権を奪うことで、長年の利益誘導型政治にメスを入れ、郵便貯金から政府系金融機関へ流れる莫大なカネを政治家たちがひいきの選挙区にばらまくという構図を断ち切るものだった。[12] 郵政民営化をめぐる政治劇は小泉時代の最大のハイライトだ。小泉は自身の改革法案を承認させるため、二〇〇五年にみずから解散総選挙を宣言し、その選挙で勝利している。しかし最終的な結果は妥協の産物となった。郵政事業は四組織に分割されたが、政府保有株の売却は先送りされた。さらに二〇〇九年の選挙で政権をとった民主党が売却に反対であったために、民営化計画自体が凍結された。[13]

小泉は、経済政策に対する利益団体の支配力を弱めるというねらいから、経済財政諮問会議のような新たな権限をもった組織を通じて重要なイニシアティブを追求するという形をとり、政策決定のダイナミクスを変化させた。政治指導者主導の改革として斬新な取り組みだったのだが、郵便貯金からカネを流す蛇口を閉じ、さまざまな公団（道路公団など）を統制しようとした試みは、猛烈な反対にあって縮小せざるを得なかった。小泉は、利権政治是正という挑戦のためにさらに別のカードを切った。公共事業への支出削減だ。[14] 社会保障費も制限し、地方自治体にいっそうの財政的自立を要求することで、さらに緊縮措置を実行した。多数の地方自治体がこの転換に苦しみ、強硬な緊縮財政を伴う改革への反発につながった。小泉の新自由主義的追求は労働市場改革にもおよび、企業に雇用期間柔軟化を導入させることをめざした。二〇〇三年に成立した労働者派遣法改正で、それまで解禁されていなかった製造業も含めて派遣労働者を雇用しやすくなったのだが、これは日本の労働力人口における社会経済的格差をいっそう進行させた。

所得格差の波が日本に押し寄せたのは小泉の改革のせいではなかったが、小泉が緊縮財政および規制緩和を推し進めたことで、格差社会が世論の中心的争点となったことは確かだ。[15] 国民は、競争を拡大すれば代償として社会保障がないがしろにされる、という認識をもつようになり、小泉以降に改革を行うリーダーは、そうした国民の不安に対応しなければならなくなった。構造改革のトレードオフをどうすべきか、その舵取りは重視されなくなった。世界金融危機と3・11が起きてからは危機管理こそが懸念すべき対象だったが、首相が短期間で次々と入れ替わるメリーゴーラウンド状態で、政府はまともに動くことができないようだった。安倍が経済改革者としてみずからを立て直し、内閣総理大臣として二度目のチャンスに臨んだ時点では、はたして安倍には不平等な回復以上の成果を出すことが可能なのかどうか、国民の頭には疑いが渦巻く状態だったのである。

第4章 アベノミクスの登場

Enter Abenomics

二〇一二年末に安倍晋三が内閣総理大臣に復帰した時点で、有権者から託された使命は、長期デフレと経済的機会の減少によって沈下しきった経済に勢いを取り戻すことだった。安倍はその使命に対し、「アベノミクス」として知られるようになった再興戦略で応えた。景気を持続的な成長基調に復帰させるため、それまでの試みの先を行くと誓う戦略だ。アベノミクスを作った設計者たちは、前政権までが陥った二つの主要な失策から学習していた。失策の一つは、長期にわたるデフレが続くままにしたこと。もう一つは、緊縮財政と構造改革を一緒くたにして日本経済の「再生」をめざしたことだ。

アベノミクスではこれらの失策を踏襲せず、三本柱のアプローチ（「三本の矢」）を約束した。第一に、大胆な金融政策でインフレ期待を刺激する。第二に、柔軟な財政政策で景気刺激を必要に応じて行い、長期的には引き締めによって公共財政を修復する。そして第三に、生産性を高める改革で民間企業の投資とリスクテイクを支援し、女性の労働参加を容易にし、農業などの斜陽産業がニッチな成長機会を見つけられるように後押しする。このようにアベノミクスは政策的処方と改革政治の両面において、小泉のプログラムをベースとし、さらにその改良版に乗り出したのだった（政策的処方という点では、より優れたマクロ的政策協調と、より幅広い構造改革をめざす。改革政治という点では、市場原理主義に任せることを避ける）。

アベノミクスは国外の目も意識していた。日本の保護主義的な規制環境を根本から解消すると謳い、外国人投資家にアベノミクスを〝買う〟よう説得するだけでなく、アメリカ政府やその他のTPP貿易交渉参加国に対しても、日本はTPPを進めるにあたっての負債ではなく、むしろ資産たる存在なのだと納得させた。

アベノミクスの公約は守られ、デフレは終息し成長が始まった。だが、宣言したインフレ目標二％は達成できず、同じく実質GDPの二％増も達成できなかった。さらに、景気回復も不安定（消費税引き上げ後には大幅に後退）かつ不平等（株式市場の活況ぶりと、賃金停滞に、歴然とした乖離があった）だった。企業統治改革と女性就業率向上と農業改革といったさまざまな構造改革を同時に実行した安倍政権の能力は注目すべきものであるし、働き方改革を導入して軌道修正を図った力も、また特筆に値する。しかし、アベノミクスの「三本の矢」がたどった運命は、改革者としての安倍自身について多くを語っている。安倍は日本の社会経済体制を支え続けてきた岩盤、すなわちステークホルダー資本主義や兼業農家構造、ジェンダーの不平等、正規労働者が特権をもつ労働システムなどを廃絶したわけではなかった。安倍が日本の企業に、農村に、職場にもたらした変革とは、とびきり優れた政治的妥協の産物だった。

リフレ派による転換

安倍の伝記を書いた政治評論家トバイアス・ハリスによれば、安倍が二〇一二年に内閣に復帰するにあたり、リフレ主義を掲げたことが重要な意味をもっていた。それによって自身のパブリックイメージを、安全保障問題のタカ派から、経済再生の熱意ある旗振り役へと切り替えることができたからだ。[1] 安倍が日本のマクロ経済運営を大きく方向転換させた背景には、伝統的な金融政策からの逸脱を頑として拒否する日本銀行に対し、多くの政策立案関係者たちのあいだでくすぶっていた不満があった。長期デフレの悪循環——物価は今後も下がり続けるという予想（デフレマインド）が定着すると、家計は消費を先送りし、企業も投資を削減し決断もしなくなり、それがさらに成長停滞を引き延ばす——への懸念が鬱積していた。[2]

しかし、長い停滞期のあいだ、日銀上層部はデフレ問題を違う目で見ていた。原因は人口減少などの構造的要因だとみなし、金融政策はその問題を解決する主たるツールではないと判断していたのだ。西側諸国の中央銀行が二〇〇八年の世界金融危機に対処するにあたり、積極的に量的緩和を実施したのとは正反対である。その対照性は衝撃的であっただけではなく、大幅な円高をもたらし、金融政策の方向性をめぐる懸念にいっそうの緊急性を帯びさせた。民主党・自民党はいずれも二〇一二年一二月の総選挙における選挙公約で日本の経済沈滞への解決策としてインフレをめざすと宣言した。[3]

この総選挙で地滑り的勝利を果たした安倍は、リフレ派路線に全力投球した。日銀総裁の白川方明を言いくるめて、デフレ対策のための政策協定を受け入れさせたほか、総裁任命権が内閣にあることを利用し、白川の後継者にリフレ派を自認する黒田東彦を選んだ。そして二〇一三年春の「黒田バズーカ」で、量的・質的金融緩和（ＱＱＥ）の導入が宣言される。インフレ予想へとマインド切り替えを図るねらいで、新たな金融政策のもと、日本政府は二年以内にマネタリーベースを二倍にしてインフレ率二％達成をめざすと宣言。効果はすぐに目に見えた。新たな金融政策が実際に導入されるよりも前に、市場が金融レジームの変化を予想したことによって如実に円の下落が起き、一ドル一〇二円をつけ、株式市場は上昇し日経平均株価が一万五五〇〇円を超えた。[4] ＱＱＥ立ち上げからほどなくして、日本のインフレ率はプラスに転じ、ほぼ一％に到達した。

しかし向かい風は厳しかった。国際石油価格の下落と発作的に繰り返す不況が、安倍時代の日本における石油価格に下落圧力をかけた。日銀は金融緩和を推進し、二〇一四年には国債買い入れを年間八〇兆円に拡大。一年ほどのちには民間銀行に口座維持手数料を課すという形でマイナス金利を導入した。さらに別の質的緩和（「イールドカーブ・コントロール（長短金利操作）」として知られる）を行い、長期金利引き下げのために国債買い入れを進めた。この積極的金融政策がどれほどのものであったかは、日銀のバランスシートが急激に膨張し、黒田総裁時代に二四四％増となったことに表れている。[5]

金融緩和の追求は、日本を長期デフレの呪いから脱却させたという点で、功を奏した。しかし第二次安倍政権中にインフレ目標二％が達成されることはなく、平均〇・四％にとどまった。[6] かなりの金融緩和政策をとっても決定的なインフレを招来できなかったことで、根強いデフレマインドの終わりを宣言したフォワードガイダンスの効果に疑問がもたれるようになった。また、日銀のバランスシートのすさまじい膨張から生じる金融リスクへの懸念も高まった。

とはいえアベノミクスはリフレ戦略に終始したわけではない。これはアベノミクスが掲げた三本の矢の一本目だ。経済改革プログラムのねらいは他にもある。柔軟な財政政策とのマクロ経済的協調を深め（第二の矢）、構造改革を通じて成長のポテンシャルを高める（第三の矢）。だが、これら第二・第三の矢も厳しい試練に直面した。

公的債務と増税をめぐる戦い

アベノミクスがめざしたのは、金融政策と財政政策をよりよく協調させてマクロ経済運営を改善していくことだった。財政政策を賢く行う、つまり、まずは公共支出を拡大することで需要低迷期にある経済を刺激したうえで、最終的には手綱を引き締めて苦しい国家財政を救うというわけだ。結果として二〇一九年の日本の公的債務はＧＤＰ比二三四・五％という驚異的な規模に達し、先進諸国の中でも最大となっている。[7] 安倍政権は大胆な景気刺激策に着手し、一三兆円の補正予算案を通過させ、これが積極的な金融政策と相まって即座に景気見通しを向上させた。円安、株式市場上昇、投資および消費の伸びが見られたのも、経済再生戦略の立ち上げは正解だという予兆だった。

ところが景気刺激は長く続かなかった。経済学者エドワード・リンカーンが指摘しているとおり、二〇一三年から二〇一九年における政府の年間予算（補正予算も含め）は、アベノミクスが始まる前の二年間、すなわち二〇一一年の東日本大震災後の復興に注力していた時期よりも少なかった。[8] アベノミクスの財政政策をめぐる政府論議の最大の争点は、安倍が野田佳彦前政権から受け継いだ消費税増税の公約を実行するかどうかだった。増税のタイミングやペースについての実務的な意見の相違が問題だったわけではない。トバイアス・ハリスが消費税は「内閣総理大臣を葬るもの」である、という的確な表現で考察しているとおり、その対応をどうするかに安倍自身の政治的運命がかかっていたのである。[9] 国内の消費活動が心もとない状態なのだから、増税をすれば停滞に逆戻りするリスクがある。そうなれば国民の支持という点で、高すぎる代償を払うことになる。憲法改正や安全保障改革など、比較的支持の得られにくい優先事項を進めるため、そして次の選挙でも勝利するためにも、国民の支持は安倍にとって必要なものだった。

消費税引き上げ支持派（主に財務省関係者）は、持続不可能な財政状態を修復する必要性を指摘し、二段階で引き上げをすれば内需の落ち込みは一時的なものだと予測した。こうした計算に説き伏せられた安倍は、二〇一四年春に第一段階として消費税を五％から八％に引き上げた。ところが景気後退は政府が予期したよりも急激で、しかも長引いた。安倍はその後、消費税を一〇％に引き上げる第二段階の実施を二度にわたり先送りし、その間に有力な政治家数人を、財政再建を迅速に進めるべきだと訴える自民党内増税派から離脱させた。そして二〇一四年冬には、翌年に予定されていた次なる消費増税の延期について国民の支持をとりつけるという明白な目的のもと、解散総選挙にもちこんだ。選挙に首尾よく勝利すると、数カ月後には増税延期に反対する強力な敵、自民党税制調査会会長で財政再建支持派の野田毅を、税制調査会長から退任させた。[10]安倍が自民党を掌握していること、また消費税の行く末を自身が制御できるかどうかを重要視していることは明らかだった。

日本は戦後に七三カ月連続の景気拡大（それなりの）期を経験したが、その最長記録を更新する見込みが高くなってくると、安倍はようやく二〇一九年一〇月に消費税引き上げの第二段階実施に踏み切る判断をした。二〇一四年の失態を繰り返さないよう、安倍政権は政府の総合的景気刺激策を用意して、生鮮食品では増税を免除し、税収の一部を幼児教育や保育の無償化や低所得世帯のための大学無償化など、国民の支持を得られる政策に投じると約束した。こうした措置がとられたにもかかわらず、景気はふたたび停滞し、二〇一九年第4四半期にはGDPが年換算マイナス七・一％となった。[11]二〇二〇年には新型コロナウイルスの感染拡大が日本を不況に陥れ始めたため、V字回復説を試す機会もなかった。

コロナ危機に対応するために、財政引き締めは後回しとなり、大々的な公共支出パッケージに入れ替わった。日本政府は二〇二〇年度に三回にわたり莫大な補正予算を編成し、合計七三億円を増額した。二〇二一年度の予算は一〇六・六兆円で過去最高、二〇二〇年度の新規国債発行も一一二・五五兆円という前例のないレベルだった。[12]二〇二〇年の一年間だけで、政府債務の

GDP比は二五七・八％にふくれあがった。[13] パンデミックが経済にもたらした急激な悪影響――国内消費とビジネス活動の鈍化、外国人観光客の流入ストップ、他国での厳しいロックダウンによってサプライチェーンに生じたダメージ――に対して、政府による力強い対策が必要であったことは間違いない。だが、経済学者の伊藤隆敏が指摘するとおり、過去の例を見ても非常時の財政支援は危機前のレベルに戻らないものであるため、歳出規模がいずれ平時に戻るかどうかという点は懸念がもたれている。[14]

過度な公的債務は甚大な国債危機を引き起こしはしなかった。金利は引き続き超低金利で、国債の大半は国内で保有されている。社会保障支出の抑制、増税、そして日銀による国債の迅速な買い入れという、三つの要素の組み合わせのおかげで、日本は金融不安を回避してこられた。[15] だが、社会保障支出を抑制し続けることは難しいものなので、特にコロナ後の環境において、この課題は今後いっそう厳しくなる。こうした具合に、アベノミクスの第二の矢は、日本の根本的な財政問題を解決するには至らなかった。国内消費の不安定さに加えて、財政再建の試みが経済回復をリスクにさらし、しかも再三の危機が多額の公共支出を強いたことで、公共財政の健全性はさらに損なわれることになった。

生産性をめぐる政治

デフレ終焉と財政均衡実現は、いずれも重要な目標ではあるものの、それだけで日本の経済の病状が解消されるわけではない。構造改革によって生産性を向上しイノベーションを生み出す力を解き放たなければならない。それが経済再生の試みにおける必須要素であることは以前から明白だった。だからこそアベノミクスの第三の矢も、成長志向の改革アジェンダを中心に据え、特権的な既得権益に切り込むことを約束している。企業に投資と革新とリスクテイクを促すとともに、人口構成の変化と過酷な労働力不足に苦しむ日本のために未開発の人的資本を活かすのだ。安倍首相は経済再生に向けた方策を売り込むスピーチで、「固い、岩盤のような日本の規制を、私自身をドリルの刃（やいば）として、突き破ろうと思っています」と述べた[16]。

目標は、成長を阻む柔軟性欠如とボトルネックの解消を通じて、日本の資本主義の新陳代謝を活性化させることだった。それによってこの国の現在および未来の繁栄に対する主な課題、すなわち生産性低迷という問題に挑めるようにするのである。日本と他の工業国とのパフォーマンスの差は拡大の一途をたどっていた。二〇一七年における日本の労働生産性は経済協力開発機構（ＯＥＣＤ）加盟国の上位半分から二割ほども差をつけられていたし、産業間・企業間の生産性格差が他の先進経済圏と比べて歴然と大きく開いていた。労働生産性の低さは賃金停滞を生み、それが社会的不平等を招くだけでなく、国としての活力も衰えさせてしまう。ＯＥＣＤのレポートが指摘するとおり、「高齢化による構造的な労働投入量不足もあることから、生産性向上は、日本にとって**唯一の**成長チャネル」なのだった（強調は本書著者）[17]。

政府の二〇一三年以降の成長戦略では、多彩な改革の方策を通じて日本にオープン性とイノベーションと競争力を確保するという、抜本的変革を掲げている。電力市場の自由化、経済特区における迅速な規制緩和、企業統治の強化、公的年金制度の改革、労働市場改革、貿易協定への参加、グローバル人材の獲得など、目標は多岐にわたる。アベノミクスの第三の矢は、改革イニシアティブに優先順位づけがされていない点[18]や、旧来の産業政策目標と真の規制緩和が入り交じっている点[19]、そして日本の新しい成長モデルについてのビジョンが欠けている点[20]などを理由に、改革プログラム同士をつなぐ軸として弱いと評されることが多い。だが、こうした欠陥があるとはいえ、アベノミクスは企業統治、女性の労働参加、農業改革といった領域において、最初の三年間には、ある程度着実に成果を出している。

コーポレートガバナンス(企業統治)

ビジネスに勢いをもたらし海外の投資家を呼び込めると期待された企業統治改革は、安倍の日本再興プログラムのかなめでもあった。日本企業は国際水準に照らして収益性が低く、また上層部にリスク回避の傾向――新規事業に投資せずに内部留保を過剰に抱え込むなど――が見られやすいという点が、日本のビジネス界全般における意思決定構造の特徴だった[21]。従来ながらの日本企業では、配当金と短期的な収益性指標を優先する株主資本主義ではなく、役職者は内部から昇進させ、株式を持ち合う関連企業や下請け会社との密接な結びつきと連携を重視するという、いわゆるステークホルダーモデルを採用する傾向があった。プラス面で言うならば、こうした企業モデルのおかげで長期計画を遂行し、正社員に雇用の安定を提供することができた。しかし、企業の意思決定という点へのマイナスの影響があったことも否定できない。株主たちが口を出さないことで経営陣や内部関係者の立場が守られ、多様性、説明責任、透明性の向上が困難になるからだ。[22]

日本のビジネス界の展望自体はここ二、三〇年ほどで大きく変貌している。メインバンク制が消滅し、株式持ち合いがすたれ、外国からのポートフォリオ投資の流入も増えた。しかしこれらの進展と一緒に企業統治のあり方が変化することはなく、日本の企業は収益性向上とリスクテイクに向けて備えてこなかった。アベノミクスは主に三つの策でこうした日本企業統治の改革に乗り出している。第一に、二〇一四年に発表された日本版スチュワードシップ・コード（主にイギリスのスチュワードシップ・コードを参照したもの）で、国内の機関投資家がより積極的に被投資会社に企業価値最大化に努めさせることをめざした。[23]第二に二〇一五年の会社法改正で、監査等委員会という仕組みを新設することで、企業の役員構成に選択肢を増やした。第三に二〇一五年に打ち出したコーポレートガバナンス・コードでは、すべての企業が最低二人の社外取締役を指名する、あるいはこのガイドラインに従わない理由を公表することを求めた。

これらの改革は「順守する、順守しないならば理由を説明する（comply or explain）」というソフトロー式〔訳注：法的拘束力をもたず規範として要請すること〕のアプローチで運用され、世間的な恥や称賛の意識を利用して、日本企業の役員構造に変革をもたらすことを試みている。中でも非常にうまくいった取り組みは、二〇一四年に東京証券取引所が業績優秀企業を示す指数「JPX日経インデックス400」を新設したことだ。各社がこの指数への採用をめざして投資収益率を伸ばす努力をするようになった。社外取締役の指名については当初法的な義務がなく、消極的な企業を促す誘因はなかったが、同調圧力が功を奏したらしい。東証上場企業の中で二人以上の社外取締役をもつ企業の割合は、二〇一四年の二二％から、二〇一八年には九一・三％へと飛躍的に伸びた。[24]

しかし、とれる対策が限られる中で、企業統治の方向性を大きく変えることは、はたして可能だったのか。政府の能力をめぐり、また、改革の取り組みにおけるそもそもの前提をめぐり、アベノミクスの企業統治アジェンダ全体を疑問視する声もある。この改革の原動力になっていたのは、収益性を高め投資活動を促進するという目標のもと、日本企業の従来のステークホルダーモデルを排除して、株主の発言権を高めたいというねらいだ。だが、スティーヴン・ヴォーゲルが鋭く指摘したように、業績向上を追求する株主資本主義には弱点がある（幹部報酬と株価を連結させるゆがんだインセンティブが生じるなど）。また、もともと日本ではステークホルダーモデルの主な要素を守ること（役員構造に関する法的な義務は受け入れない、敵対的買収への防御メカニズムを維持する、幅広い利害関係者に奉仕する）が事業利益に成功をもたらす道だったのだから、株主主権への本格的な移行は成功するわけがない、とヴォーゲルは考察している。[25] 事実、アベノミクスが導入した法改正は厳格な法的強制力を発揮することは避け、控えめなねらい（自主的な順守を奨励する）を掲げただけで、より積極的なイノベーションやリスクテイクに向けて企業の意思決定構造を大きく変える効力は弱かった。[26]

日本企業の現金保有高は最多水準のままだった。[27] 民間国内投資が飛躍的に伸びることはなかった。消費拡大を促す一環として安倍首相がじきじきに賃金引き上げを要請したにもかかわらず、日本の賃金停滞に変化は現れなかった。

ウーマノミクス

憂慮すべき人口動態（高齢化と、少子化による人口減少）のせいで生じている深刻な労働力不足も、安倍の経済再生戦略における重要課題だった。政府は、活用されていない人的資本を開拓する目的で、通称「ウーマノミクス」なるコンセプトを考案した。日本の女性たちは高い教育を受けているが、就業率は日本の男性と比べて低く、他の先進工業国の女性と比べても低い。この深刻な状況は日本の労働市場全体で見られる特徴だった。女性の労働参加を年齢別にグラフにすると、「M字カーブ」と呼ばれる曲線になる。女性の多くが結婚や出産で職場から離脱しており、復帰するとしても数年後にパートタイムとして、報酬額の低い雇用状態となりやすいことが見てとれる。

ワーキングマザーを支援する環境を欠いてきたことは、日本に高い代償を支払わせた。仕事と家庭を両立できないことが理由で、キャリア追求のために出産を先延ばししたり、あきらめたり、あるいは家庭をもったら仕事を捨てなければならないと感じたりする女性が少なくなかったからだ。保育サービスは不十分で、家庭での負担が偏り（産休をとるなど、できるだけ平等に育児の負担を担おうとする男性は非常に少ない）、さらに労働環境が冷酷（女性を早々に出世コースから外す、長時間労働を期待するなど）であるため、多くの女性がポテンシャルを発揮するチャンスを公私両面で奪われるのだった。これらは国全体の出生率低下、労働供給の減少、人的資本の浪費を意味するものであり、いずれも国家の社会的・経済的問題を悪化させる要因だった。

それなら女性の雇用を拡大すれば、経済的に大きな見返りがあるはずだ。キャシー・松井らのレポートは、就業率の男女格差解消によって日本のGDPが一〇％押し上げられるという試算を示している。しかも、ジェンダーバランスを改善した企業は収益性が高くなることから、職場の男女平等推進は革新と創造においてもメリットがあるという[28]。就業率上昇によって共働き世帯の所得レベルが向上することで、国内消費の活性化にもつながる。女性就業率を上昇させるべき経済的正当性を打ち出すにあたり、安倍首相はゼロから主張を築いたわけではなかった（過去の政権でこうした問題は特定されており、解決の試みも行われてきたからだ）。では何が新しかったかというと、それは国家成長戦略をコンセプト化するキーワードとして「ウーマノミクス」を採用したことだ[29]。

政府は二〇一三年と二〇一四年に、女性の経済的エンパワメント実現のための目標を数多く打ち出した。働きざかりの女性の就業率を、当時の六八％から二〇二〇年までに七三％へ向上させる。四〇万人分の保育の受け皿を増やす。男性の育休取得率を二〇一一年の二・六％から二〇二〇年までに一三％へ向上させる。国内のあらゆる産業において、指導的地位における女性の割合を二〇二〇年までに三〇％へと拡大する[30]。続いて二〇一五年に成立させた「女性の職業生活における活躍の推進に関する法律」（女性活躍推進法）では、従業員数三〇〇人超の事業主に男女構成の開示と、職場の多様性推進計画の策定・公開、そして役員メンバーに少なくとも女性を一人含めることを義務づけた。多様化目標における優良企業を表彰する認定制度も設け、これに承認された企業は特別な認定マーク〔訳注：「えるぼし」〕を自社商品に付すことができるものとした。

安倍のウーマノミクス・キャンペーンは、いくつか重要な領域で成果を出している。最も顕著な点は、女性の労働参加が歴然と拡大し、保育の受け皿も拡大した点だ。二〇一九年の時点で日本人女性の就業率は七一％で、アメリカを上回っている。M字カーブ問題にも改善があった。二五歳から四四歳の層における就業率は二〇一〇年に七一％だったが、これが二〇二〇年には八六％になった。保育所の受け入れ枠も二〇一二年から二〇一八年のあいだで二七％拡大した。[31]永瀬伸子の論文では、保育所の増加と、ワーキングマザーの勤務時間における多少の短縮が、就業率に大きな影響をもたらしたという発見が報告されている。[32]

それにもかかわらず、ジェンダー平等を確保するという点において、ウーマノミクスは目標に遠くおよんでいない。日本の男女賃金格差は七四％と、[33]相変わらず深刻だ。主な理由は女性の就業の増加が非正規労働に集中している点にある。日本におけるパートタイム労働の五〇％以上が女性だ。こうした仕事は賃金が低く、雇用の安定やキャリアアップのための支援も弱い。女性エンパワメント戦略は質のよい雇用を提供してはいないし、既婚女性が稼ぎ損になる税金や社会保障面のゆがみも改善されていない。税法は、稼ぎ手は世帯に一人と想定した時代遅れのモデルと結びついたままだ。女性の大卒者が増加したことは、女性が管理職や専門職に就く確率を高めているはずなのに、[34]指導的地位における女性の起用に関連した安倍のウーマノミクス目標はことごとく未達に終わり、管理職の女性比率を三〇％にする目標も捨てざるを得なかった。

図４－１は、ウーマノミクスの二つの顔を表したものだ。女性就業率は著しく改善したが、ジ

図4-1　ウーマノミクスの2つの顔

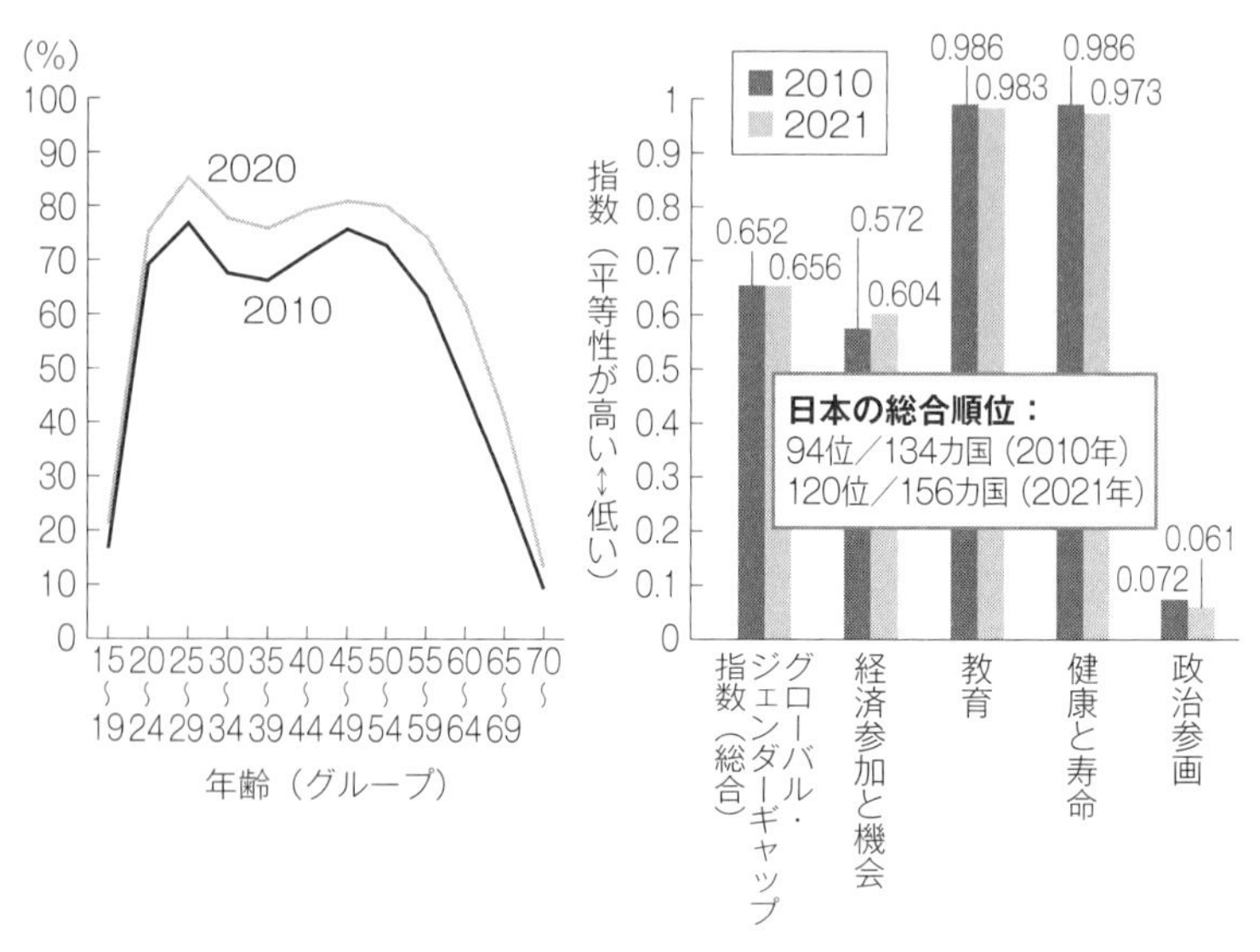

出所：政府統計の総合窓口（e-Stat）, https://www.e-stat.go.jp/en; "Global Gender Gap Report 2021," *Insight Report* (Geneva: World Economic Forum, March 30, 2021), https://weforum.org/reports/global-gender-gap-report-2021.

ェンダー不平等の解消という点ではほとんど変化が見られない。日本は世界経済フォーラムが集計するジェンダーギャップ指数で底辺ランク（一五六カ国中一二〇位）であり、ウーマノミクスの一〇年間で日本の総合指数の向上にはほぼつながらなかった。健康と教育面におけるスコアの高さと、経済および政治参加のスコアの振るわなさ具合は、あまりにも対照的だ。経済機会に関するスコアでは二〇一〇年代に伸びているのだが、政治的エンパワメントではむしろ後退している点も、憂慮すべき状況である。二〇二一年の時点で国会議員における女性比率はたった一〇%。日本におけるジェンダー平等の取り組みはまだ先が長い。

農業改革

人口構成の変化は日本の農業にも負荷をかけている。農村人口の急激な減少と農業従事者の高齢化――平均年齢は六五歳――が日本の農業の長期的存続性に疑問を投げかけているのだが、欠陥のある政策レジームも、農業の構造的衰退を促した大きな要因だ。減反、土地利用に関する規制、莫大な補助金、関税による保護などによって、政治的影響力をもつ利益集団（兼業コメ農家）を守ってきたが、それらは新しい世代の農業従事者を呼び込み、国際市場でも競っていけるような、競争力ある農業セクターの台頭を阻んでもいた。それまでの農業レジームの主な要素は、生産者米価を下げないための生産調整プログラム（減反）、高い関税障壁（コメは従価税換算で七七八%）、高額な国庫補助、農業ビジネスの立ち上げを考える企業による農地取得の禁止などだ。イノベーションと生産性向上を阻むシステムだったが、国の保護を求める農民票との政治的依存関係によって、このシステムが維持されていた。

安倍首相は、農業近代化を自身の構造改革アジェンダの旗印として掲げた。この改革を通じて安倍が挑んだのは、究極の「鉄の三角形」、すなわち自民党の農林族議員と農業協同組合と農林水産省官僚の癒着関係である。[35] 後継者不足を筆頭とする地方における深刻な危機が、農業に明るい未来を取り戻すための効率重視型改革を導入する強い動機だったことも事実だ。[36] しかしそれ以上に、農業ロビーが貿易政策への拒否権を行使し続けている限り、TPP参加をめざす安倍の取り組み――経済全体の改革に対する信頼性を高めるためであり、また、日本の国際的評価を高めるためでもあった――が水泡に帰すという懸念があった。[37]

アベノミクスは、過去の政府政策を見直して「攻めの農業」を追求すると約束した。農業の衰退傾向を放置せず、農業従事者を中心とした――官僚側の利益中心ではなく――市場志向型改革をとれば、日本の農業の競争力を高め、輸出機会を切り拓いていくことができることを示した。TPPについては、攻めの解決策（輸出のポテンシャル）と守りの解決策（輸入制限）を示すことで反対派を抑え、二〇一三年に安倍首相が日本のTPP参加を表明した。特に輸入制限として、「聖域」とされる五品目（コメ、麦、乳製品、牛肉と豚肉、甘味資源作物）には完全な関税撤廃を拒否するというのが、日本の貿易交渉担当者に課せられた必須使命であったため、結果的に日本の農産物関税撤廃は八一％にとどまっている。[38]それでも、TPP関連の行動は、貿易政策の方向性を握るのはいまや農業ロビーではなく内閣総理大臣であると知らしめる効果を発揮した。[39]

安倍政権はさらに同年、農業政策レジームの別の砦にも目を向けている。兼業農家のために生産者米価を高くしておく目的で導入されている生産調整プログラムだ。このプログラム廃止に動いた政府の行動は重大なものに見えたが――五年後までに減反制度を廃止する計画を提示した――実際には飼料用米を対象とした生産制限であったため、改革の範囲として広くはなかった。[40]

二〇一四年五月、安倍の改革はその矛先を日本の農業組織の中枢、すなわち農業協同組合へと向けた。頭文字をとって「JA」と呼ばれる同団体は、肥大化したヒエラルキー型組織で、県および地域の農協を中央からトップダウンで統括しており、農業の生産・流通にかかわるすべての領域（コメの販売、農業機械や肥料の販売、銀行業、保険業を含む）を手中に収めている。絶頂期にはＪＡ全中（全国農業協同組合中央会）が農業従事者の票を動かし、農業関連の政策決定に対して強い発言権をもっていた。人口構成の変化と、行政改革および選挙制度改革を経たことで、昔と比べて影響力が縮小してからもなお、ＪＡの中心的利益を脅かす政治家に対して不利となるよう票を動かす力があった。こうした理由でＪＡは長らく改革の対象にならない聖域だったのだが、安倍政権下の規制改革推進会議は、ＪＡ全中に関する規定を農業協同組合法から排除し、ＪＡの巨大なマーケティング部門である全農（全国農業協同組合連合会）を合資会社に転換させ（実現すれば独占禁止法の適用免除を失う）、さらに監査と会計を地方の農協がおのおのに行えるようにすることで全中の権力集中を低減するという提案をした。[41]

ＪＡは、自民党内の農林族議員たちを後ろ盾として、この提案に反発し「自己改革」を行うと主張した。こうしてまとまった政治的妥協の産物が、二〇一五年に成立した農業協同組合法改正だ。ＪＡ全中を特権的ステイタスのない一般社団法人とする、農産物販売をあずかる全農などには合資会社化の選択肢を与える（義務ではない）、地域農協から賦課金を徴収する権利は全国中央会ではなく都道府県中央会に移行する、そして地域農協における専業農家の影響力を高めることを定めた。[42]

貿易政策に対する農業組織の支配力を弱め、重要な制度および政策におけるロビー勢力としての特権を縮小するという点で、安倍首相が前任者たちを超える成果を出したことは間違いない。

しかし、鳴り物入りで謳われていた生産性革命は起きなかった。TPP署名後も政府は日本の農業に莫大な補助金を与え（農業品で大幅に輸入品が流入する見込みはなかったにもかかわらず）、兼業農家をやっていかせるためのコメの生産制限も新たな口実のもとで続けられ、商業的農家の参入を阻む土地利用規制もそのままとなった。農業の「鉄の三角形」は弱まりはしたが、消滅せずに生き延びた。

アベノミクスの社会的側面

アベノミクス・プログラムが当初に掲げた三本の矢は、最初のうちは経済を昏迷状態から揺り起こすことに成功し、過去数年よりも包括的な構造改革の取り組みを示すことにも成功した。だが、いびつな経済再生は避けるという目標は達成できなかった。そこで二〇一五年秋には「アベノミクス2・0」を立ち上げて、軌道修正を試みている。矢筒にも新たな三本の矢をそろえた。第一に、五年後をめどにGDP六〇〇兆円（約五兆ドル）に届く「強い経済」を実現する。第二に、子育て世帯へのサポートを充実させることによって、出生率を一・四から五年後には一・八へと上昇させ、五〇年後にも人口一億人以上を維持する。そして第三に、介護問題を重視して社会保障体制を拡充する。[43]

この新アベノミクスのかなめとなったのが「働き方改革」だ。日本独特の雇用制度――正社員は雇用が保障され、年功序列にもとづく昇給がある――は戦後の経済および社会を支えた柱だった。バブル崩壊後に低成長が始まってから（一九九二年以降）の労働改革では、正社員の雇用保障を維持しつつ、そうした保障のない契約社員採用の融通性を高めるという組み合わせに主眼が置かれた。だが、第二次安倍政権の雇用改革は、過去のものとは向き合い方が大きく異なっている。深刻化する労働力不足、非正規労働者の増加に伴う賃金低迷、そして日本経済全体における長時間労働の慣行が、経済活動と労働生産性の向上や消費者需要の促進、労働力人口の拡大を阻んでいた。スティーヴン・ヴォーゲルが看破しているとおり、こうした問題が、保守派の総理大臣に労働者福祉を推進する改革に乗り出す強い動機を与えたのである。[44]

取り組みの主軸となったのは、時間外労働の削減、同一労働同一賃金の実現、給与および働き方における多様性拡大の追求だ。時間外労働に対して初めて法的上限（月一〇〇時間、年間最大七二〇時間）を定め、時間ではなくパフォーマンスに応じて報酬が支払われる高度プロフェッショナル人材には例外を設けた。また、事業主は従業員に年間最低五日の有給休暇を取得させることを義務づけた。正社員と期限付き労働者の社内不平等解消のために、二〇一九年に導入した働き方改革関連法で、賃金および福利厚生に関する透明性向上を推進した。「制約社員」（正社員は異動や転勤などの指示に従わなければならないことを指す）の慣行は残り、スキルや勤続期間を賃金格差の合法的根拠とする仕組みも継続されたが、その一方で正社員のテレワークや副業など、働き方の多様性拡大を奨励している。[45]

アベノミクス2・0は、名目GDPにおいても、出生率においても、賃金成長においても、高く掲げた目標を達成することはなかった。しかし、正規・非正規が二重構造になった雇用システムの不平等が日本の社会および経済に高い代償をもたらしているという認識のもとで、多少はその改善に取り組むことができたと言ってよいだろう。とはいえ、この任務は未完了だ。働き方改革を制定してからほどなくして、新型コロナウイルスの感染拡大により強制的に働き方の変化が加速したが（誰も想像していなかったほどのスピードでテレワーク普及が実現するなど）、それと同時に雇用の不平等問題もふたたび浮き彫りとなった（非正規労働者ばかりが失職の憂き目にあうなど）。

明るい面で言うならば、二〇二〇年に増加した三六万人分の正規雇用のうち、大半である三三万人の枠を埋めたのは女性だった[46]。パンデミック中にテレワークの導入が急増し、二〇一九年の一一％から二〇二〇年には六七％となったほか、時間外労働も大きく是正され、有給休暇の取得も増えた。日本の大手企業の半分以上が、働き方改革の実現に向けた対策を導入したと報告している[47]。だが、コロナ禍の日本では同時に気がかりな雇用トレンドも生じた。アベノミクス時代に見られた女性および高齢者の就業率上昇に伴う労働力人口の増加傾向が止まり、主に高齢者が労働市場を離脱したことによって、むしろ一八万人の労働力人口減少が起きたのである。また、失業も非正規労働者と女性労働者が多く、二〇二〇年の非正規労働者の減少七五万人のうち、三分の二が女性労働者だった[48]。

日本の中間層の未来を確保することは、引き続き切迫した課題である。特に、国全体で起きている甚大な人口構成の変化が、今後の生産性向上とセーフティネット維持の能力に負荷をかけていくことを考えると、事態は深刻だ。その運命の大きなカギを握るのが、環境とデジタルと人的資本をめぐる変革を通じて、持続可能な成長と継続的な社会福祉の基盤を固めるという、現在進行形の取り組みである。

第5章 日本再興への道

The Quest for Revitalization

中流階層社会はどう歩むのか

日本は歴史的に、ずっと小さな福祉国家であり続けてきた。社会支出の大半は国民皆保険と公的年金の提供に割り当てられている。勤労者世帯のための社会移転や、社会福祉サービス、人的資本開発などは、他の工業国と比べて控えめであり、三浦まりが「雇用を通じた福祉」と呼ぶものが台頭するに至った。所得補償の代わりに雇用保護を優先するという意味だ。[1] 日本における再分配の取り組みは、高齢者支援と地方および斜陽産業への社会移転を通じて、経済と人口の急成長期に中間層を維持する支えになったことは確かだが、[2] 厳しさを増す公共財政、労働力人口の縮小、不安定就労者の増加は、社会保障を提供する国の能力に負荷をかけている。しかし、それでもなお、深まる社会経済的分断は今のところ政治的分極化につながってはいない。これはセーフティネットの強靭性を示す証拠ではあるのだが、主に中間層（中流）で構成される日本の未来がどうなるかは、環境やデジタルやテクノロジーのイノベーション機会を追求できるかどうかにかかっており、そうした現在進行形の動向が未来を決める。究極的には、人的資本に対する投資こそが、日本にとって最も重要な変容を生み出していくと考えられる。

人口減少と不平等はある、しかし分極化はない

日本は二一世紀に劇的な人口変化を迎えた。この傾向は今も、そして今後も続くと見られる（図5－1参照）。戦後からこのかた増加を続けてきた人口は、二〇一〇年に一億二八〇〇万人に到達。しかしそれをピークに人口減少期に突入し、二〇一九年には一億二六二〇万人になった。さらに今後の四〇年で一億人を割るレベルに減少すると見込まれている。これと同じく顕著なのが人口構成の変化だ。少子化と長寿化（二〇二〇年の統計では、出生数は女性一人当たり一・三人、平均寿命は男性八二歳、女性八八歳）という二つの要素が組み合わさった結果である[3]。今後五〇年以内で高齢者は人口の三八％を占め、その一方で労働年齢（一五歳から六四歳まで）の人口は激減すると予想されている（図5－2参照）。

高齢化と人口減少がどのように日本の成長ポテンシャルを損ない、セーフティネットの実行可能性を危うくするかは、十分に理解されている。労働力不足が経済活動を妨げ、労働者の高齢化

図5-1　日本の実際の総人口と将来予測
（出生率が低位・中位・高位それぞれの予測。死亡率は中位とする）

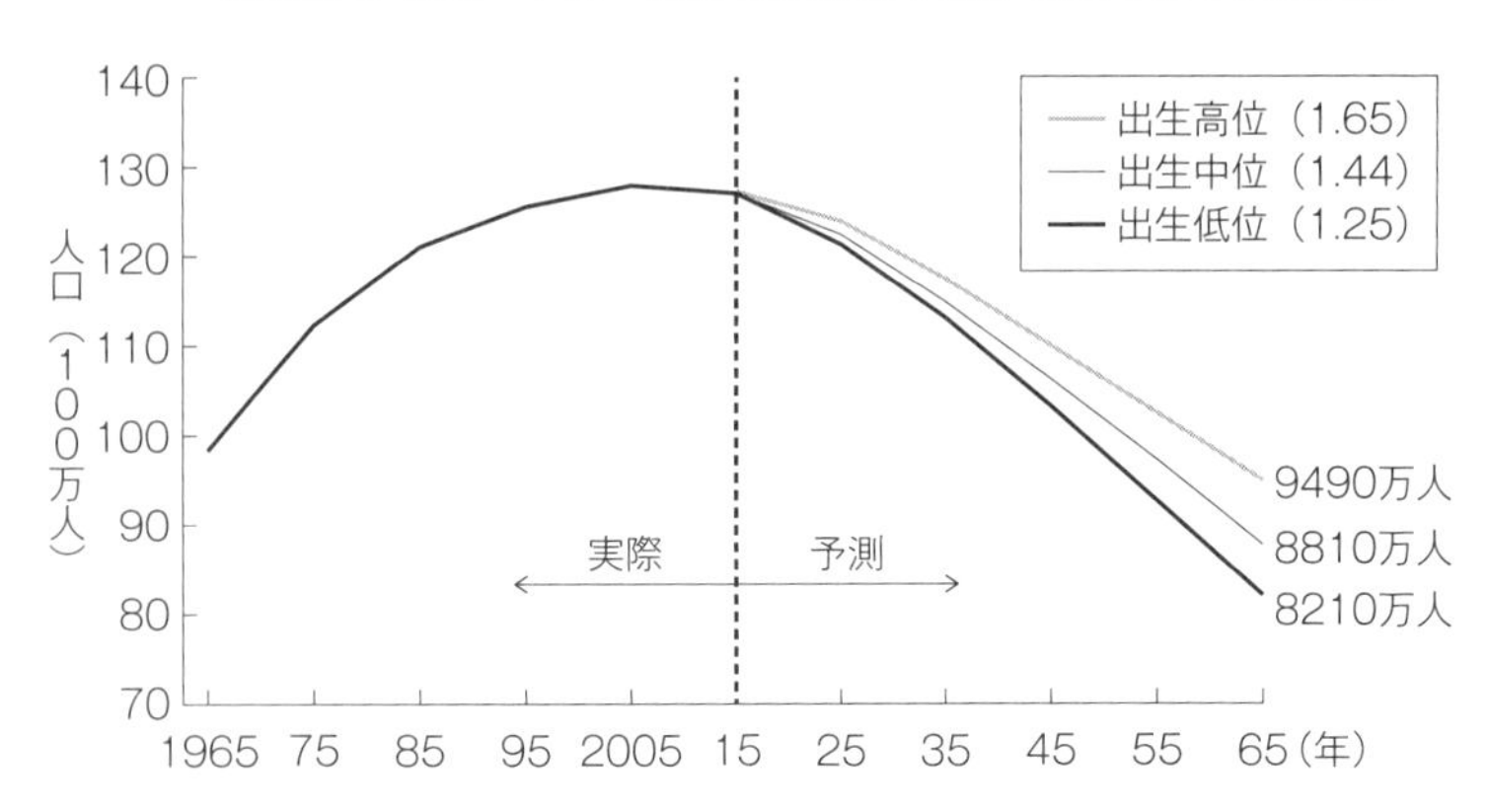

出所：実際の人口は次の資料から。国立社会保障・人口問題研究所「人口統計資料集（2021）」www.ipss.go.jp/syoushika/tohkei/Popular/P_Detail2021.asp?fname=T01-01.htm; 将来推計人口は次の資料から。国立社会保障・人口問題研究所 "Population Projections for Japan (2017): 2016 to 2065," http://www.ipss.go.jp/pp-zenkoku/e/zenkoku_e2017/pp29_summary.pdf.

図5-2　日本の総人口における主な年齢層3グループの割合

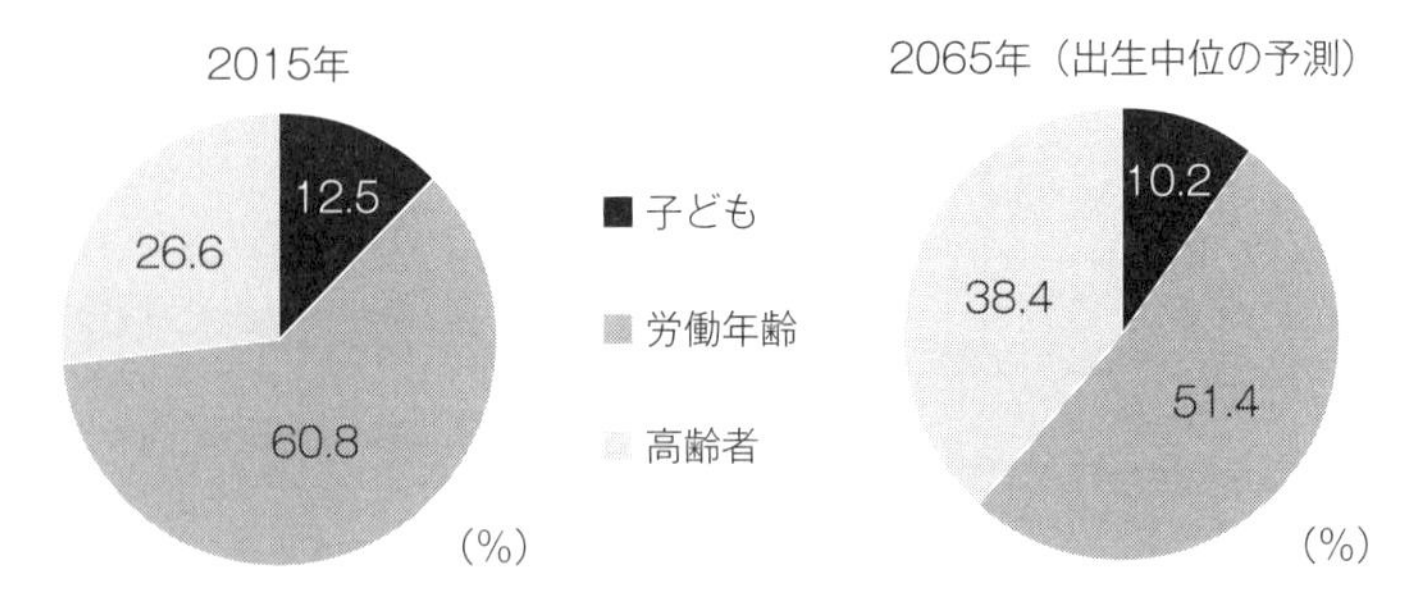

出所：2015年の人口データは次の資料から。総務省統計局 "Population and Households of Japan (Final Report of the 2015 Population Census)," www.stat.go.jp/english/data/kokusei/2015/final_en/final_en.html; 2065年の予測は次の資料から。国立社会保障・人口問題研究所 "Population Projections for Japan (2017): 2016 to 2065," www.ipss.go.jp/pp-zenkoku/e/zenkoku_e2017/pp29_summary.pdf.

が生産性とイノベーションを低下させるのだ。[4] さらに、医療、年金、老人介護の需要が増大するのだから、莫大な社会保障支出を維持していかなければならず、若い世代にいっそう重い負担を強いる。この悲惨な人口動態の傾向が、日本の衰退は不可避という予測の主たる根拠とされてきたのも、それゆえである。だが、特殊な人口構成の負担ゆえに日本は工業国の中で異例の存在なのだ、と述べる意見は、時間的視野が狭いと言わざるを得ない。むしろ今、多くの国々が同様の少子高齢化時代を迎えようとしている。だとすれば日本は、そうした国々に共通する過酷な未来を先がけて経験しているのではないか。

アフリカを除く世界各国で人口高齢化は進んでいる。最も急増しているコホートは六五歳以上の層だ。世界人口における高齢者の割合は二〇五〇年までに今の倍の一六・四%になると予想されている。[5] 各国の出生率も一・五以下だ（人口を維持するために必要な出生率、すなわち人口置換水準は二・一だが、これを大幅に下回る）。特に韓国が最下位で、出生率は一を割り込む。[6] このため国連の試算では、五五カ国において二〇一九年から二〇五〇年までにある程度の人口減少が生じ、そのうち二七カ国では一〇%以上減少する見込みだ。ヨーロッパの多く（ブルガリア、リトアニア、イタリア、ドイツ、スペイン）と、ロシア、そしてアジア諸国（日本、韓国、タイ、中国）で急激な人口減少が予想される。[7] 中国の人口減少問題は、二一世紀後半にいっそう厳しくなる見込みで、国連の予想では二〇五〇年から二一〇〇年までに二四%減少する。[8] しかし、労働力人口の著しい減少を伴う人口動態の下降傾向は、もっと早くから多くの大型経済圏で実感されていく可能性が高い（図5－3参照）。慢性的労働力不足の経済に移行し、なおかつ、セーフテ

図5-3　労働年齢人口（15歳から64歳まで）が総人口に占める割合（1965〜2030年）

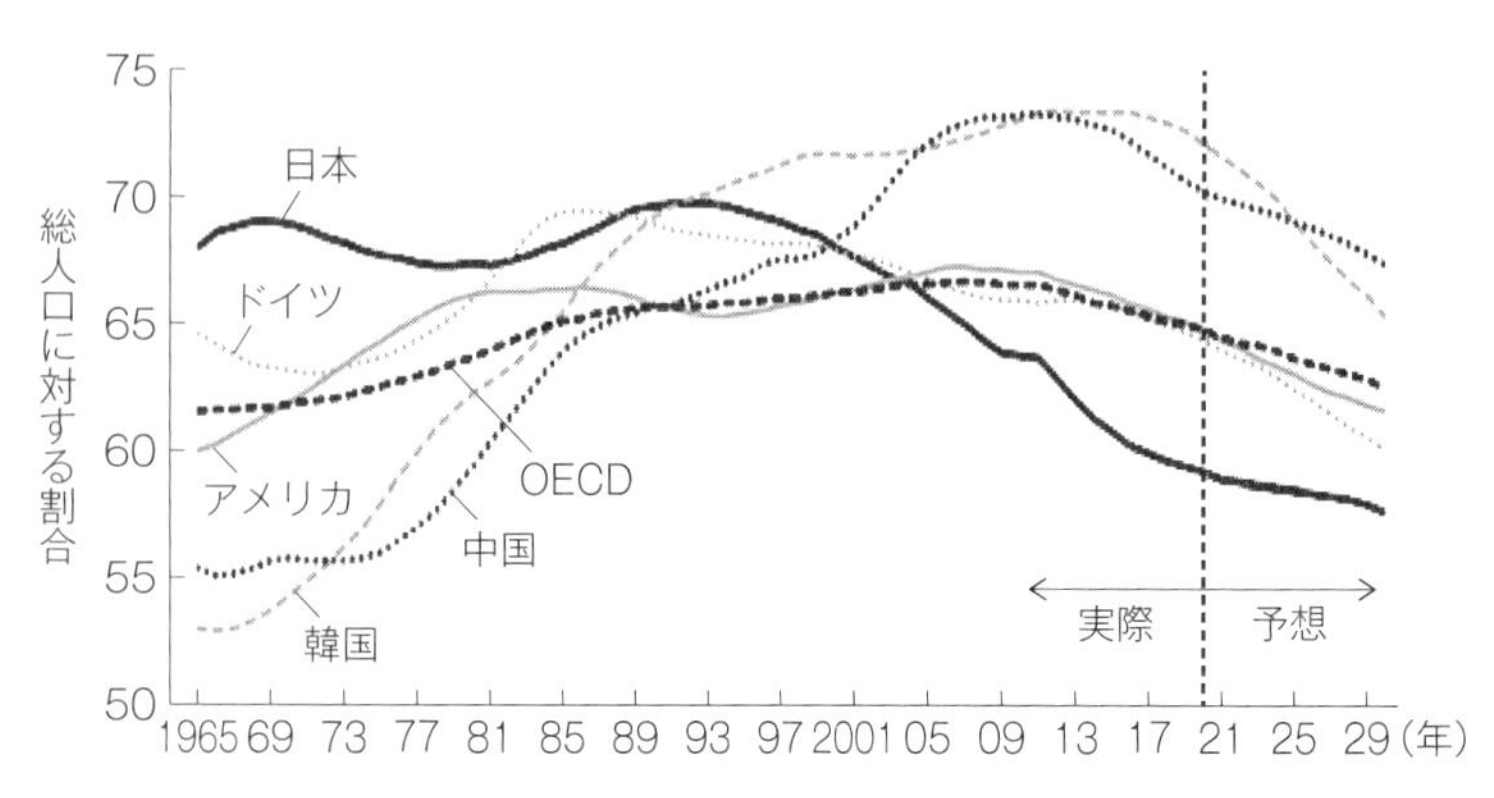

出所：OECD, "Working Age Population (indicator)," https://data.oecd.org/pop/working-age-population.htm.

ィネットを切り詰めさせる「財政の崖」をなんとか回避せねばならないという事態は、もはや日本だけにとっての避けがたい未来ではないのだ。

同様の収斂は他の領域でも見られる。たとえば日本も、工業国を苦しめている社会的不平等の深刻化を免れていない。それどころか二五年間で日本のジニ係数（所得不平等を測る指標）は一五ポイント伸びており、二〇一〇年にG7平均値と並んだ。二〇一九年にはアメリカおよびイギリスに次いで、日本がG7諸国の中で三番目にジニ係数が大きい国となった。貧困率ではアメリカに次ぐ二番目だ。[9] だが、不平等を広げている要因は、日米で歴然と異なる。アメリカでは、人口上位一％における富の集中がかなり極端である（上位一％が世帯純資産の四三％を有する）のに対し、日本では上位一％の富の集中は一一％だ。[10]

日本における格差の広がりは、不安定就労者の増加によるところが大きい。日本の企業は景気が思わしくない時期に給料支払いを柔軟にしておく目的で、非正規労働者の雇用に走った。二〇二一年には非正規労働者が労働者層の三六・七％を占めるまでになっている。[11] 非正規労働者は正規労働者と同等レベルの給与および福利厚生を得られず、同等のＯＪＴの機会を与えられず、キャリアパスも確保されないため、非正規労働者の増大とはすなわち賃金低下を意味し、それが社会的不平等をもたらした。臨時雇用の増加において、偏って不利益を被っているのは女性たちだ。全女性労働者の半分以上が非正規ポジションにいる。特に、女性の中の一つのグループ——シングルマザーたち——が最も弱い立場で、その多くが貧困線を下回る暮らしをしている。

低成長と人口減少の時代に、長年の社会経済的亀裂もいっそう過酷になった。都市部と地方の格差のことだ。戦後の経済的興隆は都市化と工業化を加速させた。地方は、都市への移住が進み、経済的機会も減少して、取り残される形になった。成長を共有していくにあたり、いかに地方に再分配するかというのが日本の成長モデルのかなめであり、自民党が地方選挙で力をもつための重大事項でもあったのだ。[12] しかし、財源縮小により地方への再分配は切り詰められ、人口減少の影響も地方のほうがはるかに痛烈に被っている。人口減少、景気停滞、持続不可能なサービスインフラが生み出す悪循環で、二〇〇〇年代に日本の市町村の総数はほぼ半分に減少した。[13]

社会経済的亀裂が深刻化すると、中流社会の維持に対する国民の自信は薄れた。国際比較調査グループＩＳＳＰが実施した調査では、日本人回答者の六割以上が、所得格差は広がりすぎているという考えを示した。この懸念は世界金融危機後に顕著に強くなった（図5－4参照）。理想

図5-4 所得格差は大きすぎるか

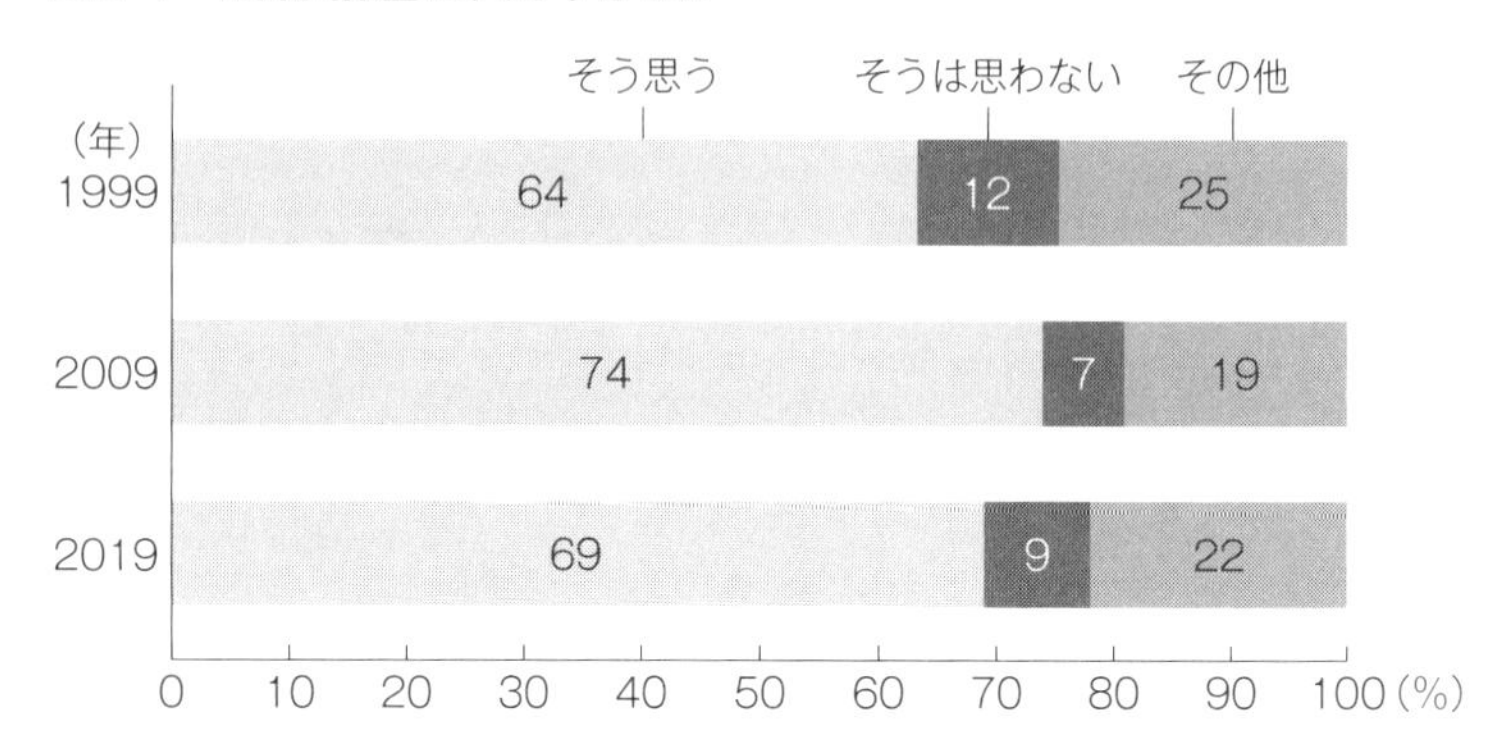

注:「その他」は、「どちらとも言えない」「わからない」「無回答」。数字をまるめているので、合計数が100を上回る。
出所:小林利行「減少する中流意識と変わる日本人の社会観～ISSP国際比較調査『社会的不平等』・日本の結果から～」『放送研究と調査』2020年5月号。www.nhk.or.jp/bunken/research/yoron/20200501_7.html

図5-5 総中流社会:「理想」と「現実」の社会構造

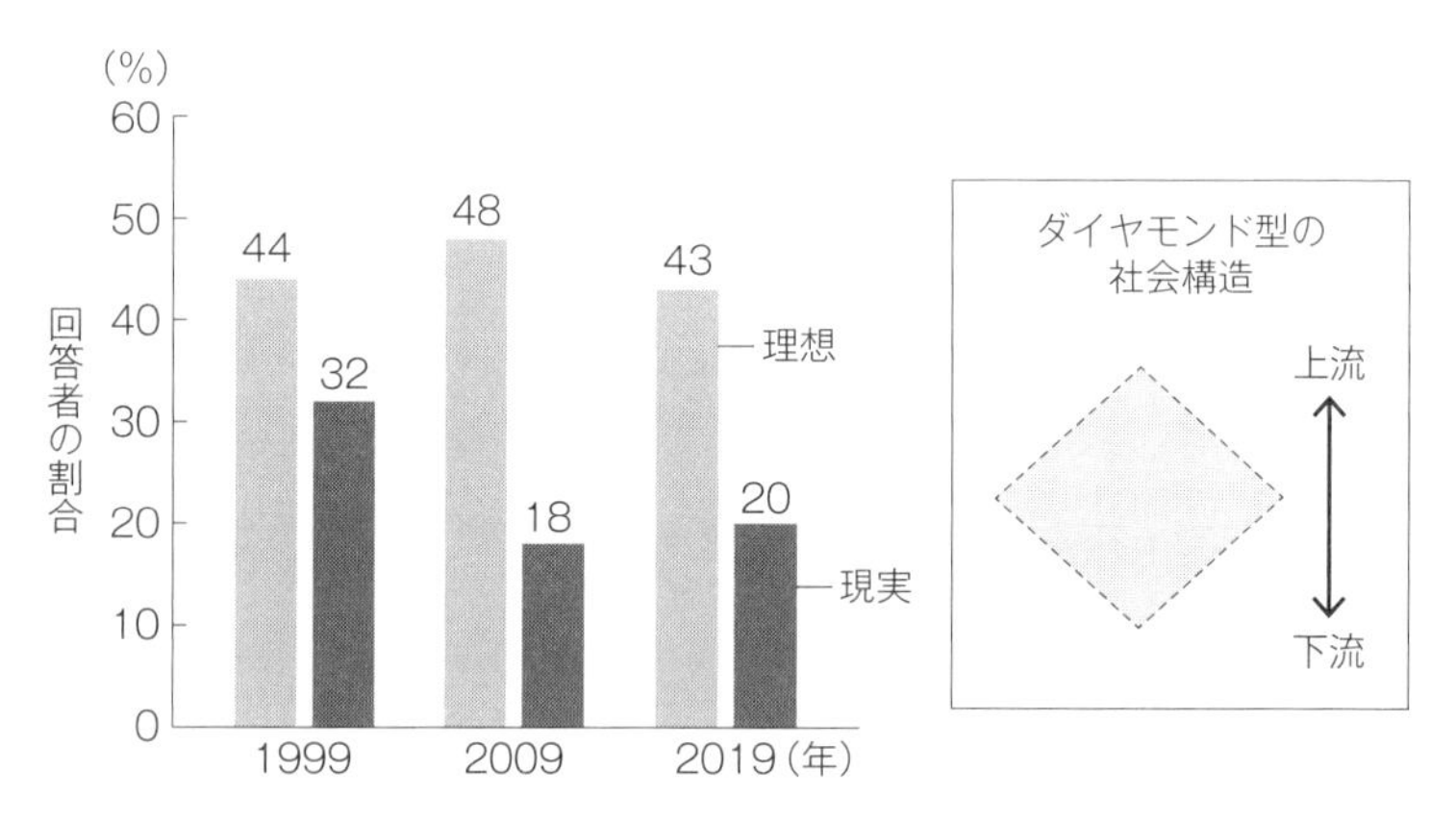

出所:小林利行「減少する中流意識と変わる日本人の社会観～ISSP国際比較調査『社会的不平等』・日本の結果から～」『放送研究と調査』2020年5月号。www.nhk.or.jp/bunken/research/yoron/20200501_7.html

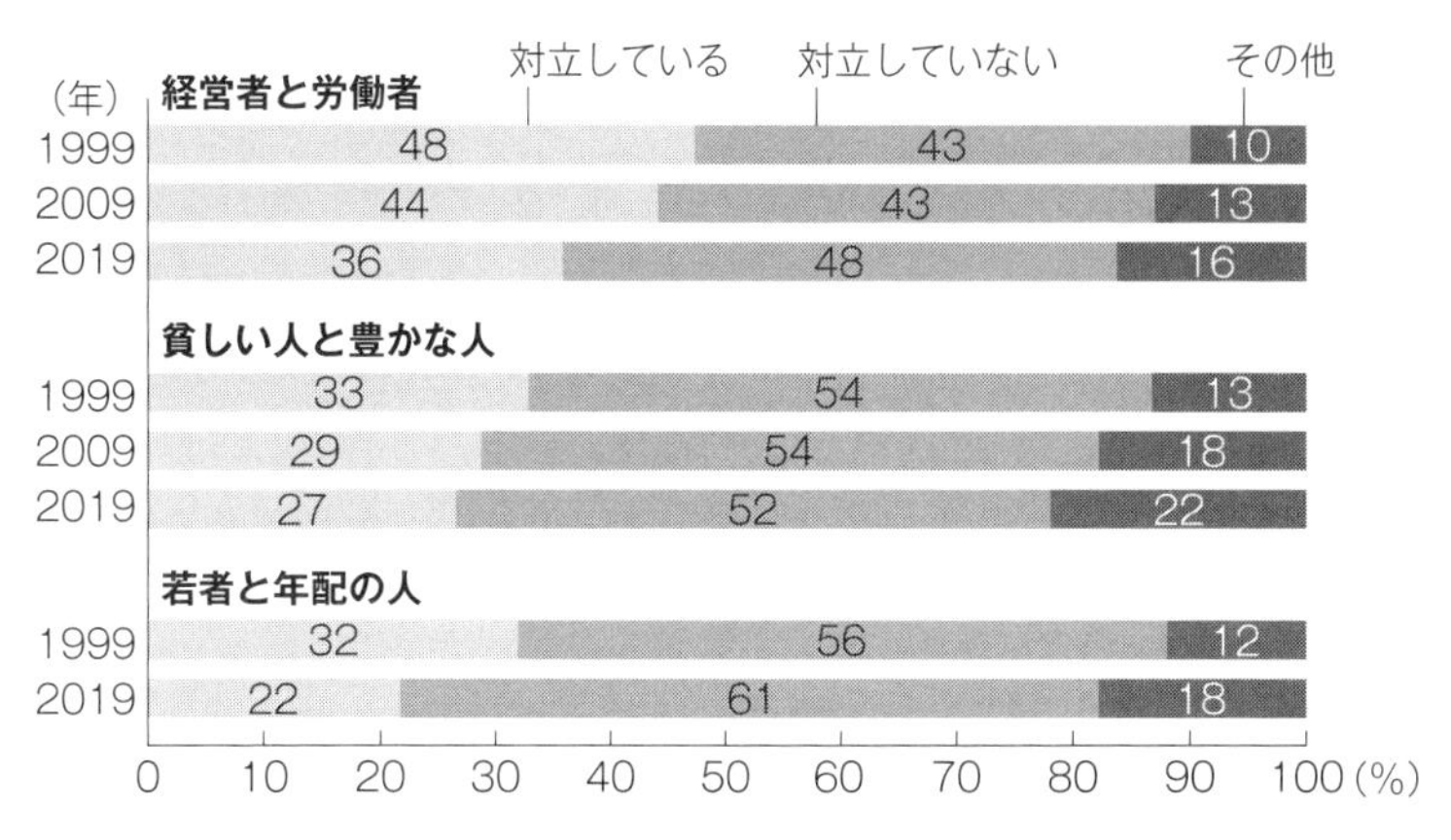

注：「その他」は、「わからない」と「無回答」。数字をまるめているので、合計数が100を上回る。
出所：小林利行「減少する中流意識と変わる日本人の社会観～ISSP国際比較調査『社会的不平等』・日本の結果から～」『放送研究と調査』2020年5月号。www.nhk.or.jp/bunken/research/yoron/20200501_7.html

的な社会構造を尋ねる問いでは、日本人は一貫して、人口の圧倒的大多数が中所得層に該当する状態（上下が細く真ん中が厚いダイヤモンド型の所得分布）がよいと答えている。ただし昔と比べると、大多数が中流という理想的状態から日本は徐々に離れつつある、という認識が広まっている（図5－5参照）。

とはいえ、不平等が広がってはいるが、分極化は進んでいない。二〇年間にわたるISSPの調査を見る限り、今の日本人回答者は、分断を生みうるさまざまな要素（労働者と経営者、富裕層と貧困層、若者と高齢者など）について、社会を分裂させる対立が生じるようになったとまでは考えていない（図5－6参照）。実際のところ、日本は「人との結びつきを大事にする社会」であると答えた回答者の割合は、一九九九年には三三％だったが、二〇一九年には四二％に伸びていた[14]。さらに、日本は社会経済的不平等が大きいという認識があってもなお、ほとんどの人は自分は中流階層に属していると考えている（内閣府による二〇二一年の最新の調査では八九・一％[15]）。

雇用の二重性が偏極化した労働政策を生んでいるわけではないし[16]、地方の衰退が反エスタブリッシュメント運動に対する地方の支持に転じているわけでもない[17]。所得格差が拡大しているにもかかわらず、さまざまな要因が介在することによって、社会的分断は広がっていない。広範囲を網羅する社会保護制度の主な柱も維持されている。強固な雇用保障を享受する正規労働者のゆるやかな自然減少（絶対数では一九九二年の三八〇〇万人から、二〇一七年には三四〇〇万人に減少）[18]と、政治的に票の重みが大きくなりやすい地方に対する政府の惜しみない補助の継続が[19]、社会的衝突の剣呑化をやわらげている。二〇一九年には日本の社会支出はGDP比二二・三％で、イギリスの二〇・六％、アメリカの一八・七％を上回っていた[20]。国民全員を網羅する健康保険と老齢年金を伴う平等主義的な日本の福祉制度が、経済的不正義に対する反発をなだめる役割を果たしていることは、塩崎彰久が指摘するとおりだ[21]。日本の生活水準の高さ——効率的な交通機関とインフラ、質の高い公教育、長年の防災・治安のよさも含まれる——も社会的一体性を維持する要因である。人間の幸福（ウェルビーイング）を包括的に把握する指標、「ヒューマン・ライフ指数」では、寿命だけでなく国内の寿命のばらつきも調べているが、日本はこの指数ランキングで上位に位置している[22]。

とはいえ、日本に自己満足に浸っていられる余裕があるわけではない。前述したような人口動態の傾向は、今後の社会保障の負担を劇的に増していく。公共福祉費用は二〇四〇年までに五七％増えると予想されている。[23]勤労者世帯と社会福祉サービスにもっと社会支出を割り当てる取り組みは始まったばかりだ（現時点では、社会支出からこれらに差し向けられる額は、全体の四分の一に満たない）。世帯収入が伸びないせいで、社会階層における上流移動をあきらめる意識も生じている。たとえば二〇二一年のピュー・リサーチセンターによる調査で、自分の子どものほうが自分の親よりも経済状況がよくなっていると予想した回答者は、わずか一六％だった。[24]

道半ばの変革：環境、デジタル、人的資本は必須要件

日本の中流社会の未来を少なからず決定する要素は、気候変動、デジタル化、人間中心のテクノロジーイノベーションといった分野で、今まさに起きている革命がこの先どう進んでいくかという点だ。

脱炭素化する日本

二〇二〇年に安倍晋三が首相の座を退いたあと、日本では野心的な気候変動対策が新たな幕を開けた。異常気象による悪影響は、すでに極端な猛暑や破壊的な台風といった形で表れており、海水面も上昇を続け、都心の一部が水没する危険性が生じている。それにもかかわらず、世界の気温上昇を二度以下に抑えるというパリ協定の目標達成に対し、日本は他国と比べて実のある貢

献ができていない。日本は二〇一五年に、温室効果ガスを二〇一三年（排出量過多の基準年）のレベルから、二〇三〇年までに二六％削減するという公約を掲げたが、これでは明らかに不十分で、国際協力という点でこれまで好成績を出してきた国の失点とみなされた[25]。

エネルギー安全保障、経済的競争力、気候変動緩和のあいだでバランスをとるにあたり、日本の政策立案者たちは最初の二つを優先したのである。二〇一一年に福島第一原子力発電所で起きた事故で、日本のエネルギー展望および環境目標は歴然と変わった。しかし、日本の気候変動対策がおよび腰になったのは、原発事故よりも前にさかのぼる。二〇一〇年、民主党から首相となった菅直人の政権は、京都議定書（工業国三七カ国に、温室効果ガスを一九九〇年のレベルから五・二％削減することを義務づけた）の延長拒否を宣言し、この目標達成を大きく阻害する行動に出た[26]。

それでも、福島第一原発事故の影響が甚大だったことは間違いない。原子力の安全性に対する国民の信頼が失われ、石炭への依存が始まった。ゆるい規制制度とヒューマンエラーによって生じた原発事故は日本を恐怖に陥れ、即座に全国の原子力発電所が稼働停止となった。電力供給の三割を突如として失い、日本の政策立案者たちが化石燃料——特に天然ガスと石炭——を頼ることにしたため、日本の温暖化ガス排出量は増加した。原子力発電所の安全手順には厳格化したものが導入されたが、国民は原子力のメリットはリスクを上回るという考えへの疑念をぬぐえなかったので、稼働再開は遅々として進まず、二〇一一年の事故から一〇年後に稼働していたのは四基のみだった（もとは五四基[27]）。

原発事故は再生エネルギー分野の革命を促進しなかった。民主党政権は電力の固定価格買い取り制度を導入し、グリーンエネルギー投資を支えるために消費者が電気料金に割賦金を上乗せして支払うという形にした。しかし数年後には安倍政権が、制度への参加要件を厳格化し補助金も削減することで、同制度の規模を縮小した。これが再生可能エネルギーの開発にブレーキをかけ、インセルティとリプシーの共著論文が指摘しているように、政府が経済成長を優先していることを浮き彫りにした[28]。日本の温室効果ガス排出は世界で五番目に多く、国内外の石炭発電所にも積極的に資金を投じており、その消極的な気候変動対策は国家間の協力を難しくしてしまった。さらに二〇一七年には、アメリカのドナルド・トランプ大統領がパリ協定離脱を宣言し、これが同協定の目標達成にいっそう大きな打撃を与えた。

数年後には日米双方の政治的変化により、気候変動政策に方向転換がもたらされ、同盟国間で共有する環境アジェンダにも明るい見込みが見え始める。安倍に代わり首相となった菅義偉は二〇二〇年秋の総裁選において、日本の将来的な経済的競争力を支える必須の柱として、気候変動を自身のアジェンダのトップに掲げた。日本の気候対策目標を大幅に拡大し、二〇五〇年までにカーボンニュートラル社会を実現すると宣言。併せて、二〇三〇年までに排出量を二〇一三年のレベルから四六％削減するとし、五〇％目標に向けて最大限の努力をすると述べた[29]。

実現にあたっては、日本のエネルギーミックスの将来についてまったく新しい考え方が必要だった。それを取り入れたのが二〇二一年一〇月に提示された第六次エネルギー基本計画だ[30]。二〇三〇年までに、再生エネルギー（主に水力発電）の割合を二〇一九年の一八％から倍の三六～三八％に押し上げ、原子力の割合も六％から二〇～二二％へと大きく拡大し、水素・アンモニア発電などの開発を進めてエネルギー需要の一％を満たす。二〇三〇年までに石油の利用は七％から二％へと削減、天然ガスの供給も三七％から二〇％へとほぼ半減、さらに石炭への依存は三二％から一九％に縮小する。重大な動きとして、日本もG７の宣言に加わり、二〇二一年末までに海外の新たな石炭火力発電所建造に対する直接支援をやめることとした[31]。

このエネルギー基本計画は野心的すぎた。それと同時に期待外れでもあった。再生エネルギーと原子力エネルギーの大々的な拡大を掲げたのは、新たなエネルギー源への移行には出遅れ、原発再稼働にも時間がかかったという経緯を振り返れば、大風呂敷を広げすぎたと言えるのではないか。最先端の燃料電池技術を利用して水素燃料の産業基盤を構築するという政府の目標も、壁にぶつかっている。同技術はまだ商業的に実現性が低いし、水素供給を化石燃料から再生エネルギーへと切り替えられるかどうかという点でも疑問が残るからだ[32]。その一方で、日本のエネルギー計画が石炭依存を継続する見通しを示したことは大きな失望を招いた。二〇二一年の国連気候変動枠組条約第二六回締約国会議（COP26）における石炭火力発電の段階的縮小をめぐる議論で、日本は主導的役割を果たすことができなかった。

二〇二二年のロシアによるウクライナ侵攻で、ふたたびエネルギー安全保障が国家的アジェンダの最重要課題となった。原油価格が高騰し、大規模停電の可能性も現実味を増したことで、消費者に重い負担が生じ、経済回復の見通しを暗くしている。日本がロシアから輸入する石油は四％、天然ガスは九％にすぎないが、エネルギー価格の世界的な上昇と、エネルギーの多角化戦略を支えていた供給源の喪失は、日本をいっそう不安定な状況に置いた（そのため政府は、サハリンでの液化天然ガス開発事業に対する日本企業の関与を継続させている）[33]。岸田文雄政権はガソリン補助金を通じて一時的な救済を提供する一方、二〇二二年までに原発再稼働をさらに五基増やすという計画で、原子力エネルギー回帰という大きな賭けに出た。これは岸田政権の賭けであると同時に、原油価格が日本に異例の状況、すなわちインフレを促進しているという時期に、原子力エネルギーの利点に対する国民の認識が変化してきたことを示している[34]。

デジタルトランスフォーメーションと人的資本

人工知能（ＡＩ）、ビッグデータ、モノのインターネット（ＩｏＴ）、クラウドコンピューティング、エッジコンピューティング、５Ｇ通信ネットワークなどの登場を伴う技術革新の急速なペースは、社会と経済の姿を作り替えつつある。デジタル化がもたらす機会は大きい――経済的競争力の新たな源泉が活用され、効率性と生産性が高まり、生活水準も上昇する。ただし、それを実現していくにあたっては、重要インフラと、人的資本開発と、新たな統治・管理システムのために、莫大な投資をしていかなくてはならない。また、社会的包摂性、プライバシー保護、そして適切なサイバーセキュリティを確保することによって、ネットにつながるからこそ生じる欠陥やリスクを低減していく必要がある。この点でも、デジタルシフトの先行きは、国としての手腕にかかっている。

日本は、デジタルシフトが道半ばであることを自覚している。そのため政府の戦略文書では、幅広いデジタルサービスを供給する第四次産業革命（ロボットの普及や、複雑なバーチャルコマースの管理システムなどの実現）および「Society 5.0」（ハードウェアとソフトウェアが連結したスマートシティの実現）の計画を打ち出した。[35] ビジネス界も、グローバルなデジタル経済の中で日本企業が台頭していくために必要となる競争力について、活発に議論している。そして菅前首相も岸田現首相も、デジタル化を政権の重点政策として掲げている。

デジタルトランスフォーメーション（日本では「DX」という通称が採用されている）に関する国家的議論で主に着目されているのは、次に挙げる三点だ。第一に、技術的先進国である日本には、デジタル化を推進させられる資産があること。第二に、人口減少と慢性的労働力不足に直面する国家にとって、デジタルテクノロジーは特に重要であること。第三に、多くの領域で目下の日本はデジタル化の推進が遅れている点で、これについてはデジタル人材の不足を補うことで改善をめざしている最中である。

新聞の記事では、いまだに続くFAXと印鑑の利用ばかりが話題になるが、現実はもう少し複雑だ。総合的なデジタル競争力で見れば、日本は世界の真ん中に位置しており、二〇二一年の「IMD世界デジタル競争力ランキング」では六三カ国中二八位だった。アメリカ（一位）には大きく水をあけられ、シンガポール（五位）、台湾（八位）、韓国（一二位）、中国（一五位）といった東アジアの近隣諸国にも差をつけられている。[36] だが、総計的なランキングを見ているだけでは、日本が首位となっている領域も、遅れている領域もわからない。前者については、日本は優れた通信インフラが整っており、ワイヤレス・ブロードバンドの普及率では二位に位置する。[37] 自動化という点でも日本経済は世界の先端を行っており、二〇一七年にはロボットの普及率で世界二位だった。[38] 一方でデジタルテクノロジーが行き渡っていない領域も多く、遠隔医療は五%、モバイルバンキングは七%、公共サービスの電子化は七・五%、Eコマースは九%しか広まっていない。[39]

こうしたデジタル化不足は、新型コロナウイルス感染拡大への対応で高い代償を払わせた。政府が病院ネットワーク全体に医療情報を伝達するにも、国民に給付金を配布するにも、ワクチン接種の予約を広めるにも、デジタル化の遅れが足を引っ張った。[40] 二〇二一年九月には、デジタル政府サービスの推進とテクノロジー政策の合理化を担うデジタル庁が新設されている。行政サービスにおけるIT能力の拡充、省庁および地方自治体間で相互運用可能なデータ管理システムの導入、マイナンバーカードを利用したeサービスの利便性向上など、同庁に課せられた任務は膨大だ。個人にIDを割り当てるマイナンバーカードの普及率は、本稿執筆時点では想定される利用者数の三割を少し超えた程度である。[41]

日本経済全体においてもデジタル化は均等には広がっていないようだ。ウリケ・シェーデが指摘するとおり、日本のリーディングカンパニーは製造面での充実した専門知識を活かしてバーチャル店舗を立ち上げたり、多くのデータを得られる「データ採掘者」の立場から産業のグローバルなサプライチェーンを生み出したりといった形で、デジタルエコノミーの前面に切り込んでいく道をそれぞれに見つけている。[42] しかし、それ以外の多くの日本企業は、アナログ時代にしがみついている。九〇〇社を対象とした二〇二〇年の調査では、DXを推進していると答えた企業は全体の四〇%未満だった。[43] 大企業と中小企業でのデジタル格差も大きく、従業員数五〇〇人以上

の事業主ではデジタル導入率は七〇％であるのに対し、小規模な事業主ではわずか一〇％にとどまっている。(44)

日本のＤＸ推進を阻む主なボトルネックは、産業の分野や企業の大小を問わず、現時点で有資格のＩＴプロフェッショナルがまったく足りていない点だ。(45)国家のＡＩ戦略目標を達成するにあたり、日本は技術的資産（コンピューティングパワー、ＡＩへの資本投入、特許申請、ＡＩ系スタートアップ）という点で強い一方で、人的資本のリソース（ＳＴＥＭ教育〔訳注：科学・技術・工学・数学〕を修めた社会人の数、ＡＩスペシャリストの採用、テクノロジースキルの浸透）という点で弱いことは、四四カ国を対象とした国際的調査でも浮き彫りになった。(46)ただし、この状況は変わるはずだ。同調査で確認された重要な傾向として、現時点では日本のＡＩ雇用状況は弱いものの、ＳＴＥＭを学びプロフェッショナルとなっていく若者層の厚みという点では、日本は未来に向けてしっかり備えられている。アメリカではＳＴＥＭを学ぶ学生の数が不十分で、この国の未来に大きな影を落としている点とは、対照的である。(47)日本では教育とリスキリングの取り組みが進行中で、高校や大学にＩＴ履修科目が導入され、大企業でもデジタルトレーニングの実施が見られる。(48)また、海外からデジタル分野の人材を集められるかどうかも、日本のＤＸ目標に大きく影響してくることだろう。入国制限の撤廃は、日本がポストパンデミックの経済的競争力を得ていくにあたり、きわめて重要なことである。(49)

人的資本に投資する：岸田の「新しい資本主義」は実現するのか？

岸田文雄は二〇二一年一〇月の首相就任に際し、自身の経済戦略として「新しい資本主義」という言葉を掲げた。人的資本への投資を前面かつ中央に置き、成長と分配の相補的な関係性を実現するというものだ。経済プログラムとしては三つの領域に主眼を置いた。人的資本、テクノロジーとイノベーション、そして経済安全保障である[50]（最後の一つについては第10章で詳細に論じる）。岸田は、日本の賃金停滞と、国際水準に照らして日本企業は人材への投資が少ない点に言及し、政府は労働者一〇〇万人（非正規労働者を含む）の新たなスキル獲得、雇用確保、再就職を支援すると約束した。また、ビジネス界に対して人材戦略の根本的見直しを求め、賃金を単なるコストではなく、企業に価値をもたらす人的資本への投資と考えるよう訴えた[51]。

官民連携を通じたテクノロジーとイノベーションの促進にも力を入れていかなければならない。日本の国内研究開発費総額は、過去一〇年間横ばいで、アメリカや中国と比べればはるかに少ない[52]。過去五年間を見れば日本でもスタートアップが急速に育っているのだが、アメリカと比べればまだわずかだ[53]。岸田政権は二〇二二年から二〇二七年までのあいだで一二〇兆円のハイテク投資が行われることをめざすとして、そのうち三〇兆円は政府が新しいテクノロジー分野（ＡＩ、量子コンピューティング、半導体、バイオテクノロジー）への投資と、ＤＸ（デジタルトランスフォーメーション）およびＧＸ（グリーントランスフォーメーション）の支援に投じる計画を示した。[54] 日本企業による新商品（財およびサービス）の発売ペースはG7加盟諸国のいくつかに遅れていることも認識して、企業の次世代開拓を進めていくねらいから、スタートアップの数を一〇倍に増やすための取り組みも掲げた。この成長に再分配アジェンダもからめて、デジタル田園都市の実現を促し、子どもや高齢者のいる家庭への経済的支援を提供するという形で、地方再生の計画も打ち出した。

「『人』重視の資本主義」という岸田のビジョンに、さほど目新しいところはないとも言える。低成長環境に誰も取り残さない社会を実現するというのは、何十年も前からこの国の国家的議論の中心的テーマであるからだ。実質賃金と家計消費の上昇、労働市場の二重構造による不平等の解消、日本の社会・経済における環境、デジタル、テクノロジーの変容推進など、岸田が掲げた主な経済アジェンダは、前任者たちが追求してきた目標と同じである。

にもかかわらず、「新しい資本主義」は、これまでの経済的青写真の単純な焼き直しではない。この「新しい資本主義」が政治的に送るシグナルと、経済的環境が、これまでとは違うのだ。政府がビジネス界に実際に賃上げをさせ、人材に対する考え方の見直しをさせていけるかどうかは、はっきりしていない――金融所得課税の引き上げという当初のアイディアには拒絶反応が生じたし、企業の賃上げを支える補助金も十分ではないようだ。だが、人的資本に関する方針を自身の経済戦略の評価尺度として設定したという点で、岸田は前任者たちの一歩先に踏み込んでいる。この取り組みの実現に失敗したときの政治的コストを引き受けたのだ。これは新しい点と言える。

その一方で国際環境も変化しており、これからの日本政府にいっそう苦しい選択を強いていく可能性が高い。アベノミクス時代の日本は金融緩和では先陣を切ったが、現在では政策対応で取り残されている。インフレの過酷な広がりを受けて、アメリカの連邦準備制度と欧州中央銀行は金利上昇に踏み切ったが、日本銀行は世界的な景気縮小を危惧して、現状維持のままとしている。急激な円安進行（二〇二二年で二五％進んだ）は消費者と生産者に負担をかけ、エネルギー輸入の費用を押し上げており、消費者物価指数（インフレ率）はいまや四％だ[55]。黒田に代わり日銀総裁となった植田和男（経済学者である植田は学術界からの異例の登用だ）が、どうインフレと戦い、金融政策を軌道修正していくか、その手腕にかかっていると言ってよいだろう。政府債務が高水準であること、またパンデミックからの回復や長期的変革に莫大な予算が必要であることに鑑みれば、金利上昇にもリスクがある。物価高騰をやわらげ、賃上げを促していくために、国会は二〇二二年度末に第二次補正予算を承認して二九兆円の財政支出を行った[56]。デジタル、環境、人的資本という三つの領域で変革のための投資が行われていること、そして防衛費増額が見込まれることも踏まえると、前例のないレベルでの財政支出で赤字財政を続けることに現実味があるのか、疑問が生じている。

　岸田政権はこれまでよりも人に優しい資本主義を打ち出すことで、構造改革アジェンダの優先順位を下げた。だが、めざす変革を達成していくためには、一部の産業では規制緩和が、また別の産業では再規制の導入が必要となる。むしろ岸田は自身の経済安全保障プログラムの一環として、国家安全保障のためにビジネス活動の規制拡大を進めるのかもしれない。支出のトレードオフをめぐる攻防と、経済改革アジェンダに残ったものと切り捨てられたものの分かれ目が政治問題に発展し、ウィン・ウィンの資本主義という美しいイメージを曇らせていくことも考えられる。

第3部

政治

Politics

第6章 日本の政治における変化と継続性(1)

Change and Continuity in Japanese Politics

「失われた」時代で日本はあらゆる面で現状維持主義に陥ってしまった――。そう述べる主張はよく聞くが、実際のところ、過去三〇年間の日本の政治は凪どころか、その正反対の状態にあった。たとえば新たな選挙ルールが導入され、このことが政治競争の性質を大きく変えた。二大政党制の萌芽も見られた。ただし、一時的に政権を握った野党政党は結局行き詰まりを迎えている。野党陣営は細分化し、政党が次々と旗揚げされては消え、野党全体が縮小していった。二〇〇〇年代前半には首相が短期間で何人も入れ替わり、有権者の票が対立政党間で激しく揺れ動いたが、その後は公明党と連立した自民党が六回の国政選挙で第一党の座を確保する時代に回帰し、安倍晋三が日本の憲政史上最長にわたり内閣総理大臣を務めるに至った。

日本のリーダーが担う執行力の性質も、この時期に大きな変化を遂げている。選挙改革および行政改革により、内閣総理大臣は政策立案を主導し、重要政策を進めるための諮問会議を設立し、縦割り行政を打破することができるようになった。自民党内の派閥や族議員、官僚に対して、首相官邸がそれまでよりも大きな影響力をもつようになった。政権安定と、政治形成の権限拡張という二つの要素の組み合わせにより、小泉および安倍という二人の首相のもとで決断力あるトップダウン式リーダーシップが生まれた。小泉の試みを安倍がさらに先へ進めて、首相官邸を政策決定の司令塔とし、政府が切れ目なく全体として国家安全保障および対外経済政策に取り組む構造を作り上げた。

しかし、新型コロナウイルスが日本の政治の方向性を一変させた。安倍の長期政権の終焉を早め、菅政権を短期的なものに運命づけた。二〇二二年七月八日には安倍元首相が銃撃で殺害されるという悲劇が起きる。日本で最も大きな影響力をもった政治家であり、死の直前まで自民党最大派閥の代表として国内の経済運営および外交政策に関する議論を形成していた人物が、その命を唐突に絶たれた。菅に続き首相となった岸田は、就任一年目で二度の国政選挙に勝利しており、安定した長期政権に向けて基本的なハードルはクリアした状態だ。だが、岸田が直面する政治的試練は膨大である——安倍派が変容を迎え、自民党内の連携は今後いっそう難しくなるだろう。また、複数の政治家において問題ある宗教団体とのつながりが発覚したことから、透明性と説明責任を求める国民の声が強まり、支持率も打撃を受けている。

古いレジーム

世界が冷戦下にあった頃、日本はずっと自民党支配体制だった。一九五五年の自民党設立以来、この体制が途切れずに続いていたことから、「普通でない民主主義国」という呼称も与えられている。自由選挙があり、メディアがあり、市民権と選挙権が確保されていながらも、数十年にわたり一党制が続いている国を示す表現だ。[2] 日本の場合は正確には「一・五党制」で、社会党と自民党が主に外交政策関連の問題（平和憲法や日米同盟など）をめぐって角を突き合わせていた。自民党は複数の派閥で構成されているので、不満を抱いた党メンバーの造反を防ぐことが、政権維持のための大前提だった。組織票（JAと郵便局長会）に頼り、「上げ潮」的政策で大企業からの献金を確保していた。自民党はもともと保守派の農民層に支えられていたのだが、包括政党となることを意図的にめざし、敵対する政党から人気の政策（公害対策や中小企業保護など）を巧みに取り込む抜け目ない政治的才覚を発揮して、経済が大幅に変容し都市化が進む日本の舵を取り続けてきた。[3]

しかし、一九九〇年代を迎える頃から、政治システムにかかるストレスが顕著になり始める。自民党は、もはや新たな政治的試練に立ち向かう改革力をもった機敏な機構ではなかった。増えていた都市部の有権者は、日本の民主主義の質を高める政治改革を強く期待していたが、その改革には手がつけられていなかった。戦後日本の選挙制度（中選挙区単記非移譲式）では同じ選挙区で同じ党の候補者同士が争わなければならないため、党籍が有利にならず、選挙運動は候補者個人の活動になっていた。党内では派閥同士が対立し、派閥議員のための選挙での推薦、政府からの任命、そして献金の確保に奔走していた。この頃の選挙ルールは政治的恩顧主義の温床で、政治家が選挙区の有権者にサービスし、地方開発計画を進め、恩恵をもたらす法律制定に尽力し、それと引き換えに有権者と利益集団が票を入れてやるという取引関係を生んでいたため、必然的に金権政治がはびこっていた。

こうした五五年体制は政策形成のダイナミクスを固定していた。首相となる人物は、自民党の党首として派閥間競争のすり合わせを行い、コストを生じさせる造反を避けるために、もっぱら仲介者的な役割に明け暮れるのだ。派閥競争を内包した党を一致団結させるということがつねに念頭にあった。首相が一般議員を掌握する力はほとんどなく、一般議員は離脱して無所属出馬するという脅しを好きなときに振りかざすことができた（政治家として花開けば呼び戻されるだろうという腹積もりで）[4]。派閥リーダーに対しては、不満を抱くことがないように、頻繁な内閣入れ替えを利用して、ベテランの政治家に要職を与えていた。官僚の統率や法律制定の主導という点での首相権限はきわめて限られており、内閣は官僚（政務次官会合）および党の承認（政務調査会）を得て初めて法案の提出ができる[5]。「鉄の三角形」――官僚、利権集団、自民党内の族議員――の結束も強固だった。

選挙・政治・行政改革

一九九〇年代に騒ぎとなった一連の政治スキャンダルによって、企業と大物政治家間の汚職関係が次々と明るみに出る中で、自民党における政治改革の実現力のなさが露呈していく。一九九三年に党内の一団が造反離脱し内閣への不信任決議に賛同して、自民党政権が倒れるという顛末となり、自民党にとって最悪の不安が現実のものとなった。このとき樹立した非自民連立政権は短命ではあったが、一つ大きな功績を実現した。選挙および政治資金調達の新たなルールを制定したことだ。一九九四年から衆院選にハイブリッド型選挙システム〔訳注：小選挙区比例代表並立制〕が導入され、日本の有権者は二つの票をもつようになった。小選挙区で出馬する候補者を選ぶ票と、地域ブロックごとに党に投票する票で、後者は投票数で候補者に議席が配分される。

一方、一九九四年および二〇〇〇年の政治資金規正法改正によって政治資金調達のルールが厳格化され、選挙違反のペナルティが厳罰化されたほか、選挙の公費負担制度を通じて、また最終的には政治家個人に対する企業献金を禁止したことによって、透明性が高められた。(6) 地方票の優遇問題を是正するための公職選挙法改正も重ねられた。議員定数配分の不均衡問題は最高裁判決にまで進み、二〇〇九年、二〇一二年、二〇一四年の衆院選は「違憲状態」であったという判決が出た（ただし選挙結果は無効とはならなかった）。二〇一七年の法改正で衆議院の議員定数が一〇人削減され、小選挙区では定数二八九、比例代表では一七六、総数四六五議席となった。二〇二二年一一月に国会で可決された直近の公選法改正では、次世代の選挙において議席配分が合憲とみなされるレベルとなるよう、人口希薄地域から過密地域へさらに定数配分の移行が行われた。[7]

こうした制度改革は、選挙競争が政策綱領にもとづいて行われるようにすること、政党間に競争が成り立つ体制を生み出すこと、日本の政治に根強く残る再分配ありきの性質を弱めることをめざし、日本の政治を「近代化」するものだった。ただし成果にはばらつきがある。たとえば小選挙区制への移行に伴い、選挙活動においては党籍および公約提案がいっそう重要になった。[8]一般議員にとって党による指名が重要になり、政治生命も党首の総合的人気に影響を受けやすくなったので、首相は一般議員を以前よりも統制しやすくなった。派閥リーダーによる支配力は薄れたが、派閥そのものは生き延び、今も党首選の中心となる。[9]政治資金制度の改革で、企業から政治家個人への献金の流れを断ち切り、資金調達方法に透明性を高めたことで、政治汚職の数は少なくなった。[10]

選挙改革によって派閥が担う役割は縮小し、首相が党内にもつ影響力の強化につながった。二〇〇一年から実施された行政改革で、政策決定に対する首相の影響力も高まった。内閣法改正により、初めて首相が政策提案を発議できることとなったのである。内閣官房の役割も広がり、政策企画を含むようになった。新たに設置された内閣府は首相に対し、官僚を差配し、重要政策を推進するための諮問会議を設立し、政策形成を主導する権限を与えた。[11]二〇一四年には内閣人事局を設置し、幹部人事を掌握することで、内閣府における意思決定の中央集中化をいっそう進めた。

こうした改革全体が、政治競争のルールと意思決定のパワーバランスを大きく変えた。日本の政治ダイナミクスに新たな流動性がもたらされ、二つの重大な変化に実現可能性が生じた。一つは競争性のある二大政党制への移行。もう一つは、首相が国内政策および外交政策の戦略的方向性を定めるという、リーダーにおける強い執行力の出現である。

ポスト改革期の政治的ダイナミクス

一九九〇年代と二〇〇〇年代を通じて日本の政治は不安定に揺れ続けたが、そこには大きく三つの傾向が見られた。第一に、相次ぐ政党の旗揚げと解散。第二に、連立政権の始まり（一時的なものと持続的なものの両方）。そして第三に、自民党に代わり政権広大をしうる野党がようやく生まれたこと。これらの展開の多くにかかわり、大きな役割を果たしたのが、自民党の政治仕掛け人にして、いくつもの政党を発足させては終わらせてきた人物、小沢一郎だ。一九九三年には小沢とその賛同者たちが野党からの内閣不信任案に賛同し、これが自民党下野につながった。自民党に代わり発足した七党一会派による連立政権が数カ月で破綻すると、小沢は複数の野党政党を率いて一九九四年一二月に新進党を結成。一九九七年末に消滅を迎えるまで、この新進党が自民党への主たる挑戦者になると見られていた。

確かに自民党政権は倒れた。だが言い方を変えれば、ポスト改革期はあくまで自民党に単独で政権を握らせなくなったというだけだった。野党となった自民党メンバーは数カ月後には政権に戻っている。ただし、政権を確保するためには他党と手を組む必要があった。政治的便宜のために、相容れない理念をもった政党同士で同盟を組んだのである。自民党が最初に組んだタッグは、一九九四年、戦後のライバルであった日本社会党との連立〔訳注：新党さきがけも含む自社さ連立政権〕だったが、これは短命に終わった。一九九九年には、参議院で議席を確保するための協力関係として、公明党――在家仏教団体「創価学会」の政治部門――との連立が発足し、これが現在に至るまで続いている。この連立が試みられるまで、二党は強い敵対関係にあった。公明党は一九九三年に発足した非自民の連立政権に加わり、その後には小沢の新進党に加わっている。そして自民党の政治家たちは公明党のことを、政教分離の原則に背いていると糾弾してきた。[12]それでも、自民・公明で手を組んで共生的選挙協力（小選挙区および比例代表でそれぞれに確保する議席数を最大化するという合意）を固め、公明党にとっての最重要項目を受け入れる形で政策のすり合わせ（自民党は安全保障改革や憲法改正案の追求を弱めるなど）を行ったのだった。[13]

一九九六年には民主党が発足。これをもって日本は二大政党制へ進むと思われた。元自民党の政治家鳩山由紀夫と、元社会民主連合の菅直人が、複数政党を融合させて立ち上げた民主党は、さらに一九九八年に複数の小規模政党を吸収し、二〇〇三年には小沢の自由党を合流させて、強さを増していった。[14]二〇〇〇年代を通して、自民党と民主党は地方と都市部の両方でお互いをしのぐ支持率を確保すべく、熾烈な戦いを繰り広げている。地方では農村部に対して気前のよい恩恵をもたらす党へ票が流れるので、その追求に尽力すると同時に、従来の自民党政治を廃止して真の改革をもたらすと約束して、都市部や無党派層の有権者囲い込みに力を入れた。

改革の機運をつかんだのは、二〇〇一年に自民党から登場した型破りな首相、小泉純一郎だった。小泉はみずからの政党内に存在する「抵抗勢力」に立ち向かうと約束し、従来ながらの派閥政治を否定し、「聖域なき」改革を推進するという誓いを掲げて、二〇〇六年に退任するまで国民から強い支持を受け続けた。[15] 小泉が二〇〇五年に、自身の看板であるイニシアティブ、すなわち郵政改革の未来を懸けた解散総選挙にもちこんだときにも、国民は彼に地滑り的大勝利をさせている。だが、小泉後の自民党政権が短期間で次々と入れ替わり、改革の試みを後戻りさせて、有能な統率力を発揮できなくなってくると、有権者の心はすぐに離れた。

人気絶頂期で退いた小泉の後を継いだのは、小泉の部下であった安倍晋三だ。岸信介元首相の孫として、政治家の血を引く安倍は、戦後の合意のもとで生じた足枷と安倍がみなす要素——平和憲法、アメリカに対する受け身の依存関係、国家の誇りを損なう歴史的言説——を打破することで日本を主要大国の座に復帰させたいという志を抱き、その志に沿って自身の政治計画を温めてきた。安倍は自民党内の歴史修正主義派（リヴィジョニスト）を代表する存在とされてきたが、安倍の伝記を書いたトバイアス・ハリスが指摘するとおり、安倍のナショナリズムは国家主権主義のナショナリズムだ。[16] 言い換えれば、安倍が究極的にめざしたのは、この国が発揮しうる能力を高めることであり、特に国家安全保障の領域でそれが必要だと考えていた。一度目の政権では何の成果も出せなかった。それどころか、自身の世界観を共有するが統率力には欠ける人材ばかりで首相周辺を固め、財布の負担軽減を望む国民の声を切り捨てる形で、支持の得られない安全保障対策を推し進めてしまった。第一次安倍政権は結果的に一年ほどしかもたず、閣僚たちの数々の失態と、大批判を呼んだ消えた年金記録問題の対応に振り回され、二〇〇七年七月の参院選で自民党が大敗を喫する。慢性的な消化器疾患に苦しんでいた安倍は、その参院選からほどなくして唐突に辞任した。

その後は短命な政権がさらに二代続いた。福田康夫と麻生太郎という自民党輩出の首相は、いずれも政治戦略の遂行に苦戦した。福田は民主党との大連立構想を掲げたが、水泡に帰している。世界金融危機の渦中にあった麻生は、総選挙を通じて自身の立場を増強することが叶わなかった。二人とも参議院で少数与党となったため、法案成立に苦戦を強いられた。参議院で法案が否決された場合、または決議がなされなかった場合、それを覆すには衆議院で三分の二の賛成を得る必要がある。そのため「ねじれ国会」（衆・参議院で与野党の勢力が逆転する状態）が立法審議を膠着させ、福田・麻生両政権の破綻につながった[17]。

小泉が郵便局長会の特権を奪い、地方の公共事業を縮小したため、地方における自民党の組織票は弱体化していた。支持が国全体にばらけたことで、異例の選挙結果に結びつく。二〇〇九年の総選挙で野党が地滑り的勝利を果たしたのである。民主党は、単なる政権の交代ではない、という約束を掲げた。政策決定の基盤を再編成すると謳ったのである。より応答力のある政治体制をめざして、官僚を政治家の指示に従わせると公言し、国会議員の世襲禁止によって政治に新たな息吹を吹き込むと約束し、さらには国費の無駄を削減しつつ気前のいい「子ども手当」を通じて平均世帯の所得補助を行うと誓ってみせた。

だが、民主党が主導する政府は、すぐに暗礁に乗り上げた。政府支出削減キャンペーンから「仕分け」なるプロセスが生まれたが、これは浪費について官僚を責めたて公衆の面前で辱めるというだけで、実質的な支出削減にはつながらなかった。より優れた、より応答力のある政府を作ろうとする試みも、約束した成果をもたらしていない。官僚との意思疎通が分断されたことで政治の行き詰まりが生じた。[18] 二〇一〇年の参院選で民主党は惨敗し、ねじれ国会に縛られて、法案審議もろくに進められなかった。政権トップも安定せず、三年間で民主党輩出の首相が三人も入れ替わった。鳩山首相は沖縄普天間基地の移設について支離滅裂な政策を振りかざし、菅首相は3・11の「三重の災害」の対応にもたつき、野田佳彦首相は民主党の内部分裂を受けて自身の立場を押し上げるために反対政党の協力を必要とする状態で、三政権をそれぞれに破綻させるに至った。最後の一撃となったのが、二〇一二年夏の小沢とその賛同者たちの離党だ。[19] 消費税などに関する政策への不賛同もあったのだが、この離党は根本的には党支配をめぐる反発だった。マーケティング用語で消費者が商品購入を後悔する心理のことを「バイヤーズリモース」と言うが、日本国民はまさにその心理を味わったらしく、二〇一二年一二月の衆院選で民主党を見限った。

このときの選挙結果には、運命の大きな逆転がはっきりと表れている。民主党の議席数は五七に縮小し、反対に自民党が二九四議席、公明党が三一議席を確保した。有権者は民主党を拒否したわけだが、だからといって、自民党を温かく受け入れたという話ではない。二〇一二年の投票者数は三年前よりも二〇〇〇万人も少なく、この投票率の低さが自民党に有利にはたらいたのだ。[20] それでも自公連立政権の復帰と、安倍晋三の驚くべきカムバックで、新たな政治的ダイナミクスが幕を開け、自民党・民主党が角を突き合わせていた時代の最盛期に見られたような急激な票の揺れ動きは起きなくなった。二〇一二年、二〇一四年、そして二〇一七年の衆院選は歴然と一貫した結果が出ている。公明党との連立と低投票率のおかげで、与党一党支配が確保されるという結果だ。二大政党制の萌芽は完全につぶされたのだった（次のセクションの図6－1を参照）。

安倍の長期政権：政治運営と政策形成ダイナミクス

安倍は二〇一二年に官邸へ驚くべきカムバックを果たしただけでなく、日本の憲政史上最長期間にわたって首相を務め、国家政策に対する自身の掌握力を確固たるものにしていく。第二次安倍政権がこれほど長期的安定を実現したのは、政治運営および政策導入のあり方の著しい改善によるところが大きい。過去の失態から学び、安倍は二度目の政権においては仲間内の人材で周囲を固めず、よりバランスのとれた有能な閣僚を指名したほか、閣僚の汚職スキャンダルにもすみやかに対処した[21]。有権者に訴求するにあたっては経済アジェンダのほうを強調し（憲法改正、福島の事故後に停止された原子力発電所の再稼働、消費税引き上げは、国民の支持を得られにくいため）、首相として以前よりも優れた政治的才覚を発揮している。

安倍の運命を試す最初のリトマス紙となったのは、二〇一三年夏の参院選だ。ねじれ国会を回避できるかどうかが決まる重要な選挙戦だった。その数カ月前に、農業ロビーが強く反対していた環太平洋経済連携協定（ＴＰＰ）への加入を決断するという賭けに出ていたため、とりわけ重大な意味があった。蓋を開けてみれば自民党、そして連立パートナーである公明党の大勝利で、これによって安倍政権は立法措置を追求できる立場を強固にした。自民党が議席数を圧倒的に支配したので（直近の総選挙で民主党は議席を大量喪失）、農業ロビーにとっては、反ＴＰＰ運動の旗を振ってくれる主要な国政政党がいなくなった。未来の貿易交渉は自民党を通じて自民党の主たる利害関係を守るという形で、政治はより実用主義（プラグマティズム）的なものへ移行した。[22]

安倍が率いる自民党は、他の方面でも政治的才覚を発揮している。政策をめぐるバトルに勝ち、野党内で連立が組まれることを阻止し、各党から擁立される新たな候補者の勢いを奪っておくねらいで、首相権限を行使して解散総選挙にもちこんだ。一つ目のねらいについては、ロバート・ペッカネンらの共著論文が、二〇一四年一二月の解散総選挙によって安倍は二度目の消費税引き上げを延期できる立場を確保し、党内の増税推進派と財務省高官らの反対を抑えることができたと指摘して、これを安倍の「先手を打った（プロアクティブ）ガバナンス」の一例だと評している。[23]さらに二〇一七年一〇月の解散総選挙は、二つ目のねらいと三つ目のねらい、すなわち挑戦者となりうる政治家の台頭を防ぎ、野党の最大政党における結束を崩すことに成功した。その時点で政治的勢いを強め続けていたのが、元自民党の小池百合子だ。東京都知事選に無所属で出馬し当選を果たした小池は、自身が代表を務める地域政党「都民ファーストの会」と公明党との選挙協力を固め、それによって二〇一七年夏の東京都議会議員選挙で地滑り的勝利を果たした。同年秋に安倍が解散総選挙を宣言したとき、小池は総選挙に打って出るため即座に国政政党「希望の党」を結成。

図6-1　総選挙の結果：主要政党の衆議院議席内訳と、低い投票率

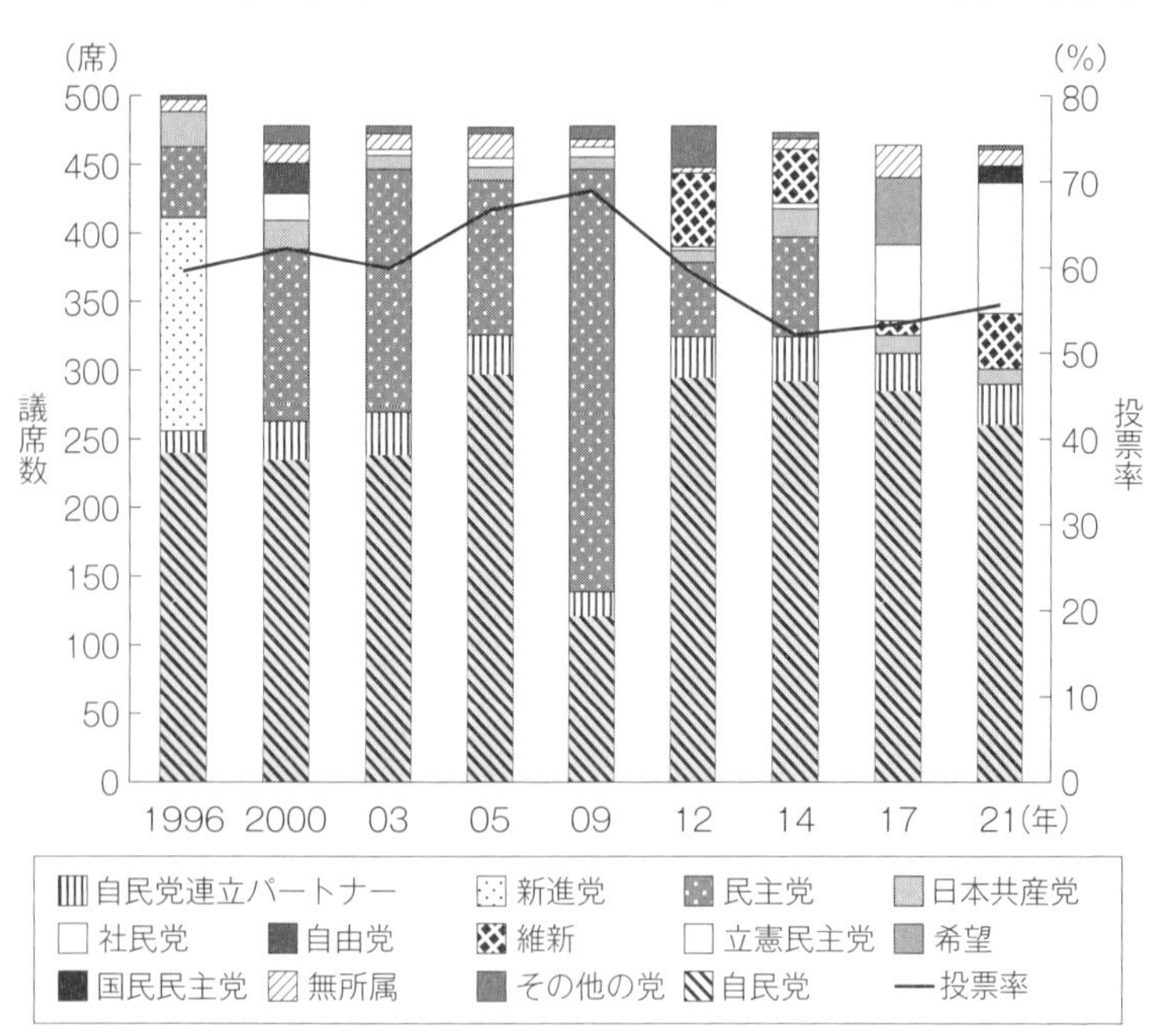

注：1996年の自民の連立パートナーは社民党と新党さきがけ。2000年以降の連立パートナーは公明党。
出所：総務省「衆議院議員総選挙・最高裁判所裁判官国民審査結果」www.soumu.go.jp/senkyo/senkyo_s/data/shugiin/ichiran.html

民主党は二〇一六年に解散し、「日本維新の会」の一派「維新の党」の合流によって「民進党」となっていたが、この新たに誕生した希望の党の旗印のもとで総選挙に出るという前代未聞の判断をした（図6－1では「日本維新の会」「維新の党」を「維新」と示した）。

ただし、希望はあっというまにかき消えた。小池が都知事続行を選び、党の顔たる人物が内閣総理大臣をめざして出馬しないことになったので、有権者の熱意は一気に冷めた。そして小池が旧民進党議員を排除すると発言し、憲法改正支持を合流の条件としたことで、合流も行き詰まった。民進党は分裂し、一部の議員は無所属での出馬を決め、別の議員は希望の党に加わり、さらにリベラル派が総選挙前日に新党を設立した。立憲民主党である[24]。野党の細分化はまたも自民党に有利にはたらいた。

第二次安倍政権期（二〇一二～二〇二〇年）において、この連立与党は見事な選挙手腕を発揮している。衆院選で三回、参院選で三回の勝利を果たした。二〇一二年、二〇一四年、二〇一七年の総選挙で自民党・公明党は三分の二の議席を押さえ、法案審議に自公主導の流れを作り出した。安倍の力で自民党に長期的な追い風基調が生じたことから、党における安倍の影響力も強まった。連続二期の自民党総裁任期が終わりに近づくと、党は規定を改定し、安倍が三期目に出馬できることとした。そして実際に二〇一八年九月の自民党総裁選で安倍が勝利し、連続三期目の総裁就任を勝ち取った。

長期政権となったおかげで、安倍内閣は政策形成に関して以前よりも拡張された首相官邸権限を活用、そして拡大していく。経済改革を進めるために小泉時代に設立された経済財政諮問会議を復活させただけでなく、さらに一歩踏み込んでいる。二〇一三年の「ＴＰＰ政府対策本部」の立ち上げ、そして特に国家安全保障会議の設立により、外交および貿易政策において、切れ目のない政府全体としての意思決定が可能になった。内閣官房の政策形成権限も大幅に拡大し、二〇一七年の時点で四〇の政策組織を置き、任用される職員の数も増えて、第二次安倍政権では小泉時代の二倍のほぼ三〇〇〇人となっていた[25]。首相官邸は「司令塔」として、主に職員人事の権限を強めることによって縦割り行政を抑制する力をもった。人事を掌握することは権力を掌握することだとよく言われるが、菅義偉を内閣官房長官に置いた安倍政権は、まさにそれを体現する形となった。

首相権限を拡大した結果、応答力のある、しかし過剰応答する行政が生まれ、その落とし穴が安倍政権を追い込むスキャンダルとして露呈することとなった。二〇一七年、二つの大きなスキャンダルが起きる。運営方針に批判もあった私立学校（森友学園）に対して国有地が大幅な割引価格で売却された件、そして首相の知人がかかわる獣医学部（加計学園）新規開設の件で、不当な政治的便宜が図られたのではないかという問題だ。首相およびその妻の直接的な関与は証明されなかったが、一年後、国有地売却をめぐり財務省高官による文書改竄（かいざん）があったという報道が出て、ふたたび森友学園スキャンダルが表面化した。これらのスキャンダルに伴って浮上したのが「忖度」という現象だ。首相の息がかかっている、と見られた個人に対して、政府高官が優遇措置をとることを指している。スキャンダル発生後、政府は公文書保存期間を延長する新たな措置を導入し、公文書改竄の罰を厳罰化した。(26)

こうしたスキャンダル発生後に安倍に対する国民の支持率は急落したが、最終的には回復した。七年強にわたる二度目の政権のあいだ、安倍は堅調な支持率を維持している。支持率はおおむね四〇％以上で、不支持が上回ったのは数回、ごく短期間だった（図6－2参照）。国内経済再生の追求と、厳しさを増す外部環境——主張を強める中国、脅威となる北朝鮮、予測のつかないアメリカ——に対処していくという点で、首相は確かに統率力を発揮できていたため、これが

図6-2　第二次安倍政権に対する国民の支持率

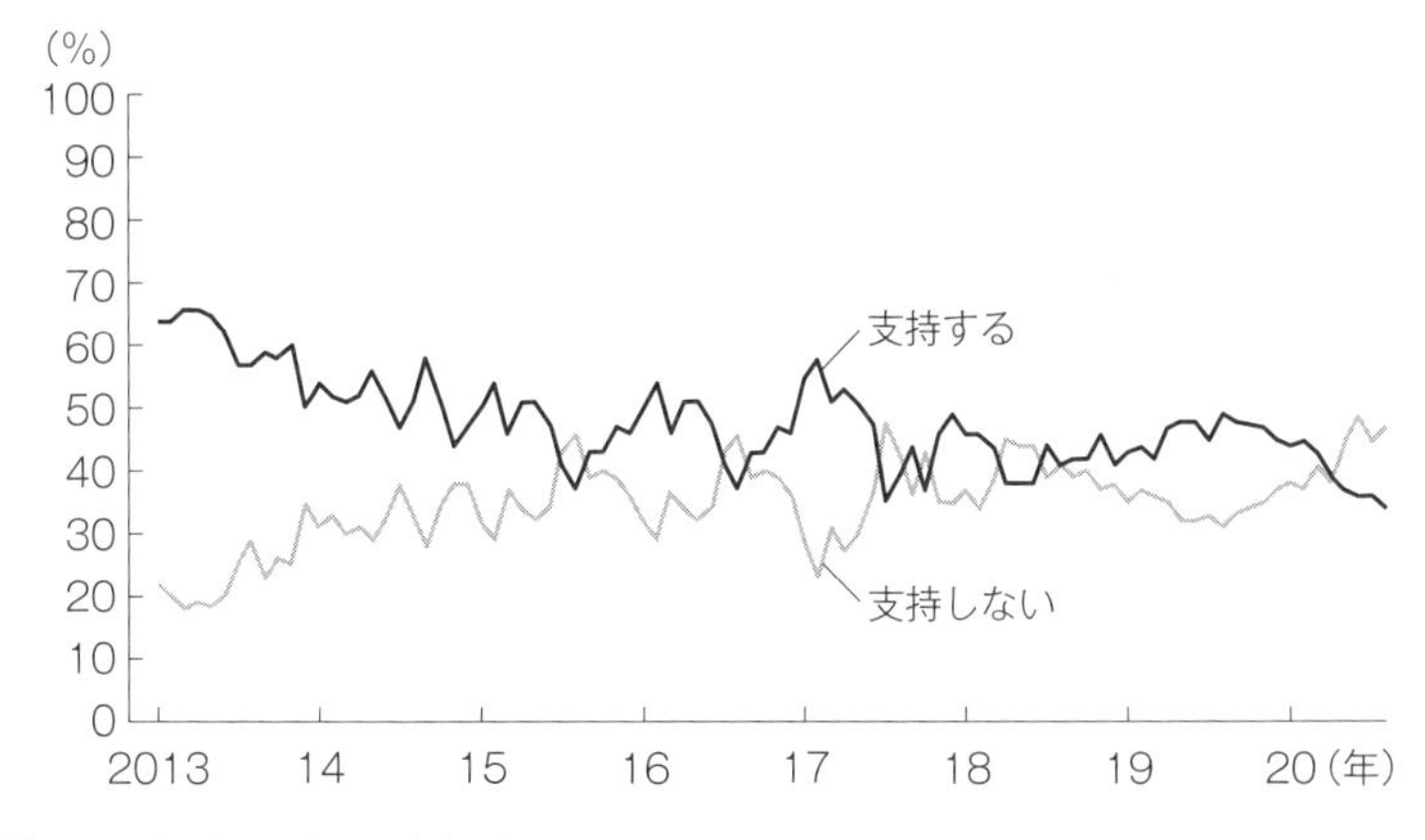

注：2019年10月のデータは存在しない。
出所：NHK「内閣支持率」2013～2020。https://www.nhk.or.jp/senkyo/shijiritsu/archive/2020_07.html

権力掌握を続けられる一要素となっていた。

　だが、別の種類の危機が、この認識を覆すこととなる。新型コロナウイルスの感染拡大の始まりは、二度目の消費税引き上げによる景気後退がまだ収まっていなかった日本経済に甚大な打撃を与え、公衆衛生危機への政府の対応能力について国民に不信感を抱かせた。安倍政権は、公衆衛生の非常事態を迅速に宣言できず、また給付金支払いにも手間取り、決断力と実行力を印象づけられなかった。二〇二〇年四月の世論調査では、回答者の五三％が、政府対応を評価しないと答えている。[27] 安倍内閣に対する国民の支持率は二〇二〇年二月から八月までで、ほぼ一〇％も急落した。この年は東京オリンピック開催で安倍首相にとって記念すべき一年となるはずだったのだ。しかしオリンピックは延期され、その後八月二八日に、安倍は持病再発のためふたたび唐突に辞任を発表した。パンデミックは日本の政治に、また新たな章を開いたのだった。

安倍以降の日本の政治

安倍の唐突な辞任は、決断力のない政府と頻繁に交代する首相という時代に戻ってしまうのか、という疑問を再浮上させた。自民党はすぐさま安倍の右腕にして、約八年にわたり内閣官房長官を務めた無派閥の人物、菅義偉を後任に立てた。国民もこれに賛同したらしく、二〇二〇年九月に指名を受けた時点で、菅義偉首相に対する国民の支持率は七四％という記録的な高さを見せていた。[28] 菅は二つの領域で日本の長期的変容をもたらす野心的な計画を広げた。いずれもアベノミクスでは成果を出せなかった、もしくは行動を起こさなかった領域だ。デジタルトランスフォーメーションと気候変動である。だが、党および国民が菅に求めたのは、過去に例のないほど混迷する時代に安定した統率力を示すことだ。その喫緊の任務であるパンデミック対応に、菅は苦戦を強いられた。

暫定首相としての菅の運命は早々に決まった。感染症の蔓延緩和のためにソーシャルディスタンスの方針が敷かれていたため、菅は支持率が高いうちに解散総選挙にもちこむという手段をあきらめざるを得なかった。つまり、二〇二一年九月の自民党総裁選、および同年秋の総選挙を迎えるまでの一年間で、パンデミック対応と構造改革で気骨を証明していかなければならない。ワクチン接種キャンペーンの開始が著しく遅れる中で、延期していた東京オリンピックを敢行するという菅の判断は、国民の信頼を失わせる結果となった。菅内閣の支持率は二〇二〇年一二月には四二％で、オリンピックが近づくにつれて下降の一途をたどった。オリンピックは最終的に翌年二〇二一年の七月、八月に開催されたが、八月時点での支持率は三〇％を切るまでになっていた[29]。菅は首相再選をかけた党首選への出馬を辞退した。

この党首選に勝ったのが岸田文雄だった。総裁選出馬はこのときが初めてではなく、安倍政権で五年にわたり外務大臣を務めたにもかかわらず、安倍元首相からの支援は得られなかった。自民党内でもリベラル寄りの派閥の出で、控えめな性格だと見られていた岸田は、総裁選候補者のテレビ討論会で意外な押しの強さを発揮し、安全保障におけるタカ派としてみずからをリブランディングした。総裁および首相として指名を受けると、同年秋、自民党および連立パートナーである公明党に衆院選での確固たる勝利をもたらす。翌年夏の参院選をにらみ、岸田政権は経済再生プログラムに注力し、ＳＡＲＳコロナウイルス２－オミクロン株の発生を受けてふたたび厳しい入国制限を敷き、さらに二〇二二年冬に向けて日本の国家安全保障戦略を大々的にアップデートする計画を立てた。自民党内での岸田の目標は、安倍元首相が率いる党内最大派閥からの支持を確保しつつ、「新しい資本主義」、そして外交政策における「新しい現実主義」に向けた計画で独自路線を邁進していくという、この二つを巧みに両立させていくことにあった。

二〇二二年七月八日、奈良で応援演説中だった安倍元首相の銃撃による殺害は、日本と世界に衝撃を与えた。厳格な武器規制のおかげで銃による暴力事件がほとんど起きない国、しかも近年においては政治的暗殺の記憶がない国で安倍の身に起きた悲劇のニュースは、大きな当惑をもたらすものだった。しかも、犯人の動機が統一教会（現・世界平和統一家庭連合）への恨みであったという報道が出て、さらなる衝撃が走る。自身の家族を経済的に破綻させた原因が統一教会にあるとして、この宗教カルト団体と安倍とのあいだにつながりがあると認識し、そのことを世間に知らしめるために、安倍を狙う決断をしたのだった。事件から二週間後に執り行われた参院選では、連立政権が支配的多数の議席をふたたび確保しているし、野党の細分化も変わらなかったのだが、流れる空気は陰鬱なものとなった。

安倍銃撃事件が日本の政治におよぼした反響は今もまだ広がり続けている。この余波にどう向き合うか、それが岸田首相にとって重大なテストとなるだろう。統一教会とのつながりが政界全体にわたり、特に自民党の政治家に集中してもたれていたことが明るみに出て、国民は激怒している。統一教会スキャンダルと、賛否両論のあった異例の国葬実施を決めた岸田の判断、そして新型コロナウイルスの感染者増加と物価上昇といった要因が、岸田内閣への支持率を低下させた。わずか一カ月のあいだに閣僚が三人辞任すると、その後の二〇二二年一一月に実施された調査では、支持率が三三・一％に急落。[30]首相就任からの一年内に行われた参院選・衆院選で確かな勝利を収めた岸田政権は、予定としては、この先三年間は国政選挙に直面しない。しかし、自民党政治家と統一教会とのつながりを徹底的に洗い出し、統一教会の詐欺行為による被害者を救済するという誓いを全うしていくことは、国民の信頼回復にあたって欠かすことのできない責務である。[31]その第一歩として二〇二二年後半には、「法人等による寄附の不当な勧誘の防止等に関する法律」（宗教団体であるかどうかを問わず）が、主要政党すべての賛同のもと国会で可決された。[32]

国民の求めに応答していくことができるかどうか、それが日本の政治が迎える未来を大きく左右することだろう。日本の有権者は、有効なパンデミック対応はもちろんのこと、家計にかかわる現在の問題（賃金や物価）、そして未来の問題（高齢化社会の社会保障）にも、強く神経をとがらせている。[33]政治家は憲法改正などを追求するばかりで一般市民の懸念を重視していないじゃないか、という思いがあり、かといって政権交代しうるだけの政党も存在しないことから、有権者の多くが政治参加への意欲を失っている。日本の民主主義のダイナミズムを維持していくためには、応答力のある政治家、そして無関心にならない市民の存在が不可欠だ。次の章でこれについて論じていきたい。

第7章 ポピュリズム時代における日本の民主主義

Japan's Democracy in the Populist Era

西側諸国ではポピュリズムの台頭が政治に強烈な打撃を与えているが、ある民主主義の工業大国では、ポピュリズムによる国内政治の破綻は起きていない。それが日本だ。景気停滞と社会的分断の拡大のせいで、他の国々でポピュリズム勢力台頭の布石となった憤懣あふれる政治が日本でも生じる可能性はあるはずなのだが、なぜか日本では、世界各地で排他的な政治を生んでいる有害な分極化を経験してはいない。国民の圧倒的大多数はポピュリズム志向を示しておらず、反エスタブリッシュメントの政治家が反多元主義を普及させてもいない。ポピュリズムがもたらす極端な党派対立、議会制民主主義の制度に対する攻撃、選挙の正当性の毀損といった落とし穴にも、日本は落ちることなく歩んでいる。

各国で民主主義が後退する時代において、日本は、経済グローバル化に適応し、ポピュリズムによる混乱を免れ、民主主義が定着した国家として、重要な世界的役割を果たしていく。とはいえ日本の民主主義を脅かす試練が起きていないわけではない。野党陣営の縮小、有権者の無関心、説明責任を確保する手段の弱体化など、民主主義のダイナミズムを衰退させる憂慮すべき兆候も見られている。政権交代を伴う活発な政党間競争が試みられた時期もあったが、今はそんな様子もない。政権の受け皿（オルタナティブ）になりうると有権者が思えるような、実行力ある野党政党を再構築することが、日本の民主主義に力強さを与えるためには欠かせないだろう。

ポピュリズムの落とし穴を（今のところは）回避

ポピュリズム自体は昨今新しく登場した政治現象ではない。だが、ヨーロッパ大陸では極右政党が選挙に大きく食い込むようになり、イギリスではＥＵ離脱が成立し、アメリカでは二〇一七年にポピュリストの大統領ドナルド・トランプが誕生するなど、西側の民主主義諸国ではポピュリズムが近年に著しく存在感を高めている。民主主義が定着したはずの国々の多くで政治が混乱し、反移民感情や保護主義的風潮を伴う顕著な内向き傾向が生じている様子からは、リベラルな民主主義国や開かれた国際秩序に対するポピュリズムの影響が甚大であることがわかる。

ポピュリズムの危うさ

ポピュリズムとは、特定の政策志向やリーダーシップスタイルのことではなく、むしろ一つのイデオロギーと理解するのが一番わかりやすい。政治とは二つの均質的集団、すなわち民衆という集団（純粋で高潔）とエリートという集団（腐敗していて搾取的）の根本的な闘争だ、と解釈するイデオロギーだ。そして、軍司令官が干渉を受けることなく社会のための政治的判断を直接下すべきなのだ、と主張する。二元論的世界観をもち、政治を道徳問題化するというのが、ポピュリズムの基本的な特徴である。[1] 反エリート主義と反多元主義が、ポピュリズム運動の中心にある根本的要素だ。エリート層を叩き、現状維持を否定するのがポピュリズムの必要条件なのだが、十分条件ではない。ポピュリズムとは究極的には多元主義を否定することを目的とする。われらの考えこそが民意だ、マイノリティの権利を守る反対勢力や制度は正統ではないのだ——というのがポピュリズムのリーダーたちが叫ぶ主張である。[2] 反対に、社会は多様な集団によって構成されており、そうした集団の利益が多数派優先の傾向に抑え込まれるべきではない、そして政治とは多種多様な有権者たちの意見をすり合わせていく技術だ——と考えるのが多元論者の見解だ。「真正な」民衆だけが主権をもつのである、純粋なる多数決主義が正当である、とみなすポピュリズムとは相容れることがない。

国の存立が脅かされている社会や、政治エリートたちが国民の求めに応答しない（応答力がない）社会で、ポピュリズムは出現する。ホーキンズの論文で説明されているとおり、ポピュリズムは、政治制度が失敗しており（汚職が蔓延している、法の支配が弱い、構造的不平等が政治の正当性危機を助長しているなど）、社会が感じる苦痛が政策の失敗と呼べるものを超えている場合に支持を広げていく。[3] ポピュリズム運動が選挙で勝つためには、こうしたフラストレーションを抱えた人々を動員できるリーダーが必要だ。「新しい政治」をアピールするのは、野党政治家であったり、選挙政治に突如として飛び込む政治の素人であったり、既存のエリート層とたもとを分かち党の再編をねらう型破りなベテラン政治家であったりする。[4]

反エスタブリッシュメントの政治家と、ポピュリストのリーダーは、明らかに別ものだ。その二つを区別する最も重大な差異は、前者が現状維持を非難し、既存のエリート層を叩き、政策改革をめざすのに対し、後者は自分たちだけが民意を代表しているのだと主張して、リベラルな民主主義そのものを（リベラルな民主主義が重視する、マイノリティの権利とチェック・アンド・バランスの制度も一緒に）転覆しようとする点にある。

リベラルな民主主義と国際秩序に対してポピュリズムがもたらす影響は深刻だ。ミュラーが警告しているように、ここで犠牲になるのはリベラリズムだけではなく、民主主義そのものでもある。反多元主義の根幹には、すべての市民は自由で平等であるという考えへの否定があるからだ。[5] ある国においてポピュリストの企てが選挙における勝利という形をとれば、その国の外交政策のあり方は変わっていく可能性が高い。ポピュリズムは国際協力よりも国家主権を重視し、自国が被っている苦痛は外部勢力のせいだと考えるので、必然的に国家に内向き傾向が生じる。[6]

日本における反エスタブリッシュメント政治

日本ではエスタブリッシュメントの牽引力が強い。一つの党、すなわち自民党が、一九五五年からずっと政治を支配してきた。非自民政権が立つ顕著な例外は二度あったのみだ（一九九三年から一九九四年と、二〇〇九年から二〇一二年）。ただし自民党の一党支配にも長年のあいだに変化が生じてきた。特に一九九〇年代に選挙ルールが変更されたあとは、ほぼ例外なく他党との連立で政権が樹立している。戦後の歴代首相を並べてみても、ハンガリーのオルバーン・ヴィクトル、アメリカのドナルド・トランプ、フランスのマリーヌ・ルペンを彷彿とさせるポピュリストの首相は見られないし、同様にフランスの「国民戦線」（ＦＮ）〔訳注：現在の党名は「国民連合（ＲＮ）」〕、ドイツの「ドイツのための選択肢」（ＡｆＤ）、イタリアの「五つ星運動」のような大型ポピュリズム政党も存在しない。それとは対照的に日本で目立つのは政治家の連続性で、二代目、三代目の政治家が少なくない。世襲政治を詳細に考察したダニエル・スミスの研究によれば、一九九三年のピーク時において、衆議院では世襲議員が全体の三三％を占めていた。新たな選挙ルールの導入により、候補者個人にフォーカスを置いた選挙活動が下火になったことで、世襲議員は多少は減少したが、やはり自民党内閣では世襲の閣僚が圧倒的に多い（全任用のうち平均して六割を占める）[7]。日本における政治とはもっぱら承継されるビジネスなのだ。

日本に「新しい政治」をもたらす、という声は折に触れ上がるものの、それが選挙でデビューを果たした新人からの声であることは少なく、たいていはすでにキャリアを確立した政治家が、みずからを世に送り出したエスタブリッシュメント層の排除を約束して打ち出すことが多い。日本で「ポピュリスト」とレッテルを貼られる政治家の多くは、エスタブリッシュメントの外ではなく、中で生まれた――もともと政治家の家に生まれ、自身のキャリアを与党で築いてきた者たちだ。政治の立て直しを掲げて脚光を浴びた型破りな首相二人、小泉純一郎と鳩山由紀夫もその例に当てはまる。彼らはどちらも政治エリートによる政策決定の掌握を批判したが、どちらもポピュリズムの攻撃を仕掛けて議会制民主主義の制度がもつ正当性を崩そうとはしなかった。また、多数決投票にもちこむ、あるいは外敵とみなされる存在を叩くことで国内の変革を正当化するといった手段で支配をもくろむことはしなかった。片方はテレビ映えがして有能、もう片方は陰気で無能という違いはあったにせよ、この二人のリーダーはいずれも反エスタブリッシュメントとして政治の新たな可能性を示唆したのであって、歴代首相たちと同じく、どちらも反多元主義ではなかった。

小泉首相時代のハイライトと言えるのは、二〇〇五年、郵政民営化法案への自民党内の反発を蹴散らすために行った解散総選挙の宣言である。小泉は郵政改革反対派を離党させ、その反対派が立候補する選挙区に「刺客」（新人政治家）を送り込んだ。国民も小泉の作戦に賛同して、世論調査では高い支持率を示し、実際に八三人の新人政治家――メディアによって「小泉チルドレン」と名付けられた――を当選させた。多数の政策分野（郵便サービスや高速道路建設など）の刷新に乗り出した小泉は、それらの分野における既得権層を容赦なく切り捨てたほか、派閥の影響力を縮小させ、政治に新しい人材を取り入れることで、それまでの特権を徹底的につぶすことに多大な意欲を見せた。弁舌に優れ、劇場型の政治で「抵抗勢力」との戦いを展開した小泉だったが、(8)議会制民主主義の制度を突き崩すことはめざさなかった。立法手続きを飛ばすようなことはなかったし、言論の自由をつぶしにかかったりもしなかった。(9)小泉が首相の座を退いてすぐに、弟子兼後任者――安倍晋三――が反小泉派を自民党に呼び戻し、エスタブリッシュメントはたちまち力を取り戻した。

日本の国政政治がポピュリスト政治家に奪取される事態はこれまでには起きていないが、一部の地方自治体には、ポピュリストの定義に当てはめられる知事たちがいる。たとえば二〇〇八年の選挙で大阪府知事となって大阪の政治を震撼させた橋下徹だ。弁護士としてキャリアを築いた橋下は、テレビで歯に衣着せぬ発言をする有名人として名をとどろかせていた。逆張りの政治で頭角を現し、公務員と教職員の組合を叩き、社会支出削減を追求した。橋下が旗印として掲げた政策は、地方行政と都市行政を融合して大阪都を設立することだった。二〇一〇年には、政治的野心をさらに推し進めるべく、新たな地方政党として「大阪維新の会」を設立。その後は国政政治にも目を向けて、二〇一二年には国政政党「日本維新の会」を設立した。[10]

政治的循環を引き起こす力が主たる強みだと自覚していた橋下にとって、自分への批判は成長の燃料だった。トップダウンの意思決定を好む傾向（時間がかかる審議を要する民主主義の制度よりも大統領制のほうが役に立つ、と発言したことがある）や、「従軍慰安婦」問題に対する否定的見解はメディアの見出しを飾る一方で、有権者離れも生じさせた。[11]それでも橋下は外国人嫌悪の扇動的指導者（デマゴーグ）ではなかった。大阪の韓国籍・朝鮮籍コミュニティをサポートし、国際的な経済関与を支持していたし、不利な選挙結果を覆そうとはしなかった。[12]二〇一五年の大阪都構想を問う住民投票で敗れ、二〇一七年の選挙で日本維新の会が惨敗を喫したあと、同党から完全に離脱している。[13]

小池百合子はニュースキャスターとしてキャリアをスタートしたが、のちに東京都知事を視野に入れた時点で、すでに一五年にわたり自民党で実績を築き、二内閣で大臣職も経験していた。

型破りな政治家に生まれ変わった小池は、エスタブリッシュメントである自民党東京都連（都知事選で小池を推薦せず、別の候補者を立てた）と真っ向から対立し、意思決定の透明性を高めると謳い、男性ばかりの仲間内で政治が進む不透明なネットワークを排除するという公約を掲げる。過去二人の都知事が金銭問題で辞職するのを見てきた東京都の有権者の心をつかんだが、だからといって、小池の訴えはポピュリズムのイデオロギーではなかった。むしろ、保守派の政治家である小池の政策的な立場は、多くの面で自民党エスタブリッシュメントであり小池自身が長く在籍していた安倍派のそれに近かった。二〇一七年の東京都議会議員選挙と同年の衆院選を見据えて実施された世論調査では、ポピュリズムのイデオロギーの主たる柱、すなわち二元論的世界観や、住民主権や、反エリート主義に対して、有権者も強い支持を示していない[14]。どちらの選挙においても、ポピュリズムの需要も供給も顕著には見られなかった。

最近では反エスタブリッシュメントの政党がいくつか競争に参入している。立花孝志が立ち上げた「NHKから国民を守る党」〔訳注：名称は再三にわたり変更されているが、以下「N党」と記載〕は、日本の公共放送局NHKの受信料支払い義務に反対すること以外に一貫した政策綱領をもたない。しかし、エリート層に対する「百姓一揆」を起こすと謳い、対外援助にも反対するという点で、同党はポピュリズムのレトリックを駆使している[15]。もう一つの例が「れいわ新選組」〔訳注：以下「れいわ」〕だ。元俳優の山本太郎が旗揚げした同党は、支配的エリート層が一般市民の不安を解消できていない点を糾弾して反エスタブリッシュメントの主張を提示し、原子力に反対し、みずからを真の草の根の政党として位置づけている。ただし、山本の主張はポピュリズムではない。れいわの政策綱領と山本の演説を詳細に分析したアクセル・クラインの研究では、国民を均質的な集団とみなし、その集団の意思が議会制度よりも正当であると認識するイデオロギーの証拠は、何も見られなかった。[16]むしろ正反対で、山本のトレードマークの一つはマイノリティの権利保護であり、特に障害のある人々の権利を守れと訴えている。ただし、さらにもう一つ別の政党、二〇二〇年に設立された極右政党「参政党」は、ポピュリズムの色が強い。グローバリズムを非難し、外国人労働者の制限を求め、新型コロナウイルス対策のワクチン接種およびマスク着用の要件を拒否している。[17]

こうした新しい政党はいずれも規模が小さく、主にソーシャルメディアを利用して有権者に呼びかけ、比例代表選で議席を確保してきた。二〇一九年の参院選ではN党が一議席、れいわが二議席のみを獲得。れいわは二〇二一年の衆院選の比例代表で三議席を追加し、れいわが三議席を追加して、選挙デビューを果たした参政党が一議席を確保した。これらの政党はばらばらに展開しており、日本の政治において団結した一つのポピュリズム運動を担ってはいない。いずれの党もポピュリズムのイデオロギーを信奉しているわけではなく、肝心の衆議院で権力バランスをひっくり返せる組織的能力も、有権者に対する全般的な訴求力もない。これらの党の出現は、日本の人口、特に若い有権者において、現在の国政政党が自分たちの不安を解決してくれると思えない層がふくらんでいることを表している。

政治的分極化の回避

世界中で起きている有害な分極化は、民主主義の急激な後退をもたらしている。党派対立によって、政治家になるというのはすなわちゼロサム競争に身を置くこととなり、勝つためならば法律を超えた手段も辞さないようになった。一つの国が複数の集団でくっきりと分断され、その集団同士の反目は深まるばかりだ。審議すること、多様な視点に対して寛容になること、すり合わせによって解決策を見つけること、そして法の適正手続きを尊重することの余地は縮小している。[18]分極化は、二元論のレトリックを駆使して有権者を動員するポピュリストのリーダーが選挙で選ばれる素地を作り出す。ポピュリストのリーダーが生まれれば、そこから排他的な政治が焚きつけられる。また、決して覆されるべきではない原則、すなわち選挙で決まった有権者の意思を受け入れるという原則を政党および支持者が守らないということが起きれば、民主主義そのものが崩されかねない。[19]

アメリカと日本は、政治および社会の分極化という点で、まったく違う方向に向かっている。二〇二一年のピュー・リサーチセンターによる調査では、アメリカ人回答者の九〇%が政党間に強い衝突があると答えたのに対し、日本人回答者で同様に答えたのは三九%だった。[20]政治紛争がアメリカ社会を分断していることは疑いようもない。ピュー・リサーチセンターの別の調査を見ると、二〇一六年以降のアメリカでは民主党支持者から共和党支持者に対し、また共和党支持者から民主党支持者に対し、向こうは視野が狭い、嘘つきである、非道徳である、といった否定的な見解が著しく強まっていることがわかる。[21]民主主義の研究を専門とするＶ－Ｄｅｍ研究所による評価でも、政治分極化の数値では日米が歴然と対極的な位置にある（政党間の敵対的競争の度合いを0から4でランクづけする評価で、アメリカが3・6、日本が1・2）[22]。歴史的な実績を見る限り、分極化が長期化すると政治システムにおける民主主義の質が低下するものなので、長引く党派対立はアメリカの民主主義の未来にとって不吉な兆候だ[23]。実際に、トランプが落選した二〇二〇年の大統領選後には、「大きな嘘」――この選挙は不正操作されたという主張――が広って選挙の正当性に対する信頼を貶め、二〇二一年一月六日には平和的な政権移譲を阻止するための組織的暴力も引き起こされた。

日本の民主主義は、有害な分極化に陥ってはいないし、扇動的なリーダーがイデオロギー的分断を煽って社会構造を破綻させてもいない。むしろ、日本の民主主義が直面している試練は、別の性質のものだ。政治離れと政治への無関心である。

政権受け皿なき政治の欠点

不活発な政党間競争、有権者の無関心、説明責任を満たす手段の弱体化などは、日本の民主主義のダイナミズムが衰退しつつある憂慮すべき兆候だ。民主党政権がまったく成功しなかったことで、有権者は、政権を担う党が交代すれば真の政治改革・経済改革が実現するという希望を失った。それ以来、野党政党はどれ一つとして、有権者の支持をまとめあげられるだけの実行力をもった政権の受け皿（オルタナティブ）にはなれていない。野党の弱さには多くの要因がある。一つは、シャイナーとティースの論文が指摘しているとおり、この国の経済問題や外交政策マネジメントについて信用しうる計画を提示できない点だ[24]。

党の分裂、新たな吸収、そして短期間での消滅が相次いだことも、野党が政権をとることが現実味をもった選択肢であるという国民の信頼創出を難しくしてきた。野党陣営の細分化は選挙で自民党に有利にはたらく。小選挙区で非自民の票が割れるので、野党陣営が議席を獲得できないからだ。選挙協力が必要なのだが、そこにも落とし穴がある。性質の異なる党が手を組めば、有権者を混乱させ、党のイメージを損なうリスクがある。特に日本共産党との選挙協力は中道左派の政党にとって内部衝突の原因になってきた。立憲民主党は二〇二一年秋の総選挙で共産党と選挙協力関係を組んだが、この賭けは吉と出なかった。議席を失った——選挙前日には一〇九議席、選挙後に九六議席——だけでなく、最大の支持層である日本労働組合総連合会（「連合」と呼ばれる）が昔から共産党には悪感情をもっており、同党と組んだ立憲民主党の判断を強く非難した[25]。

野党が国会において万年野党となることは、また別のジレンマを生む。政党によっては、政策に絡む方法は政府と協力することだと考え、それが現政権に代わりうる存在としての党の魅力を失わせるとしても、もしくは将来的に別の野党勢力と手を組む道を断つものであるとしても、政府との協力を選ぶことになるのだ[26]。たとえば中道左派の政党、国民民主党（民主党の後継である民進党、そして希望の党から分派した国民党の合流によって、二〇一八年に結成）は、燃料価格を下げるトリガー条項について譲歩を得られたことを受け、二〇二二年二月に自民党提出による予算案に賛成票を投じた。その他の野党政党はこの動きを批判し、国民民主党との将来的な協力を阻むと指摘した[27]。

野党政党に対する国民の支持は一桁台前半だ。日本維新の会の支持率が五・一%、立憲民主党が四・八%、共産党二・五%、国民民主党二・一%、参政党一・六%、れいわ一・五%、社会民主党〇・四%、N党〇・四%である。自民党の支持率ははるかに堅調で三六・二%、その連立パートナーである公明党も熱心な支持者を有し、一般の支持もあって二・九%を押さえている。おそらく最も注目すべき数字は、支持している党はないという回答が三四・九%であることだ[28]。競争力のある政党システムの欠如は、日本における投票行動に大きく二つのパターンをもたらしている。一つは、変革を約束する党に突発的に動員された個人有権者が選挙を左右するというパターン（小泉を支持したかと思うと、次の総選挙では民主党を支持したように）。もう一つは、改革の誓いが破られたことに失望したり、自民党支配に代わりうる現実味をもった政権の受け皿がないことで投げやりになったりして、投票に足を運ばないというパターンだ。選挙当日だけでなく、政治にかかわる行動の全般においても、この二つの傾向が見られている。

自公連立政権がふたたび成立した二〇一二年以降、有権者の無関心は常態化している。二〇一四年の総選挙の投票率は戦後最低を記録し、その後二〇一七年も引き続き五三・七%と低く、二〇二一年には五五・九%とわずかに回復した。支持率の大幅な上昇がない限り、野党は、組織票に大きく支えられている自民・公明との議席数の差を埋めることができない。その一方で、各政党が望ましいレベルの応答力をもたないことへの苛立ちは確かに存在している。二〇一八年のピユー・リサーチセンターによる世論調査では、回答者の六二％が、誰が勝とうとたいして変化は起きないという考えを示した。[29] そのため、選挙以外の政治に関連した活動においても、一般市民はかかわろうという意欲が薄い。二〇一四年のＮＨＫの調査では、回答者の七〇％が、政治集会、デモ活動、国会議員やメディアに手紙を書くといった活動に参加する気はないと答えた。[30]

意義のある政治競争の弱体化は、国民を政治プロセスに対して消極的にさせるだけではない。立法審議を鈍らせるほか、議席の奪い合いによって閣僚の交代が生じにくいことで、透明性や説明責任も薄れさせてしまう。選挙競争が活発なら、それが国民の要求に関心を向け続けるよう政府を後押しする力になる。自民党、そして特に安倍首相は二〇一二年のカムバックの際にそうした応答力を誇示し、経済再生と異例のリフレ戦略といった政策綱領を掲げた。[31] しかし安倍政権はしだいにその輝きの一部を失い、閣僚任命でもスキャンダルを招き（防衛大臣の稲田朋美が、自衛隊が南スーダンで平和維持活動に従事した際の日報の「廃棄」をめぐって辞任するなど）[32]、一部のメディアとは険悪な関係性になったほか[33]、森友学園問題などの中心にかかわった官僚を過剰にかばうなどの問題が生じた。

政治ゲームや意思決定のルールに挑んだ一九九〇年代から二〇〇〇年代の多種多様な改革は、究極的には、より競争性のある政党システムの創出と、首相のリーダーシップパワーの増強を視野に入れたものだった。前者の目的は達せられなかったが、後者については実現し、特に安倍政権の首相官邸が自民党と官僚に対して強い影響力をもつようになった。[34] 強固な執行力を備えたリーダーシップは、デフレ経済との戦いと、より先手を打った外交戦略の指揮という点で、確かに

表7-1　自由民主主義を測る指標における日米比較

	日本		アメリカ	
	ランク	スコア	ランク	スコア
自由民主主義指標（LDI）	28	0.74	29	0.74
選挙民主主義指標（EDI）	24	0.83	29	0.82
自由要素指標（LCI）	31	0.88	26	0.90
平等主義要素指標（ECI）	8	0.92	76	0.65
参画要素指標（PCI）	73	0.56	26	0.66
熟議要素指標（DCI）	20	0.92	61	0.78

出所：Vanessa A. Boese, Nazifa Alizada, Martin Lundstedt, Kelly Morrison, Natalia Natsika, Yuko Sato, Hugo Tai, and Staffan I. Lindberg, "Autocratization Changing Nature?" *Democracy Report 2022* (Gothenburg: Varieties of Democracy Institute, March 2022), www.v-dem.net/publications/democracy-reports.

日本に恩恵をもたらしている。しかし、実力ある中道左派政党がいないせいで、与党自民党に対するチェック・アンド・バランスの力が弱い。[35] この状況は、当の自民党がいささか不吉な響きをもつ「この道しかない」といったスローガンを掲げて選挙運動を展開している様子や、みずからを「決断と実行。」の党と謳っている様子にも、よく表れていると言える〔訳注：「この道しかない」は、もとはイギリスでサッチャー首相が改革を推し進めるにあたり使った言葉"There is no alternatives"（TINAと略される）に由来する〕。

日本とアメリカは、縮小しつつあるリベラルな民主主義国家という同じ一団の中に属している。しかし、自国の民主的統治を守り刷新していくにあたって社会および政治システムにつきつけられている課題は、双方で性質が異なる（表7－1参照）。自由民主主義を測る指標の総合ランクでは二国はかなり近いのだが、優れている領域と苦戦している領域が日米それぞれで歴然と違うのだ。平等主義要素指標――どの集団も政治参加への公平なアクセスを確保しているかどうか――のランキングにおいては、日本はきわめて高く、アメリカは大きく水をあけられている（富、教育、健康におけるリソースの平等性などを評価したランキング）。一方、立法部門に報告責任を行使する力があるかどうかなど、水平的なチェック・アンド・バランスのレベルを測る自由要素指標では、日本のランクはアメリカよりも下位にある。

その一方で、クリーンな選挙と表現の自由を調べる選挙民主主義指標では、日本がアメリカを上回る。ただし、報道の自由における日本のパフォーマンスはぱっとしない。記者クラブというシステムを通じて報道記者と政府や地方自治体などの担当者が緊密に結びついているからだ。一部のメディア媒体が公人に対して限定的なアクセスを許されることがあり、他のメディアの参加や、より活発な調査報道を阻んでいる。日本のメディアの状況について調べた林香里の論文は、直接的な検閲や、ニュース媒体に対する日本の国民の信頼欠如以上に、自主検閲とメディアの無関心が問題であると指摘している[36]。

日本では無関心、アメリカではポピュリズム蔓延という、この対照性は、二国の指標が低くなる領域にも見てとれる。たとえば日本のランクが低いのは、市民社会が政治に関与しているかどうかを示す指標だ（七三位）。一方でアメリカのランクが低くなるのは、公共の利益のために道理にもとづいた政治判断が行われるかどうかを示す指標（六一位）である。

国際秩序を再定義していくために、国民のニーズに応えられる民主主義国家の能力が必要不可欠となる時代において、日本では民主主義のダイナミズムを増強し、アメリカでは民主主義の強靭性（レジリエンス）を強めることが、喫緊の課題と言える。

第4部

地経学

Geoeconomics

第8章 ルールにもとづく秩序における連結性主導者としての日本

Japan as Champion of Connectivity in a Rules-Based Order

世界と広く経済的連結性を確保するという日本の断固たる姿勢は、国際情勢におけるこの国の地位を大きく高めた。国境をまたぐ経済統合の追求という目的のもと、貿易、投資、データガバナンスのルール形成に臨み、官民の資本を差し向けて開発促進を行ってきた。交渉で大きな成果を得るために、これまで保護してきた市場も開放するという、過去には例のない政治的意思も示した。国際貿易システムにおける（よく言えば）受動的アクター、（悪く言えば）他国の開放経済からうまみを得る重商主義のタダ乗り国（フリーライダー）というイメージを、こうした取り組みで払拭したのである。開発融資とデジタルガバナンスに新たな水準の目標を掲げ、メガ貿易協定の仲介者として実績を積んできた日本は、みずからをルールベースの経済秩序の主唱者として作り替えてきた。

メガ貿易協定の設計者

二一世紀が始まった頃の日本は、貿易外交という点では世界的に出遅れていた。すでに大半の国は、世界貿易機関（WTO）での膠着を避けて特恵貿易協定の交渉に臨み始めていたというのに、日本は自由貿易協定（FTA）にただの一つも署名していなかった。それから二〇年後の今、日本がまとめたFTAの数は二一件（締結または発効済み）で、自国の貿易総額の八〇％近くをカバーしている。ただし、どれも同じように成立してきたわけではない。特に「環太平洋経済連携協定」（TPP）をまとめるプロジェクトは、紆余曲折を経て、日本の役割を再定義することとなった。

日本がTPP加入の意思表明をしたのは二〇一三年夏。交渉の席に最後に加わった国だった。それまで貿易交渉では防御的立場をとることが知られていたので、日本のせいで自由化目標が骨抜きになるのではないか、交渉でタイムリーな結論を出すことが不可能になるのではないか、という懐疑的な声がアメリカでは上がっていた。[1]この予想は、しかし、当たらなかった。日本政府には過去とはまったく違うレベルの意欲があり、見解にもブレがなかった。内閣内にTPP総合対策本部が設置され、そこにエリート官僚が集められたおかげで、長年の省庁間の不和がもたらす壁を打開できたのが一因だ。TPP交渉における貿易とは、もはや貿易だけの問題ではなかった。日米関係における二国双方にとって頭の痛い問題であると同時に、地域の経済ルール策定の

ための戦略的融合（コンバージェンス）という、はるかに大きなポテンシャルをはらむものでもあった。(2)

農業および自動車セクターにおいては、日米は長らく衝突してきた市場問題をめぐり、妥協点に到達している。日本は「聖域」としてきた農産物五品目を引き続き関税自由化の例外とし、アメリカは自動車・トラックの関税撤廃実施を二五年から三〇年先送りした。このようにそれぞれの国内政治にかかわるセンシティブな領域があったにもかかわらず、ＴＰＰ全体の合意としては関税撤廃目標の九九％を達成し、日本も関税ライン全体の九五％撤廃というコミットメントでそれまでの記録を塗り替えた。さらに日米両国は力を合わせて新たなルールの体系化に取り組んだ。ＷＴＯが二〇年間そのままにしてきた貿易と投資の仕組みを本質的にアップグレードするルール形成だ。デジタル経済、サービスと投資の自由化、国有企業に関する規律など、新しい領域も含めて包括的な規律づけが行われたのは、先進国と途上国の両方を含む貿易グループの成果としては目を見張るべきものだった。

日本のＴＰＰ加入は一つの分水嶺だった。日本政府はこのとき初めて、貿易を主導することはさまざまな国益につながるとはっきり言及したからだ。安倍晋三首相はＴＰＰ加入の妥当性を主張するにあたり、この貿易協定の交渉に参加するのは日本を「アジア太平洋の世紀」の中心に据えるための「国家百年の計」である、と表現した。太平洋が「一つの巨大な経済圏の内海」に変われば、日本が経済および地理的な制約を多少なりと克服する後押しになる、いや、この国が内向き志向国家に転落するのを防ぐためにもそれが必要なのだ——と述べている。安倍はＴＰＰのことを、民主主義、法の支配、人権の理念を共有する国々が連携し、地域の平和および安定の増強に向けて協力しあうためのプラットフォームと考えていた[3]。

　ＴＰＰが成立すれば、主目的とは別の配当と呼ぶべきメリットが、地政学面で即座に生じることになる。中国の台頭でパワーシフトが起きている重大な局面において、アメリカをアジア太平洋地域の経済構造につなぎとめておけるという点だ。安全保障の守り手という従来の役割にとどまらず、域内の基本ルール形成の采配においても、日米関係に新たな意味を与える――地経学における力を何倍にも高めるもの（フォース・マルチプライヤー）として――という点においても、アメリカに多面的な役割を担わせることができる。実際、そうなる可能性は手の届く範囲にあると思われていたのだ。ところがドナルド・トランプ大統領が二〇一七年一月に、署名済みの協定から撤退を宣言したことで、期待の実現は棚上げされた。

　ＴＰＰは頓挫し、もはや絶望的と見られた。しかし安倍首相は、しばしの逡巡を経たあとで、残る最大の経済国として全力を挙げて協定を救う判断をした。日本には、そして他のＴＰＰ参加国には、協定を生き長らえさせるべき強い動機があった。たとえば、ＴＰＰが経済のルールブックとなり、貿易と投資の流れが自由化されていれば、それがアジア太平洋地域の経済成長にとって不可欠なグローバルサプライチェーンの運営を支える。地域統合のイニシアティブを中国にとらせないためにも、日本政府はアメリカが生んだ空白を積極的に埋めにかかった。この試みはＴＰＰというプロジェクトを存続させ、いずれアメリカが復帰する余地を残しつつ（アメリカの政府高官はそう期待できる兆候を見せていなかったが）、アメリカなしでも先へ進める意欲と能力があることを誇示するためのものだった。

カギとなったのはＴＰＰにとどまった一一カ国のプラグマティズムだったが、とりわけ三つの決断がＴＰＰ救済を成功に導いた。第一に、市場アクセスのコミットメントをあらためて交渉し直すのは現実的ではないという認識ははっきりしていたので、関税自由化の野心的スケジュールは変えずに続行すると一一カ国で同意したこと。第二に、ＴＰＰ交渉で定めたルールの大半はそのままとして、二二項目については規定の運用を停止し（知的財産に関する規定など）、投資家と国家間の紛争解決メカニズムの適用も狭めること。そして第三に、効力発生の条件をゆるめ、六カ国の批准のみで発効できるとしたこと。こうして「包括的・先進的環太平洋経済連携協定」（ＣＰＴＰＰ）と改名された協定が成立した〔訳注：「ＴＰＰ11協定」とも呼ばれる〕。当初のＴＰＰが掲げた高い志を維持しながらも、残った参加国にとってのセンシティブな領域にはプラグマティックな方針を採用し、協定にもとづく行動がとりやすいものとなった。

　このＣＰＴＰＰを皮切りに、ルールベース貿易の強化と、諸大国で広がる保護主義に対する保険の提供をめざして、中堅国家の外交術が本格的に発揮されていくこととなる。実際にそうした精神のもと、日本は二つ目のメガ貿易協定を実らせた。二〇一七年に妥結した日ＥＵ経済連携協定（ＥＰＡ）だ。この貿易協定には広い戦略的意味があること、そして過酷さを増す国際環境において自由貿易の旗手としてやっていきたいという意図があることを、日本とヨーロッパのリーダーたちは強調した。データフローに関する合意によって、加入国間におけるデータの自由な行き来を支える具体的なルールが導入されたほか、日ＥＵ戦略的パートナーシップ協定で相互の関係性がいっそう強固に固められた。[4]

数年後の二〇二〇年一一月には、米中貿易戦争の余波が残り、しかも新型コロナウイルス感染拡大という困難のさなかで、一五カ国が世界最大の特恵貿易協定に署名した。「地域的な包括的経済連携協定」（RCEP）である。東南アジア諸国連合（ASEAN）に加盟する一〇カ国すべてと、中国、日本、韓国、オーストラリア、ニュージーランドが参加し、全世界のGDPおよび貿易フローの三割を網羅する内容で、二〇二二年一月に発効となった。交渉の最終段階でインドが撤退を決めたのは他の参加国にとって衝撃だったが、そのショックを最も手痛く感じたのは日本だ。日本政府は長らくインドのような民主主義国を中国の影響力への拮抗勢力として巻き込んでいくことをめざしてきたからだ。日印戦略的グローバル・パートナーシップを深化させる試みとしても、インドをRCEPに参加させることを重要視していた。

とはいえRCEPは新たな地域経済構造の重要な柱となっている。CPTPPほど包括的なものではないが、自由化の成果は著しい。これから二〇年間で関税撤廃を九一％達成する予定で、投資、サービス、デジタル貿易に関するコミットメントも確立した。RCEPの主たる特徴は原産国に関する柔軟なルールで、たとえば域内原産割合が四〇％だけでも関税の特恵待遇を満たすとしている。製造の国内回帰を求めるプレッシャーが増している時代でありながら、RCEPを締約した経済圏は域内製造に力を入れることができる。

交渉に参加したすべての国が締結によって大きく得をするなら、それは交渉が成功だったという何よりの証しだ。RCEPはその点でも合格と言える。東南アジアにとってはRCEPを喜ぶ理由が多々ある。ASEAN中心性を支持しているし、開発の差を反映して導入には柔軟性をもたせているし、将来的に自由化の取り組みを進めるための事務局も作られたことになる。北東アジアの三カ国にとっても、ＲＣＥＰは初めて相互の特恵貿易を実現するものだった。ピーター・ペトリとマイケル・プラマの共著論文は、ＲＣＥＰによって生じる貿易から最大の利益を得るのはこの三カ国だろうと考察している。実質所得の押し上げ効果は二〇三〇年に中国が八五〇億ドル、日本が四八〇億ドル、韓国が二三〇億ドルとなる見込みだ。[5] 中国はＲＣＥＰの交渉を先導したわけではなかったが、それでもこの協定で得るうまみは大きい。現時点で最大規模の国際的貿易協定に加わっていること自体が、ささやかれる分断（デカップリング）の可能性を信憑性の薄いものにするからだ。しかも、ＲＣＥＰは補助金と国有企業に関する規律を含んでいないので、中国としては自国の産業政策の方針をなんら犠牲にする必要がなかった。ＲＣＥＰの自由なデータフローに関するコミットメントは大見得を切って受け入れたが、国家安全保障にかかわる免除については幅広く自主判断を下す余地があるため、これも簡単に放棄することが可能だ。

　ＣＰＴＰＰとＲＣＥＰは、地域の連結性を促す重要な要素である。それぞれに違いはあるが、この二つのメガ貿易協定は、締結国を成長させ域内のルールのアップデートをめざすという点が共通していた。[6] さらにもう一つの共通点は、どちらの協定もアメリカが不在だったことだ。直近の共和党政権（トランプ）と民主党政権（バイデン）が、いずれもアジアとの経済的関与を進める促進力として貿易自由化を利用することを拒否しているため、この国がアジア太平洋地域の経済構造から距離を置いてしまう危険性は今も高い。[7] ジョー・バイデン大統領はＣＰＴＰＰ復帰の可能性を断ち切る形で、二〇二二年五月の来日時に「インド太平洋経済枠組み」（ＩＰＥＦ）という経済構想を提唱した。ＩＰＥＦは、関税撤廃を通じて市場アクセスの特恵を与えるものではなく、アメリカ連邦議会による批准を要さないので、従来の貿易協定と呼べるものではない。代わりにこのフレームワークは四本の柱で構成されており、それぞれを強化すると提示している。第一の柱は、危機耐性をもった貿易（労働、環境、デジタル経済の基準策定）。第二の柱は環境インフラ。第三の柱はサプライチェーンの強靭性。そして第四の柱は税管理と腐敗防止のイニシアティブである。このアメリカ主導のフレームワークに一三カ国が加わり、インドを除くすべての国が四つの柱すべてに参加することに同意した。市場アクセス面での利点がなく、執行の強制力もないので、この交渉が実のある結果を出すかどうかはまだ不明である。バイデン政権の行政協定として交渉されているため、アメリカの国内政治に生じる不測の事態を乗り越えてＩＰＥＦが成立しうるかどうかも、やはり懸念が残る。岸田文雄首相は、アジア太平洋地域に対するアメリカの関与を示す重要なサインとしてＩＰＥＦを歓迎したものの、引き続き、最も堅牢な経済グループとしてのＣＰＴＰＰにアメリカが最終的に復帰することを求めた。(8)

中国はＣＰＴＰＰの価値を理解している。二〇二一年秋には北京政府が正式に加入を申請した。一週間後には台湾が加入を申請。この展開によってＣＰＴＰＰ拡大をめぐる政治が非常に複雑なものとなった。日本政府は台湾の申請を歓迎したが、中国に対しては、北京政府が協定の規律を骨抜きにすることをねらうのではないかという懸念から、より慎重な姿勢だ。いずれにしても二国の申請はどちらもすみやかに進行するとは考えにくい。現在のＣＰＴＰＰ締結国間で台湾受け入れへの賛同をまとめるのは困難だ――台湾が貿易協定の基準に合致しているかどうかが問題ではなく、台湾を受け入れることで中国との関係に亀裂が入ることを恐れるからである。マレーシアやシンガポールなど、一部の締結国は中国の申請に対して強い支持を示しているが、日本、オーストラリア、メキシコなどの国々は消極的な姿勢で、加入希望国はCPTPPのハイレベルな基準に従わなければならない点、そしてルールベースの貿易を尊重しなければならない点を強調している。[9]その一方でイギリスが申請手続きを進めつつあり、次のCPTPP締結国になると見込まれている。

インフラ投資への注力

経済的連結性を確立するにあたり、インフラファイナンスにおいてアジアと他の途上国間の差を埋める資本を供給していくというのも、欠かすことのできない柱の一つである。アジア開発銀行（ADB）の試算では、アジアのインフラ投資は年間四五九〇億ドル足りていない。[10]アジアの大国である中国と日本は、地域の経済的ポテンシャルをいっそう開放し、同時に自国の外交政策上の利益を追求していくねらいから、この不足の一部をカバーすべく乗り出している。中国が開発融資ができるようになったのは、中国自身に経済援助受け取り国としての経験があるからこそで、その援助国はもっぱら日本である。そのため、片田およびリャオの論文が指摘しているとおり、中国の経済援助の主たる施策は、日本の長年の手法を一部踏襲したものだ。[11]たとえば社会プログラムよりもインフラ開発に注力し、助成金ではなく融資として資本を提供することを選び、受け取り国政府が先に開発計画を提示するリクエストベースのシステムをとっている（工事を担当する事業者は援助国が推薦することが多い）。

重要な共通点は、日中がいずれも経済的連結性を軸として地域およびグローバルなリーダーシップをとることをめざし、自国のビジョンにもとづいてアジアに莫大な投資をしていることだ。その一方で、進めようとしている経済統合の青写真や、経済援助プログラムの透明性や、インフラファイナンスに付帯する条件については、二国のあいだに顕著な違いも存在する。アジアにおけるインフラファイナンスが日中の一騎打ちであることは間違いない。西側の諸大国は、中国によるアジア支配を懸念してはいるものの、どの国も本格的なアジア支援国と呼べるほどの資本を投じていない。

中国の経済的関与外交のかなめは一帯一路構想（ＢＲＩ）だ。この構想はもともと習近平（シー・ジンピン）国家主席が二〇一三年に二度の演説で打ち出したもので、その後、中国共産党規約（章程）に取り入れられた。ユーラシアおよびアフリカにまたがる内陸および沿海の広大な帯状地域に一兆ドルを投じて、ハードインフラとソフトインフラの建設を進めるという、実に壮大な野望である。中国にとっての戦略的に重要な商品の供給を確保する、外国市場へのアクセスを得る、援助受け取り国に対する経済的・政治的影響力を拡大する、国内の経済成長と中国奥地の農村部における発展を刺激するなど、多種多様な形で中国の国益を推進するのが目的だ。中国指導者層はＢＲＩのことを、この国の地位向上の推進力であり、同時に地位向上の証明でもあると考えている。[12]

開発融資に関する中国の取り組みは多方面から行われており、諸外国とともに行う融資の面では、既存の国際開発金融機関に加わる一手としてアジアインフラ投資銀行（ＡＩＩＢ）を設立した。インフラへの融資不足を埋め、地域の成長を阻む主たるボトルネックを解消すると謳うＡＩＩＢは、独自のガバナンスモデルにもとづいているので、手続きを省略し迅速な意思決定を行うことができる。本稿執筆時点で資本金は一〇〇〇億ドル、加盟国は一〇五カ国だが、運用には慎重な姿勢をとり、融資の大半は世界銀行やアジア開発銀行など他の国際開発機関と連携して行っている。二〇二一年一二月現在でＡＩＩＢが携わる開発プロジェクトの五四％が協調融資だ。[13]

その一方で、中国の政策銀行が大型インフラ建設計画に対して単独で行う融資のほうは、ほぼ市中金利で、しかも透明性が低いことが相まって、ＢＲＩの動機および地政学的影響に対する強い警戒心を生んでいる。外交政策の限定的な利益を追求したり、重要インフラ（スリランカのハンバントタ港など）の株式を獲得したり、あるいは受け取り国を中国資本に依存させて影響力を強めたりといった目的のために、単独援助国として気軽に開発ファイナンスを利用できてしまうからだ。「借金漬け外交（債務の罠）」は過剰に心配されすぎているとの見方もあるが、中国の動向に限ってはそうとは言い切れない。デビッド・ダラーは、二〇二〇年初めの新型コロナウイルス感染拡大前の時点で東南アジアＢＲＩ受け取り国における債務保証の国民所得比率を調べ、デフォルトに陥る危険性があるのはラオスだけという結論を出している。[14] 中国から融資を受けている国々を広く調査すると、それらの国々が融資供給元を多角化していることもわかる。[15] しかしそれでも、中国独特の融資慣行は懸念を免れえない。中国国有企業が途上国と結んだ建設契約一〇〇件を調べた調査では、三つの問題が浮き彫りになった。一つ目は、極端に厳しい機密保持条項があること。二つ目は、複数の債務をまとめて再編する際にも中国からの融資は除外するよう求めていること。そして三つ目は、重大な法改正や政策変更があった際には即時返済を求める条項が含まれており、不当な政治支配が生じうることである[16]。

中国はOECD開発援助委員会（DAC）や、債権諸国が集まる会合「パリクラブ」のような多国間フォーラムに参加していない。そのため中国の手法に関する透明性は低く、援助の質を高めるよう、あるいは債務再編を通じた債務国救済に参加するよう、他の債権国から中国にプレッシャーをかける力も弱い。新型コロナウイルスの危機により、途上国は現状の債務に対処しきれなくなっているため、こうした懸念はいっそう強まるばかりだ。中国は二〇二〇年に貧困国の債務返済を猶予するイニシアティブに加わったが、より広く債務救済の取り組みに参加する意欲があるかどうかは不透明である。二〇二二年五月にスリランカが債務不履行に陥るまで、中国政府はBRI融資の継続にも消極的だった[17]。ただし、債務問題が拡大していることから、この姿勢も変わりつつあるかもしれない。一つの楽観的兆候としては、スリランカの件からわずか数カ月後に、中国はザンビアに対する債務再編交渉への参加に同意している[18]。

インフラファイナンスにおける中国の競合国は日本だけだと言っていい。日本は不景気下で政府開発援助（ODA）を削減したし、一九九〇年代には社会プログラムや貧困削減努力を優先し物理的インフラへの投資を後回しにすることで主流の援助国哲学に乗ろうともしていたが、それでもインフラファイナンスの点で、西洋諸国に対する日本のリードが揺らぐことはなかった。図

図8-1　インフラファイナンスでは日本が西洋諸国をリード

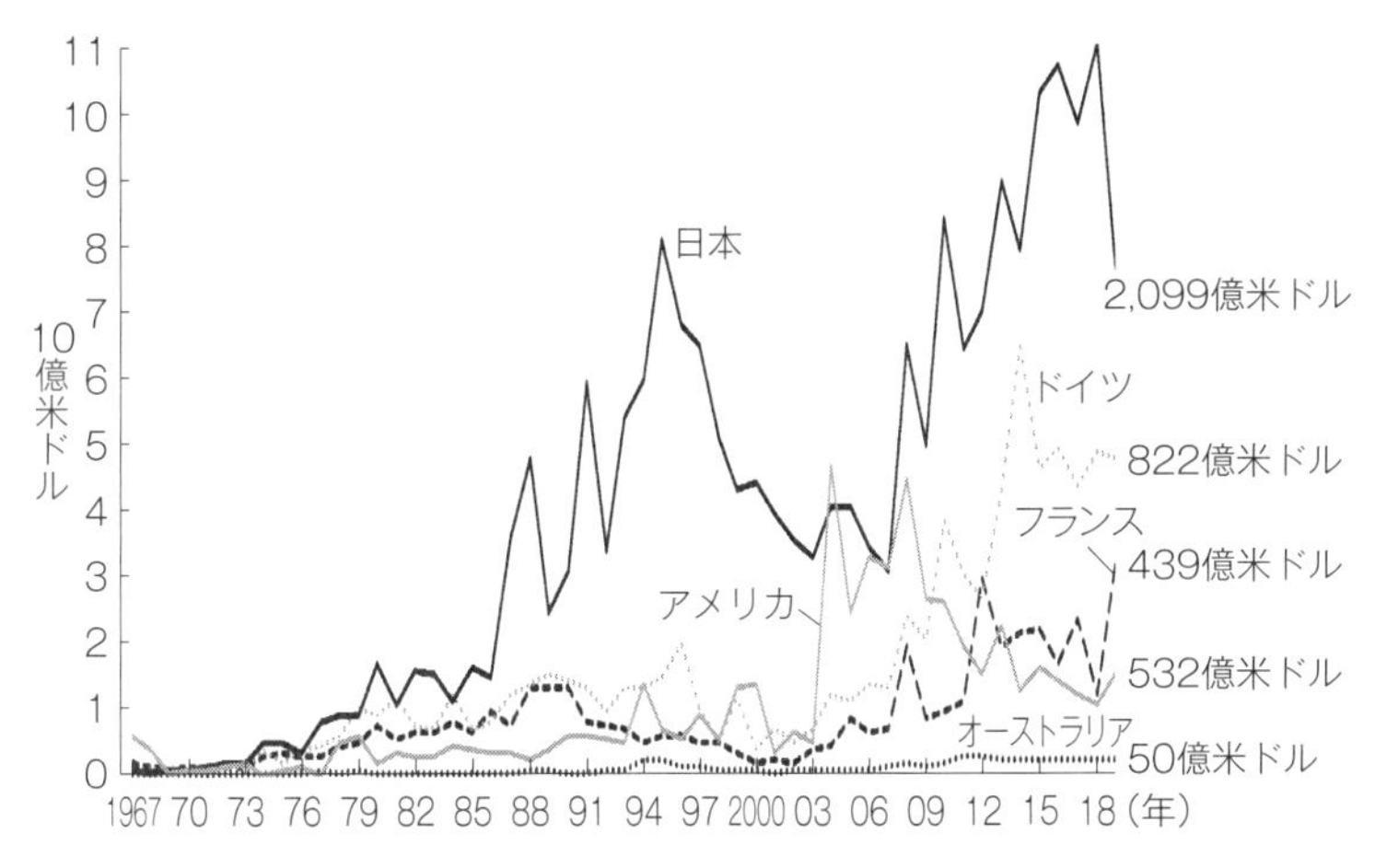

注：グラフ右側の金額は、1967年から2019年までにおける当該供与国から経済インフラに対するODA累計総額を示す。
出所：OECD, Query Wizard for International Development Statistics (QWIDS), https://stats.oecd.org/qwids.

8－1を見ると、OECD開発援助委員会（DAC）に加わる国々が過去四〇年間に行ってきたインフラへの経済援助は、圧倒的な割合が一カ国から供給されていることがわかる。DACの総実績のうち日本が占めるのは四二・七％だ。ドイツ、アメリカ、フランス、イギリスを合わせた割合よりも大きい。実際のところ、第二次安倍政権が発足直後に、国内経済再生の目標と、増大する対中競争への危機感から、経済再興プログラムのメインテーマの一つとしてインフラ輸出を奨励した[19]。二〇一三年三月には、インフラ輸出と経済協力に関する戦略を関係大臣が話し合う会合、「経協インフラ戦略会議」を設置。この会議が、日本企業によるインフラ輸出を二〇二〇年までに三〇兆円にするという目標を定めた[20]。

佐々田博教が指摘するように、この動きは「ジャパンモデル」の復活を象徴している。官民の密接な連携にもとづくインフラファイナンスへの注力がふたたび始まったという意味だ[21]。ただし、限定的な商業利益追求を国が支えるという、かつての重商主義に先祖返りしたわけではない点は、片田が説得力ある論で述べているとおりだ[22]。むしろインフラの推進は、安倍のもとにあった日本に戦略志向性の高い国家が生まれたことを明白に示唆している。アジア太平洋地域発展のためのハードインフラ提供を通じて、日本は、より大きな国益を追い求めた。中国に地域秩序を席巻させず、その秩序を「自由で開かれたインド太平洋」という日本独自のビジョンに沿ったものにしていくのだ。二〇一五年のODA大綱改定では、それまでよりもはっきりと援助を日本の国益に結びつけており、開発支援の戦略性が歴然と表れている。中国がAIIBとBRIの立ち上げで外交的な成果を出し、インドネシア高速鉄道の建設受注で日本が中国に敗れたこと（その先の展開を占う前触れのように思われた）から、日本の政策立案者たちはさらなる行動に踏み出した。

日本政府はこのとき初めて開発融資の独自ブランドとして、インド太平洋戦略全体の重要な枠組みとなる「質の高いインフラパートナーシップ」を立ち上げている。安倍首相が二〇一五年に一一〇〇億ドルのファンド設立を宣言し、のちにこれを二〇〇〇億ドルに増額した。さらに、調達の透明性、債務の持続可能性、開発計画との相補性、プロジェクトのライフサイクル全体を通じた効率性など、日本のインフラファイナンスの指針となる一連の品質基準を表明し、暗黙ではあるが明白に中国との対照性を強調した。日本政府はそれまでにルール形成に関する発言力を高めていたので、G7、G20、アジア太平洋経済協力（APEC）、経済協力開発機構（OECD）など主要な多国間フォーラムで、質の高いインフラ基準を広めるキャンペーンを立ち上げた。こうして質の高いインフラは日本の「名刺」となり、ひいては国際規範として受け入れられていった。

東南アジアは米中戦略競争の中心地と言われるが、この地域のインフラ投資に関しては、日中間の競争というのが真実である。ローランド・ラジャの試算によれば、二〇〇八年から二〇一六年に東南アジアのインフラに対して中国が行った投資コミットメントは総額四二三億ドル、日本の資本提供はほぼ三七〇億ドル。オーストラリアの一八億ドル、アメリカの一一億ドルにはかなりの差をつけている。[23] 民間投資フローでは日本は東南アジアにおいて中国をはるかに上回る。ASEANの統計では、二〇一〇年から二〇一八年の日本からの年間投資フローは平均一三八〇億ドル、中国は七一七億ドルだった。[24]

成長のエンジンとして、また競争的ステートクラフトの土俵として、インフラファイナンスの重要性が増大したことに関連し、いくつか指摘すべき点がある。第一に、アメリカとその同志国による効果的かつ連携のとれたインフラファイナンスは、限定的な取り組みにとどまっている。二〇一八年には日米豪政府による「インド太平洋におけるインフラ投資に関する日米豪パートナーシップ」が結成されたが、このパートナーシップからの資金提供はこれまでのところ一件、パラオの海底通信ケーブル敷設プロジェクトのみである。「ブルー・ドット・ネットワーク」という認証フレームワークを通じて、高品質なインフラファイナンスに民間セクターの参加を促そうと試みているが、これも軌道に乗っていない。アメリカは二〇一九年に六〇〇億ドルの資本を有する国際開発金融公社を設置しており、これはBRIへの対抗馬として多少なりとも優れているのだが、運営一年目に資本が向けられた先は金融と保険であってインフラではなかった。[25] G7にも「グローバル・インフラ投資パートナーシップ」というイニシアティブがあり、五年で六〇〇〇億ドルの調達をめざすとしているが、さまざまな開発金融機関のあいだで効果的な連携をとるという点でも、民間セクターを動員するという点でも、大きな壁に直面している。[26] いずれも容易に解決できないことが過去に証明されている課題だ。

第二に、日中はどちらも地域統合政策をゼロサム競争とは考えていない。むしろ、インフラファイナンスをめぐる外交は、厳しい緊張の時期を経てきた日中関係を安定させる試みでもあるのだ。安倍首相が二〇一八年に訪中した際には、日中企業が手を組んで第三国でのインフラ建設プロジェクトを進めるという方向性がまとまり、五〇件の共同事業について了解覚書に署名をしている。大半のプロジェクトは書類上から先へ進まなかったが、それでも、この署名がアジア太平洋地域に示した大局的なメッセージ――経済援助の受け取り国に対し、日中のいずれかを選べと迫ることをしない――は、二国の開発融資プログラムの魅力を高めた。

第三に、インフラファイナンス援助国としての日中の台頭は、決して一直線に進んできたものではなかった。どちらも重大な試練や後退を経験している。中国の場合は、BRIプロジェクトに付帯させる面倒な融資条件と、根底にある中国の意図への不信感が反発を招き、何度か条件について再交渉をせざるを得なかった（マレーシアの東海岸鉄道計画など）。[27] 新型コロナウイルスの危機も相まって、責任ある債権国としてステップアップするという点でも、深刻化する債務危機への国際的対応で効果的な連携をとっていくという点でも、中国は大きな試練に直面している。そして日本も予算に限りがあるなかで、中国に見劣りする事態を避けるため、円借款実施機関を再編し融資のリスク許容度を広げるといった改革を進める必要があった。インフラ輸出を新たに追求するにあたり、民間セクターとの連携強化（官民パートナーシップ、通称「ＰＰＰ」を通じて）を見込んだが、これに関して実現の動きは鈍い。[28]

新たなフロンティア：データガバナンス

経済的競争力の中心原動力として重要性を増しているのが、デジタル化である。デジタル化はイノベーションと生産性の源泉を変容させ、社会的交流のあり方を変え、コミュニケーションを大幅に容易にしたことで世界をフラット化した。人工知能（ＡＩ）、モノのインターネット（ＩｏＴ）、クラウドコンピューティングといった新しいテクノロジーに支えられ、デジタル経済とデジタル貿易はめざましく成長している。アメリカ国際貿易委員会（ＵＳＩＴＣ）によれば、世界の半分がネットにつながったことで二〇一六年にはグローバルＥコマースの規模が二七・七兆ドルとなった。中国とアメリカが二大Ｅコマース市場だ。[29] このデジタル経済の中心にあるのが、前例のないレベルで、しかも把握もできないほどのスピードで進むデータの生成である。全世界のデータ生成総量は二〇一五年には一二ゼタバイトだったが、[30] 二〇二五年には一六〇ゼタバイトに到達する見込みだ。[31] データの海外移転、プライバシー保護、国家安全保障面での管理など、適切なデータ利用を決定していくという課題が、政策立案者にとって重大な懸案事項である。

デジタル化が世界で大きく、しかし各国ばらばらの歩みで進んでいる一方で、その国際的ガバナンスの整備は遅れている。ＷＴＯ設立はインターネットが普及する前の時代だったので、デジタル貿易に関する多国間レベルの包括的なルールがなかった。つい最近まで、デジタル貿易に関するＷＴＯの最も顕著な取り組みと言えたのは、電子送信に関税をかけない慣行〔訳注：関税不賦課モラトリアム〕を継続してきたことだけだ。デジタルについての国際的ルール形成をしようにも、思想や規制慣行を反映したデータガバナンスの仕組みが国ごとに異なるため、合致点を見つけるのはかなりの難題である。アメリカはプライバシーについて定める連邦法をもたず〔訳注：「米国データプライバシー保護法案」（ＡＤＰＰＡ）が審議されたが現時点では未成立〕、リスク回避の予防措置を備えたうえで越境データフローの自由は守られるべきだと主張している。その一方でＥＵは個人情報の保護を基本的人権の一部としてすでに法制化した。二〇一八年に導入された「ＥＵ一般データ保護規則」（ＧＤＰＲ）のもと、ＥＵでは現在、同等の保護が与えられている地域を除き外国に個人情報データを転送することを禁じている。日本は「個人情報の保護に関する法律」（個人情報保護法）で、企業に対し個人情報の収集方法開示と、漏洩または不正開示からの保護対策導入を義務づけた。[32] 対照的なのが中国だ。データガバナンスに対して国家安全保障ファーストのアプローチを採り、国内の政治的安定とサイバーセキュリティのためなら国家が通信会社やインターネットプロバイダーがもつ個人情報にアクセスできる権利を広く有している。[33]

ルールも基準も国によってまちまちで、しかもデータ移転に制限的措置を設けたデジタル保護主義が広まりつつあることからも、世界のデジタルレジームがバルカン化〔訳注：小国が乱立する状態〕するのではないかと懸念する声は大きい。WTO全体のデジタル規制は存在しないが、Eコマースのルールを含んだ自由貿易協定は増えており、試算によれば二〇〇〇年から二〇二〇年に交渉されたFTA三四八件のうち、半分以上が何らかのEコマース規定を含んでいた。だが、データガバナンスと情報フローの自由について、拘束力をもつ規定を備えているのはごくわずか（二二件）である。[34] これに伴うリスクを二つ指摘したい。一つ目は、各国の統制がばらばらでデジタル体制の相互運用が欠如していることが、今後のデジタル経済の発展を阻む大きな壁となりかねない点だ。そして二つ目の懸念として、デジタルガバナンスに対する本格的なコミットメントは今のところほとんど確立していない一方で、デジタルに関する制限的な措置が急速に拡大している。USITCの指摘によれば、二〇一〇年から二〇一六年でデータローカライゼーション〔訳注：データを自国内にとどめさせること〕の規定が世界各国で倍に増えた。[35] 欧州国際政治経済研究所（ECIPE）が集計するデジタル制限指数を見ると、中国が最も多くデジタル保護主義的措置を導入していることがわかるのだが、その傾向が中国だけではないことも浮き彫りになる。ロシア、インド、インドネシア、ベトナムも著しくデジタル貿易を制限している。[36]

中国のデジタル保護主義はかなり広範囲だ。インターネットアクセスに壁を作り、データローカライゼーションに対する要件を広範囲に設定し、外国企業には市場参入の条件としてソースコードと暗号化キーの提出を義務づけ、投資とライセンシングを制限し、自国のテクノロジー企業育成のために補助金や税控除などの優遇措置をとっている。フェッラカーネおよびリーマキヤマの論文が指摘するように、自国のテクノロジー・エコシステムを遮断するという中国の判断には、さまざまな目的が複雑にからみあっている。「セキュアでコントロール可能な」デジタルエコシステムを作ることで、商業的利益を確保し、国内の政治的安定を維持し、重要な国益を守ろうとしているのだ。それゆえに、市場アクセスをめぐる交渉で中国のリーダー陣を説得する試みはほとんど進まず、自国の核心にかかわる政治的・戦略的目標のために作られたデジタル制限を排除させることはできずにいる[37]。

中国のデジタル対策に懸念が増大する理由は、中国市場が閉ざされており、国内で独裁主義的動向がエスカレートしていることだけが理由ではない。中国が国際的影響力を高めるためにネットの力を駆使しており、それがアジアおよび世界各地を席巻する非合法なデジタルレジームを生み出しかねないという不安もある[38]。不安の対象は、たとえば独裁主義的国家政府への監視技術の輸出だ。しかも、それは「デジタルシルクロード」なる大型構想の一部にすぎない。二〇一五年に立ち上げられた中国の「デジタルシルクロード構想」は、いまや一六カ国と協力了解覚書を交わすまでに拡大した。中国はネット接続を確保する物理的インフラに資金を注ぎ（世界のインターネットトラフィックの大半をつなぐ光ファイバー海底ケーブルの敷設など）、中国の5G技術によるICTネットワークでスマートシティが実現すると謳い、国際的技術標準の形成にも乗り出している。オンラインマーケティング、アプリ、キャッシュレス決済システムといった分野で中国企業が果たす役割の広さを活かして、膨大なデータの生成・獲得も図っている[39]。

アメリカと日本は、デジタル経済に対して、より市場志向型のアプローチだ。自由な越境データフローの効率最大化をめざしつつ、予防的な基準を設けることで消費者を守り、機密性の高い個人情報を保護しながら、同時にサイバーリスクも制御する。アメリカ政府は以前から自国がかかわる貿易協定にEコマース規定を加えることを求めてきたが、デジタル連結性貿易について広範囲な規律を定めた地域貿易協定──TPPのことだ──には背を向けた。[40]アメリカは当初のTPPに含まれていたデジタルガバナンスの規律を、のちに別の貿易交渉において強化した形で採用しているが、この試みはごく一部のパートナーを巻き込んだだけである。具体的にはメキシコおよびカナダと「米国・メキシコ・カナダ協定」を結び、日本とは二国間行政協定を結んだ〔訳注：「日米デジタル貿易協定」〕。アメリカにとって好ましいデジタルスタンダードの浸透は進んでいない。

日本は、拘束力ある貿易協定をめざして交渉を行い、データガバナンス体制の相互運用性を推進し、より包括的なデジタル貿易ルールの導入をWTOに求めるといった形でデジタル外交を展開している。その点でCPTPPはデジタルルール形成の節目と言える協定だ。データのローカライゼーションを禁じ（金融データを除く）、正当な公共政策を通すための限定的な適用除外のもとで自由なデータフローを奨励する方針をとっている。市場参入条件としてのソースコード移転、電子的伝送に対する関税、デジタルプロダクトの差別的待遇は認めていない。[41]日本が掲げているのは信頼にもとづく相互運用可能なデータガバナンス体制だ。安倍首相は二〇一九年にダボスで開催された世界経済フォーラムで、「信頼性のある自由なデータ流通」（DFFT）という構想を打ち出した。その後にＯＥＣＤ、Ｇ7、Ｇ20などのフォーラムでも同イニシアティブの導入を推進している。Ｇ20大阪サミットでの「デジタル経済に関する大阪宣言」には二四カ国が署名し、ＷＴＯのもとでデータガバナンスについて話し合う「大阪トラック」を進めることが決まった。二〇一九年には七六カ国が加わる「ＷＴＯ電子商取引有志国会合」で共同宣言が出され、日本が共同議長を務めている。

にもかかわらず、データガバナンスに対する日本の「信頼」というブランドは、大きな壁にぶつかっている。四カ国（エジプト、インド、インドネシア、南アフリカ）が「大阪トラック」への支持を差し控えた。[42]ＷＴＯでＥコマースの規律について話し合う交渉でも、合意点への到達は容易ではない。多国間協議における中国のポジションを見る限り、データローカライゼーションと越境データフローに関するコミットメントは期待できない。また、ＥＵはデータフローに関する自由と、ソースコード強制移転の禁止に関する条項を取り入れる姿勢を見せているが、データ保護に関する適切な方針が必要だと強硬に主張している。[43]アジア太平洋の地域デジタル協定についても、日米の連携は失われたままで、回復されていない。二〇二〇年にはニュージーランド、シンガポール、チリの署名により「デジタル経済連携協定」（ＤＥＰＡ）が成立したが、中国がこれに加入申請している一方で、アメリカと日本は申請していない。代わりにアメリカは「インド太平洋経済枠組み」（ＩＰＥＦ）でデジタル協定を結ぼうとしているが、市場アクセスの特恵なしで、途上国の参加国から広範囲にわたるデジタルコミットメントを引き出せるかどうかの見通しはつかない。

日本の連結性アジェンダは岐路に立っている。地政学的分断が深まり、各国が経済的相互依存のリスク回避へ動いている時代において、「信頼」は希少品となる一方である。

第9章 日本のエコノミック・ステートクラフトの明瞭な強み

The Sharp Edge of Japan's Economic Statecraft

日本は自国のエコノミック・ステートクラフト（経済的国政術）を大きく軌道修正している。米中関係の悪化、経済的相互依存が武器化する傾向、パンデミック下で進んだ生産拠点移転といった要因が、経済安全保障の新たな方向性を作り出しているからだ。戦略は攻防一体で、一方ではサプライチェーンに関するリスクヘッジをとり、経済的威圧行為への脆弱性軽減を図りつつ、他方では先端製造分野における突出をめざし、経済的繁栄および国際的影響力の源泉となるハイテク分野の研究開発を奨励するという産業政策に回帰している。

経済安全保障戦略を構築するにあたり、日本はデリケートなバランスをとっていかなければならない。より強靭なテクノロジー・エコシステムとサプライチェーンネットワークを形成しながら、同盟国や友好国と連携して、経済安全保障対策におけるベストプラクティスの足並みをそろえていく必要がある。だが、市場の開放性やイノベーション、堅調な国際取引、貿易と投資のフロー、自国の経済的競争力の中枢であるサプライチェーンの効率を損ないかねない極端な方向転換をしないよう、注意もしなければならない。グローバルな経済活動と国家安全保障がいっそう切り離せなくなり、日本と中国の深い経済的紐帯も、今まさにその輪郭が描き直されている。

過酷さが増す世界の経済秩序

世界政府など存在しない世の中で、それぞれに主権をもつ国家同士が形成する経済的相互依存の関係は、過去二〇年間ほどで少しずつ結びつきを深めてきた。「関税及び貿易に関する一般協定」（GATT）、そしてのちには世界貿易機関（WTO）を基盤とした多国間貿易システムを足場とすることで、関税や非関税障壁など国際貿易を阻むものは少なくなった。各国政府は貿易・投資協定を「国内環境」（ビハインド・ザ・ボーダー）でどのように運用していくかという采配にいっそう力を入れており、法制化のレベル（義務と明確性と委任がどの程度確保されているかという点から判断される）を見ても、国際貿易の法制化は各国で大きく進んでいる[1]。そしてWTOには大幅に強化された紛争解決メカニズムがあり、第三者機関に審議させる形をとることで、他の国際制度とは一線を画している。グローバルなサプライチェーンと情報通信技術（ICT）の革命が実現する経済的相互依存のあり方も変容した。多くの国が国際貿易システムへの統合をめざしたこと、また世界で中間層が大幅に成長していることは、この依存関係の増大がもたらしたプラスの影響だ。

しかし、グローバル化は過去にも試練を経験してきたが、今日では新たな課題が加わっている。国際的経済関係の安全保障化だ。二つの大きな要因によって経済的依存の限界が試されている。一つは国家間の対立、具体的に言えば米中の大国間競争だ。この競争が優先順位に変化をもたらし、今では相互利益よりも相対利益を確保することの意味が大きくなり、自国の脆弱性をいかに最小限にとどめるかが重視されている。もう一つの要因は技術進歩だ。第四次産業革命（AI、5G、クラウドコンピューティング、量子コンピューティングなど）によって新たな基盤技術が国家の経済的競争力や軍事体制の源泉として中心的位置を占め、そこでの勝ち負けがいっそう大きな意味をもつようになった。グローバルなネットワークが密にからみあう中で国家同士が対立するので、国家が威圧行為を行う際にも昔にはなかった策が行使される。国家間の非対称性につけこむことだけでなく、経済や情報のハブを掌握することが新たな武器となる。[2]

国家の経済的自立（セルフリライアンス）を謳う声は大きくなっているが、これを閉鎖的な自給自足体制（アウタルキー）への単純な希求と解釈してはならない。閉鎖経済は究極的には国力を減退させるものだからだ。むしろ国際システムに加わる主要国のいくつかの傾向として、国内の能力増強をめざし、テクノロジーの最前線で自国が先んじていくことをねらいながらも、同時進行で他国からの経済的依存を積極的に固めている様子が見られる。

経済的相互依存の安全保障化は一筋縄ではいかない。国家は経済的依存によるリスクを低減するための防御的措置をとるものだが、それはニワトリが先か卵が先かという話になりやすい。保護主義的意図にもとづき、国家安全保障の対策として他国との経済活動を制限すれば、その措置によって国内が巻き添えを食い、自国の競争力やイノベーションが阻害されたり、外国から報復的措置をとられたりということになる。[3] このような経済安全保障問題の広がりは、今後、世界の経済ガバナンスに大きな影響を与えていくだろう。貿易と投資のコミットメントに対して国家が安全保障例外を行使する権利は昔から主張されてきた。安全保障例外とは、WTOの協定第二一条〔訳注：通称「GATT第二一条」〕に書かれている「締約国が自国の安全保障上の重大な利益の保護のために必要であると認める」措置を阻止しない、という規定のことだ。[4] 過去には各国政府が安全保障例外の発動に対して慎重で、その行動が保護主義の水門を開きかねないという点を意識していた。昨今、例外規定発動をめぐる紛争がWTOで増えていることを見ても、そうした慎重さが消えつつあるのは間違いない。

各国が自国の経済活動を安全保障管理の武器として追求する、あるいは「安全保障上の重大な利益」を主張して司法審査の適用を骨抜きにしていけば、重商主義や非法化につながる可能性がある。[5] そして、経済安全保障リスクが慎重な管理のもとになければ、ルールベースの秩序が弱まっていくこととなりかねない。

経済的相互依存を危ぶむ：中国とアメリカ

グローバル経済への統合について制限をどこまで許容可能とするか、その露骨な見直しがアメリカと中国の双方で進んでいる。こうなったのは単一の理由からではないのだが、先端技術をめぐる米中戦略競争の始まりが大きな要因であったことは確かだ。世界の二大経済圏がグローバル化への懐疑的な視点を強めているという事実が、今のシステム全体に影響を与えている。

中国：グローバル化のつまみ食い

中国の国際経済システムへの統合は、中国自身の姿を書き換えるものであると同時に、世界を変容させるものでもあった。中国は、アジアという大きな生産工場、すなわち「ファクトリー・アジア」の組立工程を担う最大のハブという役割を受け入れて、莫大な外国直接投資（ＦＤＩ）の受け手となり、貿易のつながりを広く構築することで、自国の経済的発展を進めてきた。これはグローバル化に対する慎重に管理されたアプローチでもあった。中国共産党は、電気通信のような重要産業を自国内で守りつつ、参入する外国企業に中国企業とのジョイントベンチャーを組ませることでノウハウを獲得し、莫大な補助金を伴う産業政策を駆使し、サイバー主権の原則のもと西側とのデジタル分離を実施してきた。習近平が国家主席となった時代には国家権力による強気の経済介入がふたたび活発になったが、目標は昔よりもさらに野心的に、先進技術における自国の能力拡充をめざしている。二〇一五年の政策文書「中国製造２０２５（メイド・イン・チャイナ）」では、まさにその精神のもと、経済において新たに突出したポジションを確保することで中国の自立を高めるというねらいを掲げた。

大国間競争の時代が公式に始まったのは、二〇一七年のトランプ政権による「国家安全保障戦略」が皮切りだったが、それ以前から、経済的相互依存に対する中国の見解は固まっていた。国家安全保障と経済的相互依存を統合する「大安全構想」を習近平が掲げるようになった経緯は、ジュリアン・ゲーウィッツが説明しているとおりである。[6] この新しい認識のもと、中国がめざす目標とは、経済的相互依存による脆弱性を単なる国内回帰で軽減することではない。影響力の武器として、また将来的に国家的威圧行為を行えるようにするための装置として、中国に対する他国の経済的依存を作り出していくのだ。米中関係の急激な悪化は、こうした政策指向性が具現化したものだった。

米中貿易の緊迫関係は二〇一八年六月に沸点に達している。知的財産（IP）とテクノロジーに関する中国の不公正な慣行に対し、アメリカが通商法第三〇一条にもとづく調査を行い、中国からの輸入品総額五〇〇億ドル相当に制裁関税を課した。そこから立て続けに怒りに満ちた報復関税措置の応酬があり、わずか数カ月間で、米中貿易の大半が制裁関税の対象となった。アメリカが関税対象とする中国製品は総額三六〇〇億ドル相当におよび、中国が関税対象とするアメリカ製品は一一〇〇億ドル相当にのぼった。二〇二〇年初めには停戦がもちかけられ、貿易協定の「フェーズ1」の合意をまとめることでさらなるエスカレートを防いだが、憤懣の原因が解消されることはなかった。中国は二〇〇〇億ドル相当のアメリカ製品を輸入する旨に同意したが、その目標は達成されていない。[7] フェーズ1合意は中国の構造改革には触れず、補助金、国有企業（SOE）、包括的な知的財産保護に関するコミットメントもなかった。米中双方の関税も多くがそのままだ。この関税競争は痛みを伴うものだったが、中国にとって最大の痛手だったのは、技術面での脆弱性を突かれたことだった（本章の後半で触れる）。中国の通信事業者大手ファーウェイ（華為技術）に対するアメリカの輸出規制強化がきっかけで、先端半導体を製造する能力がないという、中国の大きな弱点が明るみに出たからである。

過酷さを増す外的環境の前で、経済的相互依存についての断固たるアプローチを強化しようと、中国は二〇二〇年に「双循環戦略」なるものを打ち出した。国内での生産、流通、消費に力を入れると同時に、中国が分離または孤立するという声をかき消していくための積極的な外交努力にも重きを置く戦略だ。後者に関しては、世界最大の貿易協定である「地域的な包括的経済連携協定」（ＲＣＥＰ）と、「ＥＵ中国包括的投資協定」（ＣＡＩ）を締結するという重大な成果を収めた。[8] 前者に関して中国共産党は、半導体関連の重要分野で自国の能力を進歩させるべく、多大なリソースを投じている。国内の集積回路産業発展のために多額の資金を投じて政府系投資ファンド、通称「ビッグファンド」を設立し、ハイテク開発に一・四兆ドルを割り当てた。[9] アメリカの輸出規制に対抗して、二〇二〇年後半には中国にとって輸入元として信頼できない外国企業のリストを作り、輸出管理法も導入して、外国によるテクノロジー分野の輸出管理規制に対して報復措置をとりやすくした。中国の威圧経済外交――圧力をかける道具として、貿易を制限する――は新型コロナウイルス感染拡大中にも全面的に駆使されており、オーストラリア、リトアニア、台湾などが新たな標的となった。

アメリカ：グローバル化に対して防御的

一方でアメリカも、経済的相互依存に対するアプローチを大幅に軌道修正してきた。修正を促す背景には、対中関与政策に関する国内の不満増大と、大国間競争の熾烈化がある。米中間に安全保障危機が生じるリスクが以前よりも現実味を帯びるにつれ、重要なサプライチェーン運営で中国に過度に依存していることへの懸念が著しく強まっているのだ。ただし、この変化が中国とのやりとりを変えた直接の原因ではない。対外経済政策の形成において、国家安全保障上の懸念が、以前よりも大きな位置を占めるようになっているのである。

トランプが掲げた「アメリカ・ファースト」の外交政策が中心に据えた優先事項や作戦と、バイデンが謳う「アメリカ・イズ・バック」、すなわち多国間主義、民主主義の保護、同盟関係への回帰という方針は、歴然と乖離してはいるのだが、一つ重要な部分で重複が見られる。経済と安全保障が融合している点だ。二〇一七年のトランプ政権による国家安全保障戦略でも、二〇二一年のバイデン政権による「国家安全保障戦略の暫定的な指針」でも、「経済の安全保障は、国家の安全保障」という原則が貫かれている。コンセプト自体は当然ながら固定のものではなく、解釈の余地はさまざまにあるのだが、基本的には国内産業基盤の保護と技術的卓越性の追求にいっそうの重きを置き、国際的経済交流では相対利益の重視を強め、そうした目標達成のために関税など防衛的措置を駆使している。

もちろん、アメリカが経済的相互依存を見直すにあたり、中国という課題が大きくのしかかっている点は間違いない。WTOのシステムは中国の国家資本主義を抑制する仕組みとして十分なのかどうか、アメリカ政府内では懐疑的な意見が高まっている。事実、マーク・ウーの論文がWTOの限界をいくつか指摘した。WTOが定めるルールには不足（補助金、投資、技術移転などの面で）があること、自国は途上国であるという宣言が有利になってしまうこと、届け出要件（補助金に関する）の順守率が低いこと、中国の逸脱行為に対する補償が不十分であることなどだ。[10] トランプおよびバイデン両政権は、WTO中心のアプローチは中国の重商主義抑制に非効果的であると結論づけたが、どちらもWTO上級委員会の膠着状態を打破するような対策は出していない。トランプ政権が中国製品に対して設定した莫大な関税は、宣言した目的を満たせないものであるにもかかわらず、バイデン政権に引き継がれてそのままになっている。インフレ対策として関税の一部を撤廃すべきか、それとも政治環境の変化によって中国に対し弱腰になったという批判を防ぐためにもそのまま維持すべきなのか、バイデン政権は難しい選択を迫られている。[11]

トランプ政権はEUや日本に対しても、「国家安全保障」のための関税引き上げを認める通商拡大法第二三二条を根拠に、鉄鋼およびアルミニウム輸入に関税を課した。バイデン政権は、同盟国や友好国との関係を修復し、中国の国家資本主義に対抗するための連携を整える目的で、最終的にはこの関税を撤廃している。[12] ただし、関税を関税割当制に入れ替えただけであって、信頼しあう国家間で鉄鋼の自由貿易を行う状態に回帰したわけではない。それでもバイデン政権は、経済の安全保障対策について同志国を連携させるべく、複数の面から取り組んでいる。環大西洋貿易・技術評議会（TTC）や、日米豪印戦略対話（クアッド）における新興技術ワーキンググループなどが、その例だ。特に日本とは「日米競争力・強靭性（CoRe）パートナーシップ」を結成し、日米安全保障協議委員会（日米「2＋2」）も発足させた。[13]

アメリカが国際経済政策において安全保障管理を強化している点は、FDI審査、輸出管理、制裁措置発動にも見てとれる。二〇一八年には「外国投資リスク審査現代化法」（FIRRMA）を成立させ、外国企業によるアメリカ企業買収に際し安全保障上の見地から行われる審査に大きな変更を施した。重要技術、重要インフラ、個人情報に関係する産業に対する外国からの投資には、非支配的投資であっても、一九七五年から設置されている対米外国投資委員会（CFIUS）が審査を行うこととしている。この新しい法制では他国にも安全保障上の審査を強化させるインセンティブを設けた。強化したことでアメリカから「除外国」と認められれば、その国の投資家が特恵的待遇を得る。[14] 現時点ではイギリス、カナダ、オーストラリアが除外国の条件を満たしている。さらに二〇一八年に成立した「輸出管理改革法」（ECRA）で、新興・基盤技術も、デュアルユース（軍民両用）製品の規制要件の対象に含めた。ただし、対象が広すぎるせいで産業の研究開発活動が阻害され競争力が損なわれる――という懸念が産業界（国内企業と外国企業の両方）から表明されたことから、新興技術の軍事利用に焦点を絞り、国際的基準にそろえて効率的な海外展開を可能にするアプローチがとられた。[15]

半導体サプライチェーンの弱点を利用した経緯は、経済的相互依存の武器化を示す最も顕著な例と言える。[16] アメリカの政策立案者たちは中国のファーウェイを国家安全保障上の脅威とみなし、アメリカの5G通信網への参入を禁じたうえ、同盟国と友好国にも同様の対応を求めた。二〇一九年にはトランプ政権が、ファーウェイをはじめとする中国の通信事業者数社を「禁輸措置対象リスト」に指定。アメリカ企業がファーウェイに半導体チップや機器を輸出する際には特別な許可をとらねばならないということにした（申請しても却下する前提）。それでもファーウェイが最先端半導体を調達できる抜け穴があったので、アメリカ政府は一年後に抜け穴を塞ぎ、アメリカ企業への規制を強化するとともに、外国企業であってもアメリカ製の技術や機器に頼るならば禁輸措置の制約が厳しく適用されるものとした。[17]

対中技術競争の本質は変化し、競争の目的はいっそう大きくなった。バイデン政権がその達成手段として輸出規制を中心にしたことは、米中関係にとどまらず、より広い影響をもたらしていくものだ。バイデン政権で国家安全保障問題担当大統領補佐官を務めるジェイク・サリバンが、スーパーコンピューティング、バイオテクノロジー、グリーンテクノロジーなど「戦力増幅要素（フォース・マルチプライヤー）」になる技術をめぐる新たな考え方を説明している。そうした技術に関してアメリカは、もはや「スライド制アプローチ」を続ける、つまり相対的優位性を維持していられる立場ではない、というのだ。中国がこれらの技術を利用して高精度兵器の開発を行うのであれば、何が何でもアメリカが絶対的優位をとらなければならない。[18] この前提にもとづく政府の行動は素早かった。二〇二二年一〇月七日に発表した規制で、アメリカ企業はAIやスーパーコンピューティングに使用する先端半導体を中国に売ってはならぬという、一方的かつ治外法権的な輸出規制を敷いたのである。商務省がアメリカ国民に対し、中国の半導体製造を補助するような活動を禁じる規制を設けたのは、過去に例のないことだった。こうした展開は、商業的応用で生じる技術移転を抑制したいアメリカ政府の思惑を強調している。中国で「軍民融合」の取り組みが広まっていることを理由としているが、先端半導体、製造機器、高度熟練人材へのアクセスを制限することで、中国の技術発展を失速させるというのが大きなねらいだ。バイデン政権は、同盟国を説得して同じく中国への技術移転を制限させることができると踏んでいるが、その賭けの成否しだいで、長期的に吉と出るかどうかは大きく左右されるだろう。[19]

アメリカの政策立案者たちはサプライチェーンの脆弱性問題にとりわけ神経をとがらせている。国内の脆弱性を特定し、その脆弱性を突かれた場合の対抗措置を見極めておくため、バイデン政権は、半導体、大容量電池、医薬品、レアアース（希土類元素）といった分野のサプライチェーンを幅広く網羅した調査を行った。報告書では、危機耐性を高めるために同志国と連携すること（「フレンドショアリング」）の利点を強調する一方で、「バイ・アメリカン」のコミットメント〔訳注：政府調達において一定以上の国内製品を使用する〕や、外国の不公正な貿易慣行を取り締まる組織「ストライク・フォース」の設置、それからレアアースに依存するネオジム磁石に国家安全保障を根拠とした関税措置をとることに対して通商拡大法第二三二条を適用し徹底調査を行う、という見解も示した。[20] 熾烈な政党間論争を経た後、連邦議会は最終的に二〇二二年夏に「ＣＨＩＰＳ科学法」を承認。国内の半導体製造体制強化のために二八〇〇億ドルを割り当てることを決めた。このうち一〇〇〇億ドルはアメリカ国立科学財団（ＮＳＦ）に投じられ、商業用技術開発の促進を目的とした「技術・イノベーション・パートナーシップ局」が同財団に新設された。国内の半導体製造を強化するねらいで、最先端の製造工場に投資する奨励金として三九〇億ドル、研究開発と人材育成のために一三二億ドルを割り当てることも決定した。[21] このファンドを受け取る企業は、中国など懸念対象の国に半導体製造ビジネスを本格的に拡大してはならないため、[22] 先端半導体サプライチェーンの分散化はさらに進む方向だ。

日本の経済安全保障：連結性と強靭性のバランスをとる

日本にとって、経済的相互依存のリスクは、今回初めて出合う問題ではない。ブレトンウッズ体制の庇護のもとで経済成長を開始し、輸出大国となったあと、一九七〇年代の戦後レジームにおける亀裂や再調整で日本は脆弱性を痛感したからだ。ニクソン・ショック（固定相場制の停止、輸入課徴金、アメリカが同盟国と協調せずに対中関係見直しに臨むなど）は、日本の官僚たちを震撼させた。二度の石油ショックと食料禁輸措置で資源ナショナリズムが強まり、資源の乏しい国の深刻な依存状態についての危機感が強まった。そこで一九八〇年には大平正芳首相の主導のもと、経済的脆弱性の問題を重視した「総合安全保障」というコンセプトを導入している。[23] 国家および民間セクターいずれもが（時には連携して）こうしたリスクを軽減するための行動に邁進した。資源外交を全力で追求し、安定し費用効果の高い原材料と食料の供給を確保するだけでなく、比較優位の原理で劣位にあった日本のエネルギー集約型産業を海外移転していった。さまざまな「国家プロジェクト」（ブラジルでのアルミニウム製錬など）にも多額の公的資本が投じられたが、市況の変化によっては巨大プロジェクトの営利性が損なわれかねないことから、政府による対外直接投資を危険視する意見もあった。[24]

こうした過去があることを考えれば、日本にとって経済安全保障はステートクラフトのＤＮＡに刻み込まれていると言ってもいいだろう。しかし今日の試練の性質や、日本自身が有する能力は、昔とは著しく異なる。たとえば、日本企業が域内生産網の開発を主導してきたこともあり、日本は昔よりも大幅に世界経済に統合されている。過去の日本は主に商品調達について心配していたが、今では国境をまたぐ密接かつ複雑なサプライチェーンがもたらす機会とリスクの両方に神経をとがらせている。堅牢な経済的連結性を築く（貿易協定、デジタル規制、インフラファイナンスなどを通じて）というアジェンダを追求してきたが、厳しさを増す地政学的環境を前に相互依存のリスクも低減していかなければならない。地政学の性質も昔と同じではない。今日の日本にとって安全保障上の最大の試練となっている存在は、同時に日本にとって主たる貿易相手国でもあるのだ。中国のことである。

このように複雑に入り組んだ多数の課題を受け、日本政府はふたたび経済安全保障のレベルを上げることにした。安倍晋三政権は二〇二〇年春、国家安全保障局内に、二〇人のエリート官僚から構成される経済班を設置している。[25]同年に内閣府が公開した「経済財政運営と改革の基本方針2020」にも、「新たな世界秩序の下での活力に富んだ経済の構築」を目標として、経済安全保障に関する記述が盛り込まれた。[26]ここに書かれた主な目標の一覧には、デリケートなバランスをとろうとする新たな姿勢が見てとれる。一方において、日本は国際経済システムのための自由かつ公正なルールの成文化を主導し、またパンデミックや気候変動のような国境をまたぐ試練の解決のため国際的な取り組みに貢献していくことで、国際社会に必要不可欠な戦略国家となっていく。そしてもう一方においては、自国の経済および社会を強靭なものとして発展させていく。後者の具体的な方法としては、サプライチェーンを多元化させるとともに、「ジャスト・イン・タイム」の効率性追求から「ジャスト・イン・ケース」の経済安全保障へとフォーカスを拡大する。また、基幹インフラを保護し、エネルギー自給力を高め、デジタルおよびテクノロジー面の発展を進める。さらには価値観を共有する国家間で物資融通のための経済安全保障のルールづくりを行っていく。

自民党政務調査会の新国際秩序創造戦略本部が二〇二〇年に発表した、日本の経済安全保障に関する提言〔訳注：「『経済安全保障戦略策定』に向けて」〕には、注目すべき二つの構想が盛り込まれている。「戦略的自律性」（過剰な依存を排除する）と「戦略的不可欠性」（国際コミュニティが日本に頼ることを必須と考えるような産業を増やす）である。そのうえで、エネルギー安全保障、金融および情報通信インフラ、宇宙開発、サイバーセキュリティ、テクノロジーとデータ、経済インテリジェンス、大規模感染症、国際機関を通じたルール形成への関与など、幅広い経済安全保障戦略を打ち出している。

変化は提言だけで終わってはいない。ＦＤＩ審査の厳格化、情報通信の基幹インフラに対する監視の強化、サプライチェーン多元化の取り組みなどが実行に移され、二〇二二年五月には新たな経済安全保障推進法が国会で承認された。

投資審査

戦後と呼ばれる時代が始まった時点で、日本の多大な経済的脆弱性――国際収支の慢性的赤字と、外貨不足――を強く意識していた日本政府は、一九四九年に成立させた「外国為替及び外国貿易法」（外為法）において国際資本取引を完全に監督下に置き、ＦＤＩにはケースバイケースの承認を要することと定めた。外国為替を政府のもとにすべて集中させて政府が割り当てを行うほか、国内の幼稚産業育成のために外国の多国籍企業は基本的に寄せつけないという、徹底した権力行使が日本の産業政策の全盛期を生み出したのだが、この幅広い規制のパワーは徐々に薄れていく。一九六四年にはＯＥＣＤ加盟の条件として、外貨予算制度を廃止するとともに、資本フローを徐々に自由化する義務を受け入れた。その後に外為法を大きく二度にわたり改正し、この義務は実行に移されていった。一九八〇年の外為法改正で、明確に禁止される場合を除いて原則すべての外国取引が自由になった。さらに一九九八年の改正で、一部の指定業種を除き、外国投資の事前届け出制を廃止して事後報告制を導入した[27]。

他の先進国市場は、自国の企業に対日投資の機会がないことについて、以前から不満を呈していた。このため日本が対内投資を受け入れて、より自由化の進んだアプローチにシフトしたことで、慢性的な摩擦のタネが排除された形となった。各国と足並みをそろえるほうへ収斂していく傾向は今もあるのだが、その方向性は変化し、国家安全保障のためにむしろ再規制化が進んでいる。過去数年間で、日本と立場の近い国々（オーストラリア、アメリカ、フランス、ドイツ、イギリス）がいずれも国家安全保障リスクへの対処を目的としてＦＤＩ審査を厳格化した。これが日本の背中を強く押した。他国がＦＤＩ審査手続きを厳格化したせいで、残った日本が基幹技術漏洩の標的となることを避けるという「防御的」目標と、安全保障管理の厳しい国同士になることで日本企業が手続き迅速化の恩恵を受けられるようにするという「攻撃的」目標、その両面を満たすために、日本も同じく厳格化へと舵を切った。

現時点で最新の外為法改正は二〇二〇年に発効したもので、ここではFDI審査手続きに三つの大きな変更が導入されている。第一に、それまでは株式一〇%以上の出資に対して事前届け出を課していたが、この閾値を一%に引き下げることで、審査対象となる投資件数を大幅に拡大する。第二に、事前届け出を要する指定業種の数を拡大する。第三に、投資家のタイプおよび取引目的（経営非関与か否か）に応じた事前届け出免除制度を設ける。投資家のタイプに関しては、外国金融機関や政府系ファンドは免除対象に含むが、国有企業（SOE）は含まない。取引目的に関しては、経営管理権を行使する（投資家側が役員に就任する、事業を譲渡する、機密性の高い非公開情報にアクセスする）ことがないと判断される場合のみ、その一般投資家は事前届け出免除の適用となる。日本政府が発表した五一八社のリスト（全体の四〇%が株式公開企業）に含まれる企業が、出資規制強化の対象となった[28]。

FDIに新しく安全保障方針を採用したことへの評価は割れている。これほど多数の企業や業種をFDI審査対象とするというのは、いっそうの対日投資を呼び込むという目標に逆行するものであり、政府も審査件数の大幅な増加に対応する備えができていないのではないか、という指摘もある[29]。産業政策のために審査が利用されることがあれば[30]、物言う投資家に経営慣行改善に臨む意欲を失わせ、企業統治改革を損なうという懸念もある。より肯定的な意見では、日本が他国と足並みをそろえていく必要性を強調し、審査のねらいは機密技術が中国へ漏洩することの阻止であるため投資活動の減退にはつながらないと予想している[31]。FDI審査に国家安全保障が埋め込まれたことで、日米は関連情報の共有が可能になった。ただし、この改正は日本がアメリカの対米外国投資委員会（CFIUS）から「除外国」の立場を獲得するに十分ではなかった。現在、通称「ファイブ・アイズ」に含まれる国〔訳注：「ファイブ・アイズ」とは、機密情報共有の枠組み「UKUSA協定」に加わるアメリカ、カナダ、イギリス、オーストラリア、ニュージーランド〕だけが、アメリカによるFDI審査の「除外国」となっている。[32]

輸出管理

兵器へのアクセス、そして大量破壊兵器開発に使用される可能性のあるデュアルユース技術・物品へのアクセスを規制する国際的輸出管理体制に、日本は以前から加わっている。冷戦中は「対共産圏輸出統制委員会」（COCOM）に参加し、同機関が一九九四年に解散してからは、「通常兵器及び関連汎用品・技術の輸出管理に関するワッセナー・アレンジメント」などの国際協定に加盟してきた。これらの協定に従う大きな理由として、同盟国と足並みがそろわず亀裂が生じるのを避ける、という意図がつねにあった。それゆえに、東芝子会社をめぐり一九八七年に起きた日米摩擦――東芝子会社がソ連に輸出した工作機械がソ連の潜水艦改良を助けたという事件――は、日本の輸出管理の歴史に大きな影を落とすものだった。それでも丸川知雄の論文が説明するとおり、中国が市場開放を始めたあと、ビジネス機会の拡大を望む日本企業において、技術漏洩のリスクが強く意識されることはなかった。[33]中国の技術力が進歩し、領土紛争をめぐり日中関係が冷え込んできた二〇一〇年代になって初めて、輸出管理の厳格化を求める声が企業側から聞かれるようになったのである。

テクノロジーをめぐる米中の対立も、日本に波及効果をおよぼした。中国の知的財産窃盗、重要技術の漏洩、サイバーセキュリティおよび情報セキュリティの面で中国通信事業者大手がもたらすリスクについて、日本政府はアメリカの懸念を共有している。二〇一八年後半には公的調達のガイドラインとして、国家安全保障上のリスクをもたらすと考えられる情報通信機器の使用を禁じる方針を初めて導入し、直接的な名指しこそしなかったものの、ファーウェイをはじめとする中国テクノロジー企業数社を締め出した[34]。民間セクターはすぐにこの方針を取り入れた。だが、アメリカが禁輸措置対象リストを通じて中国テクノロジー企業に一方的な輸出管理を設けたことは、日本の民間セクターにとっては重要な顧客基盤の喪失（日本企業からファーウェイへの電気部品の年間輸出総額は、二〇二〇年には九〇億ドル近くにのぼっていた[35]）や、技術規制の応酬に巻き込まれることへの不安を感じさせた。

中国が「軍民融合」戦略を採り、アメリカが新興・基盤技術に輸出規制導入の判断をする。こうした流れの前で、日本が同志国（アメリカを含む）とともに新しい輸出管理体制を作り上げていくのは難しいと言わざるを得ない。多国間協定は基本的に参加者の全会一致を旨として、地政学的分断の両端にいる国々を含めていかなければならないので、その点で今ある多国間協定を前進させられるとは考えにくい[36]。ロシアがウクライナ侵攻を敢行し、アメリカおよび同盟国が連携して過去に例のない技術調達制裁を実行に移したことで、なおさら見込みは絶望的になった。にもかかわらず、アメリカ政府は二〇二二年一〇月七日に発表した輸出管理強化規則——治外法権的な規制によりアメリカ企業から中国企業への先端半導体供給を遮断し、同時に日本やオランダなどの友好国にも、先進半導体装置の輸出制限で同じ対応をとるよう要請する――で、日本政府に難しい判断を迫った。この要請については二〇二三年初頭に日米蘭で合意に至ったと報じられているが、中国の報復を懸念しているらしく、詳細はなかなか明らかになってこない[37]。

輸出管理システム以外では、日本政府は外国人留学生の入国審査の厳格化、大学および研究機関における最先端技術の保護の強化、外資受け入れの報告厳格化などを検討中だ[38]。すでに官民両方に対する包括的な安全保障クリアランスシステム導入の準備を始めた。以前から、諸外国とインテリジェンス協力をとるにあたっても、日本企業がハイテクコンソーシアムに加わるにあたっても、情報セキュリティの問題が障壁とみなされてきたのだが、これまではプライバシーに対する懸念から、広範囲な身元調査制度の導入は躊躇されてきたのだった[39]。

サプライチェーンの強靭化

武器化された経済依存がもたらすリスクを、日本は痛切に理解している。二〇一〇年の時点で、まだ経済的威圧行為を始めたばかりだった中国の標的となったからだ。中国は東シナ海における日中摩擦（第10章を参照）を受けて、非公式なレアアース禁輸措置を発動した。このとき日本政府およびビジネス界は、商品の再利用や再設計を通じて消費量を削減したり、WTOで中国の慣行を巧みに糾弾したり、別の地域でのレアアース採掘・処理に資金を投じて持続的な多元化作戦を実施したりなど、この重大な脆弱性に対して多方面からの対策を講じた[40]。二〇一〇年の時点でレアアース供給は九〇%を中国に依存していたが、二〇一八年には五八%へ劇的に縮小している。[41] 多元化作戦も継続しており、先日の日米豪イニシアティブでは、中国への依存を二〇二五年までに五〇%未満にすることとなった。[42]

その後、新型コロナウイルスがきっかけで、サプライチェーンの強靭性はふたたび重要課題として浮上する。感染拡大初期に中国が実施した極端なロックダウンは、中国からの部品供給に頼っていた日本の産業界に影響を与え、一部の自動車工場は生産停止を余儀なくされた。安倍政権は二〇二〇年春に、個人防護具の不足に対する懸念と、海外生産移転への不安から、日本のサプライチェーン強化のための新たな補助金プログラムを発表した。特定の地域（名指しこそしないが、中国）に対する過度な依存を軽減するねらいで、国内生産と、東南アジアへの生産多元化、その両方を金銭的に後押しするものである。この補助金プログラムは広く利用され、現在までに二〇〇件以上のプロジェクトに対して三一億ドルが支払われた。業種別の内訳を見ると、政府のねらいが公衆衛生危機への対応のみにあるのではなく、地政学的なリスクヘッジをとっていることがわかる。補助金を受け取った企業の多くが、先端素材（化学薬品やレアアース）、半導体、電気製品の製造に携わっているからだ。[43] ただし、日本の対中投資累計額一三〇〇億ドルの前では、この補助金は微々たる額にすぎない。これは分断をめざすものではなく、あくまで、中国に対する過度な依存がもたらす弊害を一部解消するのがねらいである。

特にパンデミック下での深刻な半導体不足を受けて、日本はこの重要なセクターでの巻き返しにいっそう広範囲に取り組んでいる。半導体産業で日本が優位性をもっていた時代は遠い昔であり、今日の日本企業が世界市場に占めるシェアは一〇%だ。しかし、半導体供給網のかなめのいくつかは日本企業が支配している。たとえば先端化学薬品、シリコンウェハー、一部の専門的製造機器だ。経済産業省が提示する半導体戦略は、短期的にはレガシー半導体における供給網の不足解消をめざすものだが、長期的には台湾やアメリカをはじめとする諸外国の製造会社と国際的な連携を組み、最先端マイクロチップで日本の競争力を高めていくことをねらいとしている[44]。国内の半導体メーカーを支える四四・二億ドルのファンドも設立した（一例としては、台湾の半導体メーカーTSMCが熊本県に建設する半導体製造工場に、設備投資額総額の四割に相当する三五億ドルの補助金を出す[45]）。諸外国ではさらに大規模な半導体ファンドが立ち上げられており、アメリカは五二〇億ドル、EUは四六〇億ドル、インドは三〇〇億ドル、中国は五一〇億ドル以上を割り当てている[46]。

アメリカ、日本、EUはいずれも産業政策に回帰しつつ、自国の製造業促進のために他国との連携を利用していく計画だ。生産における場所と信頼性に価値が生じている点は確かだが、同志国同士の補助金競争を避け、レントシーキングに目を光らせ、将来的な半導体供給過剰を防ぐにはどうすればいいのか、根本的な疑問はまだ残る[47]。また、半導体以外の先進産業分野でオンショアリングとフレンドショアリングがぶつかるときにはどうしたらいいのか。産業政策をとるアメリカと同志国は、このすり合わせに臨んでいかなければならない。最も厳しく対応した例と言えるのが、バイデン政権が気候変動対策として二〇二二年に鳴り物入りで発表した法、「インフレ抑制法」（IRA）だ。北米で組み立てられる電気自動車の購入に税額控除を行うことで、究極的には、電気自動車の蓄電池における中国製の混入を排除する。[48] このＩＲＡが提示する国内調達規定は同志国間の足並みを乱すものであり、最終的にはクリーンエネルギー技術の導入を遅らせる結果になることも考えられる。

経済安全保障推進法

日本の経済安全保障対策は、包括的な法制パッケージ〔訳注：「経済施策を一体的に講ずることによる安全保障の確保の推進に関する法律」〕として固められた。この法制は、サプライチェーンの強靭化、基幹インフラの保護、研究開発の促進、特許保護という四本の柱で構成されている。[49] 具体的には、政府が重要製品（日本の経済および社会を回していくために不可欠であり、輸入が滞れば打撃を受けやすい）を特定し、サプライチェーン強化計画を提出する企業に補助金を出す。一四の基幹インフラ産業（エネルギー、輸送、電気通信、金融など）には、脆弱性対策のため、ハードウェアおよびソフトウェアの調達に事前届け出を義務付ける。応用技術の研究開発で官民連携を進めるために、ＡＩ、極超音速輸送機、サイバーセキュリティなど二〇種類のハイテク産業に対して政府が三六億ドルを割り当てる。[50] 政府の援助を受けた機密技術については特許非公開を維持するシステムもすでに設立されている。

この経済安全保障推進法は、補助金によって生産ネットワークを強化し応用技術研究を進めるという促進の役割と、インフラセクターにおける買収に対して審査を強化し、サプライチェーンを監視し、研究セキュリティの規約を法制化するという規制の役割、その両面を備えている。政府が甚大な範囲で介入していくことを示唆しているが、導入の詳細や、効率と保護のバランスについては、まだ多くが未決定だ。しかし、元経済安全保障担当大臣の小林鷹之が述べたとおり、国益のために経済的装置を利用するという点で、この法律が新たな章を開くことは間違いない。[51]

第5部

地政学

Geopolitics

第10章 安全保障の役割をどう担うか、深まる苦悩

The Growing Pains of a Nascent Security Role

第二次世界大戦後、日本はアメリカの核の傘のもと庇護を確保し、自国の再建と経済成長に全力を注いだ。歴代の指導者たちは、再武装化は自衛目的に限定するという平和憲法を厳格に解釈し、「大国政治」を手放した。日本政府が地域全体の安全保障に対してはっきりと役割を担うことはせず、代わりに経済外交に駆使する装置をそろえ、磨いていった。十分に発展していない、「発育不良」と呼ぶべき状態にあった日本の安全保障政策は、冷戦の構図においては奏功したが、地政学が変化するにつれ、その未熟さが明らかになっていく。

一九九〇年代にはポスト冷戦期へ移行するが、これは日本にとって苦しい道のりだった。戦後の経済モデルと外交政策の方針が通用しなくなり、この国がたどる将来的な軌道を見直さざるを得なくなった。それまで外交の主な力となってきたのは、不釣り合いなほどの経済的活力と、潤沢な資金を投じた外国経済援助だ。だが、低成長時代に入り、対外援助予算が削減されるように

なると、シビリアンパワーとしての日本のアピールは説得力を失っていく。反対に需要が高まったのが、日本の対外政策の装置の中でも一つあえて行使を避けてきた道具、すなわち自衛隊が国際的役割を担うという選択肢である。

政府は数政権にまたがって少しずつ法律を成立させ、国連平和維持活動（ＰＫＯ）の非戦闘的任務、対テロ作戦、イラク復興支援活動に自衛隊が従事できるようにした。こうした拡大の大半は、起きた出来事を受けての反応であって、包括的な取り組みではなく、実行困難な壁に阻まれることが多かった。しかし、安全保障に対する役割を形成していくという、日本が数十年間にわたり遠ざけてきた道へ向けて扉が開かれたことは確かだ。北朝鮮の核兵器やミサイル技術が進歩し、中国がこれまで以上に力をつけ強く主張するようになり、日本防衛の責務は以前よりも厳しいものになっている。二〇〇〇年代後半に立て続けに首相が交代し、政権が不安定であったことも、安全保障上の試練にこの国が立ち向かっていけるのかどうか、疑問を生じさせた。

大国政治の放棄：戦後の日本再生

日本がかつて抱いていた帝国主義的野望は、明治時代における北東アジアでの植民地獲得（一八九五年に台湾(フォルモサ)、一九一〇年に朝鮮）、そして一九三〇年代から一九四〇年代前半にかけて中国で拡大した軍事活動（一九三二年の満州での傀儡国家樹立も含む）、第二次世界大戦中の東南アジア諸国や太平洋の島国の占領（フィリピン、マラヤ、フランス領インドシナ、香港、シンガポール、オランダ領東インドなど）という結果をもたらした。日本の軍事的拡張主義はアジア太平洋地域に甚大な苦痛をもたらし、日本自身にも自滅への道を敷いた。世界的紛争の果てに日本は降伏し、アメリカが広島と長崎の街に投下した原子力爆弾のすさまじい破壊力でダメージを負い、経済と社会が総崩れとなった。

帝国主義の日本は消滅した。植民地と占領地を手放し、みずからの独立も手放して、かつての敵であるアメリカの七年（一九四五～一九五二年）にわたる占領下に置かれた。再建と、主権回復と、国際社会への復帰を模索するにあたり、日本は国内外の問題に対して、それまでとは一八〇度異なる解決策で臨むことにした。民主主義と文民統制で軍国主義の根を排除し、戦争行為を行う権利を放棄したのだ。

アメリカは日本のこうした政策転換を基本的に支援した。一九四六年に作られた日本国憲法（今日まで改憲されずに引き継がれている）が、占領軍による民主化と非軍事化の指示のもとアメリカ起草でまとめられたものだったから、という理由が大きい。日本の基礎をなすこの憲法は、戦後日本に一連の公民権を伴う民主主義を誕生させ、天皇主権に幕を引き天皇は国の象徴とし、憲法第九条を採用して国際紛争解決のための武力行使も放棄した（それゆえに憲法第九条が通称「平和憲法」と呼ばれる）。草案を指揮した連合国軍最高司令官ダグラス・マッカーサー将軍は、日本をふたたび軍事的脅威として台頭させないことを意図して非武装化を進めさせた。しかし地政学的状況はそれから急速に変化する。アメリカ政府高官は数年前の判断を後悔し、より堅固な防衛能力をもつことを日本に要求するようになった。[1] 憲法の起草こそアメリカ人だったが、[2] 安全保障における日本の役割を変容させてきた主体は日本人だ。代表民主制に転換した日本において、国民と、国民によって選ばれた議員たちが、憲法第九条を維持し、再解釈しながら、日本の国益を発展させるための選択を重ねていったのである。

憲法第九条は、「正義と秩序を基調とする国際平和を誠実に希求し、国権の発動たる戦争と、武力による威嚇又は武力の行使は、国際紛争を解決する手段としては、永久にこれを放棄する」と規定している。その目的を達成するために「陸海空軍その他の戦力は、これを保持しない。国の交戦権は、これを認めない[3]」。戦後日本の安全保障における例外主義は、この法律文に端緒が見られる。だが、政治的画策と、国内の論争と、変化する国際政治が大きな要因となって、一九四七年に施行された憲法に根を下ろしつつも、日本が果たす安全保障上の役割は変化していった。

吉田茂首相は戦後日本における安全保障政策の方向性を定めるにあたり、軍事能力獲得に対する憲法の制約をきわめて厳しく解釈し（自衛目的に限定すると定義している）、主権回復のためにアメリカ側と不平等な同盟関係を締結したうえで（ただし沖縄は一九七二年まで返還されなかったので、このとき回復した主権は領土全域ではなかった）、経済回復と、経済的な装置のみを用いて日本を国際社会に復帰させていくこと、その二つに主眼を置いた[4]。

この吉田ドクトリンは、日本が意図的に大国政治を放棄したことを表している。吉田首相にとって、日本の防衛をアウトソースし、日米同盟における格下の立場を受け入れたことは、日本の経済回復をスピードアップするために、また冷戦下でくっきりと二分されていく世界で安全保障を確保するために、払う価値のある代償だった。この新しい戦略的方針で日本の防衛力と軍事力が完全になくなったというわけではない[5]。それどころか、日本はアメリカが広げる核の傘の下に入り、自国内に大規模なアメリカ軍を置き、さらに主権回復から二年後には日本独自の軍組織を設立している。ただし、一九五四年に自衛隊を設立した際の吉田首相の意図は、この組織をあくまで限定的な規模とし、厳密な文民統制のもとに置いて安全保障の政策形成には本格的に関与させず（自衛隊が所属するのは「庁」であり省ではなかった）、さらに日本の部隊を海外派遣することはないというものだった[6]。これは、日本が「見捨てられ」ることを回避し（自力での戦力投射能力が十分ではないため）、同時にアメリカの地域紛争に「巻き込まれ」ることを防ぐための方策だったのである。

一方で第二次世界大戦以降のアメリカは、各地の共産主義躍進の阻止に臨む新たなグローバルパワーという立場で台頭し、ヨーロッパやアジアと、それまでとはまったく異なる同盟システムを築いていく。ヴィクター・チャが説得力をもって論じたとおり、アジアで生まれたハブ・アンド・スポーク型の同盟構成は、安全保障上のパートナー諸国に対して影響力をもちたいアメリカの思惑によって生じたものだ。特に日本に対しては、「アジア地域におけるアメリカの国益を支える現状維持国家」に移行させていく、というねらいがあった[7]。日本軍による攻撃の記憶がまだ新しいアジア地域の国々で日本への不信感が強かったことも、アメリカが各国と二国間同盟を結ぶ必要があった理由である。こうした国々にとっては、自国と日本が安全保障上の協力関係を組むという選択肢は考えられない。代わりに日米同盟が、将来的に日本が軍事冒険主義に走る可能性に対しての保険のメカニズムになる、と各国は理解したのだった。

一九五一年に成立した「日本国とアメリカ合衆国との間の安全保障条約」(旧日米安全保障条約)は、日本領土内にアメリカの基地を置くことと引き換えにアメリカによる日本防衛を暗黙的に保障するという取り決めだった。冷戦下で日本を確実にアメリカの側につかせ、日本における共産主義政権の樹立を防ぐための策でもあった。日本国内で暴動が起きた際にアメリカ軍による鎮圧が認められるという条件には、反発の声が大きかった。実際のところ、この同盟の条件について吉田が決断した政治的妥協の数々は、国内で広く受け入れられていたわけではない。外交政策をめぐっては、戦後日本の政治における決定的な立場の相違が表れた。政治の左側から見れば、アメリカとの同盟も自衛隊の設立も憲法違反であり、反戦主義を掲げる国民の信念に反するものだった。保守派も一丸となって吉田ドクトリンに従っていたとは言えない。自民党の中心となった政治家たちも、日米同盟の非対称的な条件や日本の戦力投射を縛る制限を批判しており、戦争責任を過度に引き受けていると考えていた。日本の国際活動を日本がより自主的に定めることが可能であるべきだと主張していた。[8]

タカ派の保守層で突出した影響力をもっていた人物が、岸信介首相だ。岸は一九六〇年に、戦後の日本にとって最大と言える政治危機を伴いながら、安保条約の改定を進めた。この新安保条約は、最も受け入れがたかった不公平な条件を一部撤廃している。アメリカが日本領土内で自国部隊を動かす際には日本に相談を要するとし、アメリカもこれに合意した。また、アメリカが日本国内の紛争に介入する権限は破棄された。そして第五条においては、武力攻撃を受けた際のアメリカによる対日防衛義務を明示している。ただし第四条と第六条では、極東の平和と安定に言及し、その安定を維持するために有事の際には日本国内を拠点としてアメリカ軍が動く可能性があると書かざるを得なかった。[9] 国会でこの安保条約を批准するための強行採決が行われ、激しい政治的衝突を生んだ。安全保障同盟という外交政策の問題、そして民主的統治の尊重という国内政策の問題に対し、強い疑問を抱いた日本人六〇〇万人がデモ行進に参加している。このような反対のもとでも改正安保法は成立したが、強硬な進め方が岸自身の首相退任という結果を招いた。[10]

当初こそこれほどの波乱があったものの、結果的に、日本とアメリカの安全保障パートナーシップの新しい均衡は耐久性があった。懲罰的ではない和平調停と、不公平さが多少なりとも解消された同盟関係、そして経済的・社会的な紐帯の深化も相まって、歴史和解のプロセスとしてはほとんど例を見ない驚くべき変化がもたらされたのである。憎むべき敵から、信頼できる同盟国へ、二国それぞれの相手国に対する認識が時間をかけてシフトしていった。ただし、認識はそうでも、現実の日米防衛協力は冷戦中にはほとんど発展が見られなかった。軍事力の相互運用性はほぼ皆無で、役割や任務の明確な分担もなく、地域紛争のリスクを踏まえた有事対応計画も形式的だった。こうした問題を多少なりとも解決したのが、一九七八年に初めて策定された「日米防衛協力のための指針」(日米防衛指針)だ。[11] この指針は約二〇年にわたり改定されることなくそのまま維持された。

地域安全保障に関して、この頃の日本にできることは少なかった。一九五一年のサンフランシスコ平和条約に四九カ国が署名したことで諸国との関係は修復されたが、日本への不信感が解消されたわけではない。特に近隣諸国とのあいだには強い緊迫関係があり、韓国との国交正常化は一九六〇年代半ばまで実現しなかったし、中華人民共和国との国交正常化はさらに遅く一九七二年まで待たなければならなかった。ソ連との平和条約は、ソ連が第二次世界大戦終戦時に占拠した北方四島の返還を拒んでいるため、成立不可能だった。アメリカはアジアの同盟諸国と次々に安全保障協力を組んだが、ハブ・アンド・スポーク型の同盟システムの内側で協力関係が発展することにはならなかった。

安全保障において日本が担う役割は「発育不良」だったわけだが、これも日本が選択してそうなったことだ。日本政府は、政治的役割をふたたび引き受けることで地域の反発を招く可能性を恐れ、地域安全保障イニシアティブに参加しようとしなかった。[12] 近隣諸国では日本の意図への強い不信感が消えず、一九七四年に田中角栄首相が東南アジア訪問をした際には各地で暴動が起きた。日本の経済支配を恐れ、経済援助も利己的なねらいがあるに違いないと警戒する意識は、それだけ強固だったのだ。こうしたアジア諸国と日本との関係性を軌道修正しようと考案されたのが、福田赳夫首相による一九七七年の福田ドクトリンである。軍が役割を担うことを明確に否定し、より温和な経済的支援と、よりバランスのとれた経済的紐帯を通じて、東南アジア諸国連合（ASEAN）の加盟諸国と「心と心」の触れあう関係を築くと打ち出した。[13]

日本の防衛戦略にも広範囲にわたってブレーキが設けられた。非核三原則（核兵器を持たない、作らない、持ち込ませない）、武器輸出三原則、防衛費をGDPの一%までとする自主規制などだ。[14] この国を「シビリアンパワー」と位置づけ、経済および外交手段のみを通じて国際的影響力を発揮することをめざしたステートクラフトが進められた。ただし、この貿易国家は非武装国家ではなかった。むしろ冷戦末期にはアジア諸国で最も先進的な軍事力をもっていた。[15] いずれ経済力がついたあかつきには再武装の日が来ることもあるだろう、という吉田の見立ては正しかったようだ。[16] だが吉田ドクトリンは、日本の政策立案者たちに、ポスト冷戦時代の日本が立つべき確かな足場を授けなかった。安全保障に関して消極的な役割を選んでいた日本は、国際状況の甚大なる変化を舵取りしていく力をもつことができずにいた。

冷戦の終わり：安全保障の新たな役割、そのトライアル&エラー

一九八九年一一月のベルリンの壁崩壊、そして一九九一年一二月のソビエト連邦消滅。こうしたドラマチックな出来事によって世界秩序の二極体制の幕が引かれる。冷戦の主たる敵が脱落したのだから、アメリカと日本は、二国の安全保障の絆に新たな意義を見つける必要が生じた。特にアメリカ側は、集団安全保障のため、そして対テロ戦争のような新しい安全保障上の危機対策のため、日本がいっそう本格的に貢献することを期待していた。

他にも日本の政策立案者たちにとって頭の痛い問題があった。一九八九年六月に中国の天安門広場で民主化を求めるデモが発生し、中国政府がこれを暴力的に制圧したことで、日本の対中経済関与政策がとりづらくなったのだ。それまで日本政府は中国との紐帯再建の取り組みとして経

済援助に力を入れていた。中国の経済近代化目標を支援すれば、歴史和解というミッションの後押しになるだけでなく、手つかずの中国市場に日本企業がアクセスしやすくなり、さらには中国とソ連を永久的に分離させておけるという期待があったからだ。政府開発援助（ＯＤＡ）の受取額は中国がトップで、日本の対外援助の最優先国だった。天安門事件を受けて日本政府は対中経済援助プログラムを凍結したが、一年後には諸国に先駆けて対中ＯＤＡ融資を再開している。この選択をした日本政府は、援助側にいる西洋諸国とのあいだに摩擦を生むリスクを踏まえつつも、援助というニンジンで中国政府が自国内外の問題にブレーキを踏んでくれるという不確実な可能性に賭けたのだった[17]。

だが、ポスト冷戦という新しい時代において、日本の外交政策は早々に最大かつ痛恨の失策を犯す。一九九一年の湾岸戦争への対応を間違ったのだ。一九九〇年にイラクのサダム・フセイン大統領がクウェート侵攻を敢行し、アメリカはクウェート併合を撤回させるため、そして国境線を武力で引き直してはならぬという原則を守るため、多国籍軍を動員した。日本は憲法上の制限を理由に軍事作戦への参加を拒否し、代わりに一三〇億ドルを拠出した。「砂漠の嵐作戦」でクウェートは解放されたが、この危機と、解決に至るまでの経緯は、日本が集団安全保障の求めに応じられないことを浮き彫りにした。金銭的貢献は「小切手外交」と揶揄され、のちにクウェート政府が主権回復を助けた多国籍軍に感謝を表明した際にも、そこに日本の貢献に対する評価を見ることさえできなかった。

新しい時代は日本を、それまでに経験したことのない状況に置いた。経済力頼りの外交には限界があることは明らかで、政府高官たちは、それまでずっとタブーとされてきたことに向き合わざるを得なくなった。国際安全保障における自衛隊の役割である。

平和維持活動

クウェートでの戦闘が終息したあと、ペルシャ湾の重要なシーレーンに安全を回復するための多国籍掃海活動が展開され、日本の自衛隊も参加した。だが、それだけでは国際的平和活動から日本が疎外されるのを防ぐことはできない、と日本の外交官たちは理解していた。そこで国連の外交力を強めるためにも（日本政府は数年後に国連安全保障理事会の常任理事国入りをめざす旨を宣言している）、国際安全保障に関する日本の新たな立ち位置について国内外の反発を抑えるためにも、日本の自衛隊を国連の平和維持活動に参加させられるよう推していく。こうして一九九二年に成立した「国際連合平和維持活動等に対する協力に関する法律」（国際平和協力法、ＰＫＯ法）は、日本の安全保障の進化における重要な転換点となった。国連平和維持活動の非戦闘的任務として、日本の部隊を海外派遣することが初めて可能になったのである[18]。

ただし、この法律は平和維持活動への貢献範囲を制限する厳しい条件、通称「ＰＫＯ参加五原則」を伴っていた。第一に、停戦の合意が成立していなければならない。第二に、紛争当事者が国連平和維持活動に同意し、とりわけ日本の参加活動に同意していなければならない。第三に、中立的な立場を厳守する。第四に、これらの原則が一つでも満たされなくなった場合には、日本は部隊を撤収できるものとする。第五に、武器使用は自衛隊員の生命を守るために必要とされる最低限の範囲にとどめる[19]。その後、法制定から数年間で二度の状況を踏まえた改定があり、より迅速な派遣が可能となったほか、平和維持活動にかかわる他の要員や、対象地域にいる民間人を守る目的、また使用する武器等を防護するという目的において、武器使用が認められる範囲を限定的に拡大した[20]。

最初は手探りで、のちにはより着実に、日本は世界の安定に貢献する大事な機会としての平和維持活動を受け入れていった。この三〇年間では、世界各地で展開される国連平和維持活動のうち少なくとも一四回に、日本から延べ一万人以上が参加している[21]。世論にも同じく驚くほどの変化があった。それまでは自衛隊海外派遣反対が不動の答えだったのだが（一九九〇年の世論調査では七八％が反対）、徐々にＰＫＯ活動への支持が高まり、一九九四年には五八・九％が肯定的、そして二〇一二年には約九〇％が肯定的な意見を示した[22]。

有志連合

日米同盟に関して、一九九〇年代は、関係者がひとときも休めないほどの波乱続きだった。摩擦が生じ、優先事項がかみあわず、期待したことが達成されず、二国関係に緊張が生じた。日米の紐帯を長年鋭く観測してきた船橋洋一は、著書において、同盟が漂流状態となることを懸念している。貿易交渉では、アメリカ企業が日本市場にアクセスしにくい「構造障壁」をめぐって、二国は角を突き合わせた。半導体貿易協定でも数値目標をめぐって衝突した。一九九五年には沖縄基地の米兵三人が日本人の少女（一二歳）を強姦する事件が起き、これがきっかけで大規模な抗議デモが起きる。加害者を司法の場に引きずり出すことを要求するデモだったが、同時に、沖縄が被る過度な負担——日本の米軍基地の大半が沖縄に置かれている——への根深い不満が爆発したデモでもあった。一九九四年、地域安全保障に吹く逆風への対応という点でも、日米のスムーズな連携は進まなかった。一九九四年、国際原子力機関（IAEA）の査察官入国を拒否した北朝鮮に対し、アメリカの主導で国際的制裁措置がとられたとき、日本政府は不承不承ながらこれに足並みをそろえた。[23] その後一九九八年に北朝鮮が日本列島上空を横切るミサイルを打ち上げ、日本の防衛計画立案者たちを震撼させる。アメリカは一九九四年の時点で、北朝鮮に軽水炉二基提供と引き換えに核兵器開発プログラム放棄を了承させた「米朝枠組み合意」をまとめていたが、このような展開となっては、日本が枠組み合意を支持することはできない。[24] 弾道ミサイル「テポドン一号」の発射実験を受けて、日本政府は「朝鮮半島エネルギー開発機構」（KEDO）への資金供与を凍結。その後にアメリカ側からの要請で凍結を解除した。[25] 北朝鮮が秘密裏に進めていた核およびミサイル開発計画は、日米の緊密な連携には限界があることを露呈していた。

二〇〇一年九月一一日に起きたアルカイダによる対米テロ攻撃も、日米関係に試練をつきつけた。アメリカでは戦略優先順位が一気に入れ替わり、対テロ戦争が最も喫緊の課題になった。アメリカ政策立案者らがとった反応は、「有志連合（コアリション）」を結成しての軍事介入だ。二〇〇一年にアフガニスタンへ（アフガニスタンのタリバン政権が、アルカイダ指導者のオサマ・ビンラディンをかくまっていたため）、二〇〇三年にはイラクへ（サダム・フセインが大量破壊兵器を開発しているとジョージ・W・ブッシュ政権が判断したため）軍を侵攻させた。日本にとって、同時多発テロ後にアメリカの支援に回るかどうかは難しい問いだった。日本政府は引き続き集団的自衛権行使を認めておらず（つまり、攻撃を受けている同盟国を支援するための部隊を送ることはできない）、新たに成立したＰＫＯ法は国連平和維持活動以外の自衛隊海外派遣を想定していなかったからだ。

それでも小泉純一郎首相は同盟国アメリカとの連帯を強く表明し、湾岸戦争時に日本の対応をつまずかせた政策麻痺は避けるという断固たる決意をもっていた。９・11直後に在日米軍施設の警備を強化するとともに、アメリカの対テロ作戦の支援に自衛隊が参加する道を探るべく、すぐに行動を起こしている。国会は二〇〇一年一〇月、過去に例のないスピードで、「テロ対策特別措置法」を承認。海上自衛隊がインド洋で補給支援活動に従事できることとなった[26]。直接的な戦闘任務への従事は避けたが、日本側の自衛だけでなく、アフガニスタン作戦に加わるアメリカおよびイギリスの船舶を守る目的においても、自衛隊による防衛のための武器使用を許可した。リチャード・サミュエルズが考察したとおり、これは日本を事実上の集団的自衛へと近づけるものだった[27]。

イラク現地におけるアメリカの作戦に日本が加わるかどうかは、さらに難しい問題だった。この戦争自体について国際的に賛否両論があり、日本国内でも批判の声が大きかったからだ。そこで小泉政権はサダム・フセイン失脚後のイラク再建において自衛隊の役割を作り出すことにした。二〇〇三年七月、国会は「イラクにおける人道復興支援活動及び安全確保支援活動の実施に関する特別措置法」（イラク復興支援特別措置法）を承認。翌二〇〇四年に自衛隊員六〇〇人がイラクに派遣され、道路、病院、浄水施設の補修工事などを通じて基本インフラの復旧を支援した。とはいえ、これはイラクの平和構築をなしたと言うにはほど遠いものだった。派遣された自衛隊員は武器使用ができず、日本人に何かあったときには有志連合に加わる他の国々（オランダ、イギリス、オーストラリア）に守ってもらわなければならない。日本の世論が活動参加の延長には否定的だったため、自衛隊の現地派遣は二〇〇六年に終了した。[28]このイラク復興支援活動は、自衛隊が有志連合に加わるという過去に例のない意思表示にはなったものの、同時に、自衛隊の武器使用に対する厳しい制限のせいで他の参加国の役割とは大きな隔たりがあることを浮き彫りにするものでもあった。それでも対テロ作戦への貢献をめざした小泉の取り組みは、日米のリーダー個人同士の強い絆も相まって、二国関係を歴然と改善させるという成果を出したのだった。

安全保障をめぐる未経験の試練

新たな世紀を迎え、日本の安全保障がそれまで以上に厳しく困難なものとなったことを、戦略に携わる関係者たちは強く認識していた。北朝鮮の核およびミサイル開発プログラムが下火になることなく継続する一方で、北朝鮮による核の脅威解消のために開催されていた六者会合（北朝鮮、韓国、アメリカ、中国、ロシア、日本）は二〇〇九年には立ち消え状態になった。[29]急成長した中国は莫大な防衛支出を投じることが可能になり、二〇〇二年以降は日本の防衛費を上回って、軍事能力でも差を広げ始めた。二〇〇五年には中国で大規模な反日デモ――いまだ解消されていない歴史的怨恨と、中国政府による愛国心の鼓舞を燃料として――が起き、中国各地の日本関連施設が大きな被害を受け、これが後押しとなって日本のビジネス界は「チャイナ・プラス・ワン」と呼ばれる戦略で投資の多角化を進めるようになった。経済統合が日中関係の安定装置（バラスト）の役割を果たせるかどうかは、急速に怪しくなっていた。

二〇一〇年は、中国がついに経済大国世界第二位の座を日本から奪うという、驚くべき年となった。ちょうど領土紛争で日中関係が最悪だったタイミングだ。中国のトロール漁船が尖閣諸島付近で日本の海上保安庁の巡視船に衝突し、日本政府が漁船の船長を逮捕すると、中国政府はこれに対抗して予告なくレアアース輸出禁止措置をとった。その二年後にも日中の緊張が高まる出来事が起きている。ナショナリストの石原慎太郎東京都知事が地権者から尖閣諸島を買い取る計画を進め、これを阻止するため野田佳彦政権が二〇一二年秋に地権者から買い上げて尖閣諸島を国有化したのである。日本政府にとっては火種を作らないための賢明な措置だったが、中国政府にとっては現状維持に一方的な変更を加える行為であり、さらに摩擦が深刻化した。それ以降、中国政府は尖閣諸島に対する日本の行政管理に反発し、諸島近辺の領海・領空侵犯を繰り返している。日本の有事対策の辞書に「経済的威圧行為」や「グレーゾーン作戦」（武力行使に該当しない範囲で圧力をかけること）といった用語が加わることとなった。

アメリカが世界で果たす役割と、アメリカの地域戦略、それらに対する懸念も日本の不安を焚きつけた。中東での長期化する武力紛争がアメリカの関心をアジアからそらしていたし、世界金融危機の発生によって世界経済の管理者としてのアメリカの立場にも疑問が生じた。中国がアメリカとの「新型大国関係」形成を要望し、バラク・オバマ政権がこれを受容する姿勢を見せたことや、二〇〇九年一一月の米中共同声明で二国がお互いの中核的国益を認識しあう意思を示したことで、日本政府は危機感を抱く。アメリカは中国との共同統治には関心をもたなかったが、日米の特別な関係が失われるのではないかという日本の不安は強まった。[30] 二〇一一年にオバマ政権が打ち出したアジア回帰戦略はこの懸念を多少なりとも緩和するものだったが、はたしてアメリカは約束したような軍事的および経済的リバランスをアジアにもたらすことができるのか、さらに疑問がつのった。

安全保障をめぐる数々の試練の前で、日本が効果的な対応をとることに苦戦したのは、国内政治にも大きな理由がある。二〇〇〇年代後半の日本は、六年間で首相が六人交代するという、政権不安定な時期に突入していたからだ。こうした刹那的政権で長期的な戦略立案ができるはずもなかった。自民党と民主党が選挙で火花を散らしていたあいだ、どちらの党路線においても、安全保障改革が望まれる状況が広く理解されてはいたのだ。[31] 鳩山由紀夫首相が普天間基地移設をめぐり事態を引っ掻き回したあと、民主党から続いて輩出された首相たちは、実現すれば日米関係を失墜ではなく深化させたであろう外交政策イニシアティブを進めようとした。TPP加入を検討したのもそうした試みの一つだ。集団的自衛権の見直しを模索したことも特筆に値する。[32] だが、これらのイニシアティブを実らせることはできなかった。ポスト小泉時代の政治的ダイナミクス――首相在任期間が短く、政党間の分断が深く、国会にはねじれが生じていた――は自民・民主両政権を苦しめ、選挙で選ばれたリーダーが変革の主体となる力は弱かった。

揺れ動くばかりの日本は、アメリカにとって戦略的パートナーとして心もとない存在になった。二〇一二年八月のアーミテージ・ナイ報告書は、この点について容赦ない指摘を放った。高い注目を集める同報告書は、日本は一級国家にとどまる意思があるのか、という厳しい問いを投げかけたのである(33)。

第11章 より有能な日本

A More Capable Japan

安倍の功績を評価する

その日本に大戦略（グランド・ストラテジー）をもたらしたのが安倍晋三首相だった。(1) 日米同盟に対する日本の貢献レベルを引き上げ、中国との経済交流の多大なメリットを犠牲にすることなく威圧行為を押し返して対中関係の均衡をとり、広大なインド太平洋地域全体にまたがる経済と安全保障の協力関係を組み直す――そうした力を発揮する日本、すなわち、より有能な日本というビジョンを安倍は掲げた。安倍が進めた意思決定システムの増強、国家安全保障専門組織の設立、外交手腕の発揮は、すべてこのビジョン実現に不可欠なものだった。国家安全保障会議（NSC）を創設し、切れ目のない政府全体としての国家戦略形成を可能とし、憲法の再解釈によって限定的な条件のもと国連が認める集団的自衛権を行使できることとし、日米豪印戦略対話（クアッド）を復活させ、さらに「自由で開かれたインド太平洋」（ＦＯＩＰ）という政策を立ち上げたことは、きわめて重要なマイルストーンであったと言える。

故安倍首相の外交政策の実績を解説するなら、日米同盟を強化した事実に触れなければならない。また、海洋民主主義諸国の協力関係を舵取りした能力と、海上保安の能力構築を含む東南アジア諸国への熱心なサポート、インド太平洋地域におけるルールベースの秩序の青写真形成についても言及する必要がある。安倍は防衛予算削減の流れに終止符を打ってはいるが、日本の安全保障の構図に対してもたらした変革は量的（軍事能力の増強）というよりも、どちらかと言えば質的（安全保障のパートナーシップを変容させ、日本を「ネットワークパワー」たる国にする）なものだった。

しかし、いくつか重大な流れにおいて、安倍は自分の目標実現を自分自身で妨げた。たとえば平和憲法、従軍慰安婦問題、靖国参拝問題などに見られた安倍の理念的保守主義が不信感を呼び、改憲の追求を難しくしたほか、近隣諸国との関係修復の足枷にもなった。安倍にとって究極的には外交政策パラダイムのほうが重大であったため、賛否両論のあった首相としての靖国参拝は二〇一三年を最後にとりやめ、二〇一五年には韓国との交渉で従軍慰安婦問題の合意に至った。二度目の政権では前回よりも自制をして、過去を蒸し返す自滅的な行動を避け、代わりに現在の課題――地域覇権を得ようとする中国のねらい、アメリカの外交政策の一貫性のなさ、米中の戦略的対立関係がエスカレートするリスク――に対処すべく、日本の影響力を高めることに注力した。

安全保障改革と、深まる日米同盟

日本の国家安全保障の装置および戦略形成の変革は一気に進んだ。安倍の二度目の首相就任から一年以内で、国家安全保障会議（ＮＳＣ）が設立され、「特定秘密の保護に関する法律」（特定秘密保護法）が施行され、日本初の国家安全保障戦略（ＮＳＳ）が発表されている。こうした改革の根幹には、政策決定に必要な情報を確保するインテリジェンス・ケイパビリティを拡充し、それを活用できるよう、分散しない意思決定の仕組みを作りたいという思惑があった。国家安全保障にかかわる判断をＮＳＣに集中させることで、それまで省庁間の重要情報共有を阻んできた縦割り行政を回避できる。[2] ＮＳＣの中核となるのが四大臣会合（首相、外務大臣、防衛大臣、内閣官房長官が参加）だ。国家安全保障局の初代局長となった谷内正太郎のもと、この会合が頻繁に開催され、初めてトップダウン型の危機管理と長期的戦略の指示が実現するようになった。

特定秘密保護法は、日本の密接な安全保障パートナー、第一にはアメリカとの情報共有を促進するために、特定秘密とされる重要情報の保護を強化することを目的としている。この法律のもと、政府は特定分野における重要性の高い情報を六〇年にわたり秘匿することができ、許可されない情報漏洩があった際には当該の公務員や報道に携わった者に罰則を与える。二〇一三年一二月初めの法制定時には、国会においても、また世論においても、秘密のベールで覆うことで政府の透明性および説明責任が薄れるという懸念から強い反発が生じた。[3] この政治的荒波を安倍は乗り切ったが、日本では第二次世界大戦中の情報操作に鑑みて情報に関する安全保障管理の強化には根深い警戒心があることを、この一件は浮き彫りにしている。

　同じく二〇一三年一二月半ばの国家安全保障戦略（NSS）公開で、安倍が首相として抱く意図、すなわち日本は平和に対して積極的（プロアクティブ）に貢献する国として国際的役割を担うのだ、というメッセージはいっそう強く打ち出されている。NSSの文書では、北朝鮮の核およびミサイル開発計画と、中国が進めている透明性のない軍事力増強を踏まえて、地域環境の悪化を強調した。直接的に中国を名指しすることなく、威圧的な「グレーゾーン」活動の台頭について間接的な言及もした。そして日本が積極的に強化していくべき三つの戦略目標を挙げた。日本に対する攻撃への抑止力、日米同盟の深化、そして国連システムに根ざしたグローバルな安全保障環境の改善である。国家安全保障のための意思決定を政府一丸となって行う体制を整えたことと同じく、このNSSは、海洋、宇宙、サイバー空間、そしてエネルギーと経済援助にかかわる政策を含め、多方面の安全保障アプローチを網羅するものだった。

　こうした安全保障にかかわる政策改革の中でも最も重大だったのが、限定的条件のもと集団的自衛権の行使を認めるという憲法第九条の再解釈である。二〇一四年七月の閣議決定を経て、二〇一五年九月の国会で承認された平和安全法制の一部として成文化された。[4] 安倍は以前から日本を「普通の国」にする——自衛隊の役割と任務に対する制限を緩和する——ことを主張してきた。とりわけ、集団的自衛権行使の絶対的な拒否を継続して同盟国が緊急支援を要した際にも傍観者の立場にとどまるのであれば、それは日米同盟を毀損しかねないという警告を発し続けていた。一度目の首相任期中に試みていた安全保障改革に関する専門家パネルを、二度目の任期でもあらためて立ち上げ、その会議で現在の憲法解釈――自衛の権利のみを認める――のせいで日本は安全保障環境の悪化に対して備えがとれないという結論が固まった。この専門家パネルは集団的自衛権を一〇〇％認めるという方向を提言したのだが、安倍は自民党の連立パートナーである公明党や、内閣官房に法的助言を行う官僚からの反対を抑えるため、あくまで限定的な再解釈を推した。[5]こうして、密接な関係にある安全保障パートナーが攻撃を受けた際の支援を目的とした武力行使について、制限を設ける三要件が定められた。第一に日本の存立が脅かされている状況であること、第二に起きている危険を解決する適当な手段が他に存在しないこと、そして第三に必要最小限度の実力行使を行うことである。[6]

新たに成立した平和安全法制では、集団的自衛権の画期的な再解釈にとどまらず、「重要影響事態」で日本の安全保障が損なわれる恐れが生じた場合、その場で現に戦闘行為は起きていないことを条件に、自衛隊が支援活動（船舶検査や給油など）を行うことを認めている。密接な関係にある安全保障パートナー諸国〔訳注：平和安全法制で「米軍」ではなく「米軍等」と変更〕の軍用艦艇のための武器防護を含め、平時の活動も想定した。また、国連平和維持活動（ＰＫＯ）に自衛隊が参加することの効果を高めるため、民間人や、平和維持活動にかかわる要人を保護する目的での武器使用も認めた。[7]国会に提出された二件の法案――平和安全法制と総称される二つの法、「我が国及び国際社会の平和及び安全の確保に資するための自衛隊法等の一部を改正する法律」（平和安全法制整備法）と「国際平和共同対処事態に際して我が国が実施する諸外国の軍隊等に対する協力支援活動等に関する法律」（国際平和支援法）――のねらいは、日本の安全保障環境に対する課題が進化しつつある現状に対処するために、自衛隊の能力を拡充することにあった。併せて、危機における場当たり的な意思決定を避けると同時に、自衛権行使はあくまで防衛目的限定であることを強調し、自衛隊海外派遣には国会の承認を要することで民主的管理を徹底するというねらいがあった。

安全保障をめぐる大々的な法改正に対し、国会では激しい反対があり、国民からも反発が起きて、一九六〇年の安保闘争以来の大規模な抗議運動が発生した。[8] 反対派は「戦争法」と呼んで強く非難したが、最終的にこの政治的危機はなんとか収束を迎える。集団的自衛権の限定的行使は、日米同盟を相互防衛協定へと変質させたわけではない。自国の安全保障が脅かされていると認識される場合のみ同盟国の防衛を行う、と限定しているからだ。[9] それでも、この安全保障改革は、日米の安全保障の結びつきを新たな形で深化させた。具体的には、有事対策に向けた共同計画策定の幅が広がり、安全保障協力に関する地理的制約が解消されたほか、二〇一五年に改定された「日米防衛協力のための指針」において、同盟調整メカニズム（ＡＣＭ）の導入を通じて日米の相互運用性を拡大している。[10]

安倍は日米同盟にかなりの労力を注いだが、それが安倍が推し進めた安全保障改革のすべてではなかった。外交政策の装置をより巧みに連係させ、途上国における日本の戦略範囲を拡大することにも取り組んでいる。政府は二〇一五年に開発協力大綱を改定し、対外援助を積極的平和主義の戦略に統合した。平和、安定、普遍的価値観にもとづくルールベースの秩序に対するODAの貢献を強調して、経済協力を日本の国益と初めてはっきり結びつけてみせた。改定されたODA大綱では、災害救助、法執行、海上保安の促進といった非戦闘活動を目的として外国の部隊を援助できることになった。[11] 開かれ、安定し、威圧的でない地域秩序を守るために、国力のあらゆる装置を投入する必要性を、日本はこうして受け入れるようになっていった。

インド太平洋の形成

日本が地域における明確な政治的役割を避けていたのは昔の話だ。現在の外交政策は、日本の戦略空間を広げることをめざし、安全保障と外交関係の多層的ネットワークを追求している。それが具体的に表れた結果が、たとえばインド太平洋地域における海洋民主主義諸国間の深化した協力関係だ。南アジア諸国とのソフトな安全保障協力も整えた。インド太平洋という地域の青写真も描いた。さらに、域内諸国との安全保障および防衛面での紐帯、そしてレジデントパワー〔訳注：域外だが重要な利害関係をもつ国〕との同様の紐帯、その両方を拡充することで、安全保障の多元化も進めている。

海洋民主主義諸国の協力関係：クアッド1・0

アメリカ、日本、オーストラリア、インドによる戦略対話の枠組みは、そもそも、二〇〇四年の壊滅的なインド洋大津波〔訳注：スマトラ沖地震〕の救援活動のために組まれた協力関係が発端だ。安倍は数年後、四カ国に共通のアイデンティティ――航行の自由と法の支配を重視する海洋民主主義国家としての――があることを利用して、この結びつきをあらためて復活させようと考えた。リベラルな民主主義国家が「クアッド（四カ国）」として協議するという構想は、安倍が「自由と繁栄の弧」と銘打って先に掲げていた価値観ベースの外交政策と一致している。安倍は二〇〇七年八月のインド国会における演説で、インド洋と太平洋の交わりについて触れ、インドと日本が、アメリカやオーストラリアのような志を同じくする国々とともに、広くアジアに自由と繁栄をもたらすために協力すべき理由を語った。[12] 中国が軍事力を増強し、主張を強めていることが、地域の安定に対するストレス要因であるというのは四カ国も暗黙のうちに理解していた。

こうして二〇〇七年春に正式に設立したクアッドのもと、初期の取り組みとして合同海洋演習などが実施された（シンガポールも参加）。ただし、この「クアッド1・0」と呼ぶべき試みは早々に頓挫する。タンヴィ・マダンの論文が指摘するとおり、各国の国内政治の変化と、中国にかかわる利害のすり合わせ方法における温度差が原因だ。[13] 中国を疎外すれば、利益の多い経済関係性や、他の政治的課題（テロ対策など）での協力を手放すことになるという懸念があり、これがクアッドの足並みを乱した。[14] クアッドを最も強く支持していた安倍首相が二〇〇七年九月に唐突に辞任したことも打撃だった。二〇〇八年初めの豪中外相会談でオーストラリアが今後のクアッド会合に参加しない旨を表明し、「アジア民主主義諸国の弧」[15] の行き詰まりは明白になる。

参加国間の団結欠如は大きな障害だったが、このイニシアティブには他にも深刻な欠点があった。地域全体に訴求できていなかった点だ。東南アジアは以前からASEAN中心性を失墜させかねない外交構想には警戒心を示す傾向がある。また、クアッドにおける包摂性の欠如（地域にかかわる少数の民主主義国家だけで協力する）や、その主眼（中国の影響力に対抗するための安全保障協力を追求する）も、ASEANにとっては懸念の対象だった。[16]

しかし安倍は、アジアの平和と安全保障のためには海洋民主主義諸国のバランシング・コアリション（連合）が不可欠だとする考えをあきらめなかった。二〇一二年一二月に二度目の首相就任を果たすと、今度は「アジアのセキュリティダイヤモンド」という構想で、日本、アメリカ、オーストラリア、インドが「海の自由の守り手」の役割を果たすと呼びかけた。南シナ海が「北京の湖」と化し、東シナ海における頻繁な侵犯行為で中国が日本の行政権を損なうことを阻止せねばならない、という意図を示している。[17] ただし、クアッド1・0の頓挫で学んだ教訓が日本の外交政策に新たな指針を与えていたため、クアッド2・0において安倍政権が地域に対して示した青写真は、前回よりも広範囲で、より包摂性があり、多面的なものとなっていた。

日本の地域的リーダーシップの青写真

「自由で開かれたインド太平洋」（FOIP）というビジョンに至る道は、東南アジアへの外交関与強化とともに始まった。国家安全保障局初代局長の谷内正太郎の説明によれば、第二次安倍政権が始まって最初の七カ月間で、総理大臣の安倍、副総理の麻生太郎、そして外務大臣（当時）

の岸田文雄が分担して外遊を行い、東南アジアとオセアニアの国々をほぼ網羅する形で歴訪した。[18]そして二〇一六年にケニアで開催された第六回アフリカ開発会議（ＴＩＣＡＤ）での演説で、安倍首相がＦＯＩＰ構想を打ち出している。日本の戦略的水平線を拡大したいという安倍の思惑は、「日本は、太平洋とインド洋、アジアとアフリカの交わりを（……）自由と、法の支配、市場経済を重んじる場として育て、豊かにする責任をにないます」という発言にはっきりと表れていた。[19]中国を排除はせず、あくまで連結性の恩恵を広めることによって日本が国際的リーダーシップをとる、というねらいであったことは細谷雄一が指摘するとおりだ。[20]多様な国々との関係構築にあたり、そのための外交努力として民主主義を振りかざすことはせずに、代わりに法の支配の価値を強調した。また、経済および安全保障の協力関係の選択肢を増やして選択の自由を守ることの利点も強調した。

東南アジアから支持を得るべく、日本はふたたび自国の地域戦略の軌道修正を図ったのである。その点では四〇年前の福田ドクトリンと同じだが、提示したパッケージの中身は大きく異なっていた。経済関与を深化させただけでなく、そこに安全保障と防衛協力をはっきりと組み込んでいる。二〇一六年一一月に防衛省が発表した日ＡＳＥＡＮ防衛協力イニシアティブ「ビエンチャン・ビジョン」では、ＡＳＥＡＮ加盟諸国がそれぞれ自国の海空域の安全保障を守る能力を高められるよう、二〇〇〇年代以降の進歩を踏まえ、多様な能力構築支援（情報収集、警戒監視、偵察、災害救援、地雷処理、防衛装備品の移転、学術交流、共同訓練・演習など）を打ち出した。[21]日本にはさまざまな制約があり、またＡＳＥＡＮ諸国が積極的ではないことを踏まえて、ハード面でのバランシングを図るのではなく、コリー・ウォレスによる絶妙な表現を借りれば「安全保障のソフトインフラ」[22]を構築するというのが、こうした試みの目的だった。

インド太平洋というコンセプトは首尾よく着地した。さまざまな国が自国の地域戦略文書を系統立てるフレームワークとしてこれを採用している。[23]アメリカでもドナルド・トランプ政権がＦＯＩＰの旗印を受け入れた。ただしいくつか顕著な違いもあった。アメリカのイニシアティブには経済関与の柱が含まれず、明らかに対中戦略競争をベースとしていたからだ。米中どちらの側につくか選べ、とアメリカが地域に迫るのではないかという懸念から、ＡＳＥＡＮは二〇一九年に「インド太平洋に関するＡＳＥＡＮアウトルック」（ＡＯＩＰ）という独自の構想を示し、包摂性と経済的連結性を訴えるとともに、ＡＳＥＡＮ中心性を原則とする東アジアサミットのような地域プラットフォームの役割を強調した。[24]一方で日本自身のＦＯＩＰ構想も、ＡＳＥＡＮのセンシティブな懸念に同調し続けるために徐々に進化している。当初はＦＯＩＰを「戦略」としていたが、これを「ビジョン」に改め、さらにＦＯＩＰの重要な原則としてＡＳＥＡＮ中心性への支持を示した。[25]

二国間および多国間の安全保障パートナーシップ

この経緯に比べると、クアッド復活に向けた状況は、むしろ機が熟していたと言える。クアッド1・0が頓挫してからの一〇年間で中国の主張が激しくなり、四カ国にとってはあらためて結束すべき動機が強くなっていたからだ。中印国境問題、オーストラリアへの経済的威圧行為と国内政治干渉、南シナ海の広い領有権主張を無効とするハーグ常設仲裁裁判所の判決を拒否したこと、そして日本の領海における度重なる侵犯行為などを受けて、中国が地域に対して抱くねらいについて各国の懸念が高まっていた。こうして二〇一七年に再結成されたクアッドは、前回よりもはるかに強固な基盤のもとに築かれていた。参加国同士の二国間関係や三国間関係が一〇年前よりも深化していたからだ。たとえば日豪関係と日印関係は、安倍政権の一度目と二度目のあいだで大きく前進している。日本はこの二国だけと関係改善を図ったのではなく、これは、新たな安全保障パートナーシップ開拓をめざした大きな試みの一環だった[26](表11－1に整理した)。

新たなクアッドに対して中国は軽蔑したり(短命に終わるだろうと予言)、騒いだり(対中包囲のアジア版NATOと揶揄)と、さまざまな反応を示したが、どちらの批判も当を得ていない。クアッド2・0は相互防衛の誓いを伴う安全保障協定ではなく、地域の安定を守るための戦略的連携を可能にするメカニズムなのだ。この四カ国協力は二〇二一年以降、定期的な外相会合と年に一度の首脳会合を開催しながら発展しており、地域問題にプラグマティックな解決策を提供するという使命をいちだんと明確に実践している。新型コロナウイルスのワクチン、インフラ、気候変動、サプライチェーンの強靭性、新興技術に関するワーキンググループの立ち上げなどがその例だ。公共財の提供者としてのクアッドの役割は、東南アジアで肯定的に評価されている。ISEASユソフ・イシャク研究所による二〇二一年の調査では、回答者の五九％が、プラグマティックな連携を通じたクアッドの強化は地域にとってのプラスの発展であるという認識を示した[27]。

クアッドが進化を続ける一方で、経済的連結および安全保障能力開発の面で日本が掲げるFOIP構想も、東南アジアで好意的に受け止められていった。ISEASが東南アジアのエリートを対象に実施した意見調査でも[28]、「世界の平和、安全保障、繁栄、ガバナンスに貢献する正しい行動をしている」というランキングにおいて、四年間にわたり、日本は最も信頼できる国として評価を得ていた[29]。同調査に応じたエリートたちは、地域に対する経済的および戦略的影響力が最大なのはアメリカと中国だと見てはいるが、この二大大国に対する信頼度のスコアは低く、特に中国に対してその傾向が強い[30]。むしろ回答者たちは、米中の戦略的対立へのASEANのリスクヘッジを助ける国として、地域の「好ましいパートナー、戦略的パートナー」は日本であると答えた[31]。

いくつもの二国間安全保障パートナーシップを深化させ、インド太平洋の民主主義諸国との協調的取り組みにも成功している中でも、一つ見逃せない例外があった。韓国だ。地理的にはきわめて密接な近隣国である韓国と日本とのあいだには、安全保障上の紐帯が際立って発展していない（表11－1参照）。第二次世界大戦中に「従軍慰安婦」に対して行われた性的搾取や強制労働について歴史的悪感情が未解消である点や、竹島／独島をめぐる領土紛争、それから朝鮮半島植民地時代の残虐行為について日本が提示した謝罪の誠実性について意見の一致が見られていない点などが、今も日韓関係に長い影を落としている。だが、現在のダイナミクスを理解するにあたっては、そうした経緯がどのような国内政治とともに起きてきたかも理解する必要がある。日韓は一九六五年に国交正常化を迎えたが、日韓請求権協定で強制労働者に対する補償が支払われた

フランス	ベトナム	フィリピン	韓国
あり 2013年に「特別なパートナーシップ」として格上げ	あり、2009年 2014年に「アジアの平和と安定のための広範な戦略的パートナーシップ」として格上げ	あり、2011年	なし
あり 2014年	なし	あり 2022年4月	なし
あり 2018年締結、 2019年発効	なし	なし ACSA実現について協議	なし
あり 2015年締結、 2016年発効	あり 2021年	あり 2016年	なし
あり、 情報保護協定 （ISA）	なし	なし	あり、 秘密軍事情報保護協定（GSOMIA）
2011年			2016年
二国間共同訓練あり	二国間共同訓練あり	二国間共同訓練あり	二国間共同訓練なし
多国間共同訓練あり（日仏豪米、日仏米、日EUなど）	多国間共同訓練あり	多国間共同訓練あり（日米比、日米印比など）	多国間共同訓練あり（日米韓など）
なし 日仏部隊間協力円滑化協定の実現性について協議	なし	なし 日比部隊間協力円滑化協定の実現性について協議	なし

表11-1　日本の安全保障の多元化

パートナーシップのタイプ	オーストラリア	インド	イギリス
戦略的パートナーシップの宣言	あり、2007年 2014年に「特別な戦略的パートナーシップ」として格上げ	あり、2006年 2014年に「特別戦略的グローバル・パートナーシップ」として格上げ。翌年に「日印ヴィジョン2025 特別戦略的グローバル・パートナーシップ　インド太平洋地域と世界の平和と繁栄のための協働」を発表。	あり 2017年
2+2協議メカニズム	あり 2007年	あり 2019年	あり 2015年
物品役務相互提供協定（ACSA）	あり 2010年締結、2013年発効。新協定が2017年に発効	あり 2021年	あり 2017年
防衛装備品・技術移転協定	あり 2014年	あり 2016年	あり 2013年
情報保護協定（ISA、GSOIA、GSOMIA）	あり、 情報保護協定 （ISA）	あり、 秘密軍事情報 保護協定	あり、 情報保護協定 （ISA）
	2012年	2015年	2014年
二国／多国間共同軍事演習	二国間共同訓練あり、2009年から定期的に実施	二国間共同訓練あり	二国間共同訓練あり
	多国間共同訓練あり（日米豪など）	多国間共同訓練あり（日印米およびクアッドのマラバール演習など）	多国間共同訓練あり（日豪英米など）
訪問軍協定	あり 日豪部隊間協力円滑化協定、2022年締結、2023年発効	なし	あり 日英部隊間協力円滑化協定、2023年

出所：Wilhelm Vosse and Paul Midford, eds., *Japan's New Security Partnerships: Beyond the Security Alliance* (Manchester, UK: Manchester University Press, 2018); 日本の外務省および防衛省、ならびに上記に挙げたパートナー国の当該機関。

かどうか、従軍慰安婦には支払われなかったかどうかとは別に、被害者の声がいっそう強まっていった理由には、韓国がその後に民主化を迎えたという経緯があった。また、日本において安倍が初期に「従軍慰安婦」の仕組みに対する日本軍の直接的関与を否定する発言をし、二度目の政権中にも一九九三年になされた河野談話（当時の内閣官房長官の河野洋平が「おわびと反省」を示した）の背景に疑問を呈したことが、不信感を植えつけた。(32) さらに韓国で政治的分極化が進み、ある政権が日本と何らかの節目になる合意に達しても、次の政権がそれを覆すという状況が見られ、これが二国関係に持続性のある改善をもたらすにあたっての壁となっている。

安倍首相と朴槿恵（パク・クネ）大統領が二〇一五年に成立させた「慰安婦問題日韓合意」は重要なブレイクスルーだった。この合意では日本政府がおわびを表明し、被害者補償のために新設立された財団に一〇億円を拠出することとしている。ところが、のちに大統領となった文在寅（ムン・ジェイン）が二〇一八年に財団を解散させ、合意を骨抜きにした。(33) 同年秋には韓国の最高裁が戦時中の強制労働被害者の賠償請求を認め、韓国に拠点を置く日本企業数社の資産を没収させるよう命じたことで、日韓関係はいっそう悪化した。資産没収が実行されれば、それは日本政府にとっては越えてはならない一線であり、過去に二国関係修復のために結んだ国交正常化の合意に違反するとみなされる。この影響は経済や安全保障の領域にもおよび、二〇一九年七月に日本が先端化学物質の韓国向け輸出への規制強化を行うと、相互に相手を輸出優遇措置対象国から外しあう事態に発展した。韓国政府は「日韓秘密軍事情報保護協定」（ＧＳＯＭＩＡ）の破棄を検討してみせた（実行はしなかった）。危険の高まるアジア地域において、日韓はともに民主主義国であり、ともにアメリカの同盟国であり、ともに先進技術を有する大国であるというのに、利害関係の一致を活かすことができていないのだから、この状況では誰も得をしていない。

中国という問題

中国が超大国の座に台頭してきたことは、日本に経済的機会をもたらし、また深刻な安全保障上の課題をもたらしている。中国経済の急成長（数十年にわたる日本からの経済援助と、日本企業からの莫大な投資に支えられて）と、パンデミック前の訪日中国人観光客の流入は、日本の経済成長にとっての重大な刺激であり、日本のサプライチェーンにおけるコスト最小化の取り組みを成り立たせるかなめでもある。中国は日本の貿易相手国第一位となったし、日本は中国市場に対する外国投資家として第一位だ[34]。

中国の経済的および軍事的パワーが急激に増大するにつれ、世界と地域の事象に対して影響力をもとうとする野望も大きく拡大した。中国は第二次世界大戦後の多国間体制で長らく恩恵を受けている立場なので、そこから完全に身を引くことはめざしていない。あくまでその体制内での影響力を高めることが目的だ。貿易、開発、金融に関連するさまざまな国連機関やブレトンウッズ体制内で実権を広げるためのキャンペーンを展開している様子にも、そのねらいが見てとれる。国際ガバナンスの変革を通じた影響力の追求として、アジアインフラ投資銀行（ＡＩＩＢ）を設立するなどの制度的革新のほか[35]、ＢＲＩＣＳ（ブラジル、ロシア、インド、中国、南アフリカ）

などでグループを立ち上げる高度な政治外交・経済外交も駆使している。しかし中国の改革主義は、増長する歴史修正主義も伴っている。中国政府は、自国の国力および威信の足を引っ張るとみなす規範や体制（アメリカとの同盟、航行の自由、人権保護など）の弱体化を望み[36]、グレーゾーンの圧力を加える作戦や経済的威圧行為、近隣諸国の領海・領土・領空に関する一方的な主張、他国の国内政治問題への干渉などを行うことで、過去の警告を無視して、いっそう直接的にルールベースの秩序を否定する行動に出ている。

アジアの支配国たらんとする中国のキャンペーン活動は、日本の重要な国益を損なう可能性がある。中国の勢力圏が形成されれば、日本の安全の保証人であるアメリカが地域秩序から疎外されていくと考えられるからだ。第一列島線（日本の南西側から台湾とフィリピンまで）を越えて軍事力を投射でき、東シナ海、南シナ海、インド洋の戦略的海上交通路を制御できる力を中国政府がもつことで、日本は自国の防衛という点でも、重要な経済活動の維持という点でも、脆弱な立場に置かれる[37]。経済的魅力と安全保障上の脅威、その両面において、中国と、同国がつきつけるさまざまな問題は、日本の戦略立案者にとっては強く神経をとがらせる対象だ。

中国が自国のパワーをどのように行使するか――特に近隣諸国に対して――が状況を不安定にすることを、日本はよく知っている。序章でも示唆したとおり、日本は他国がぶつかるであろう問題に先駆けて直面してきた「最前線国家」であるからだ。中国への警戒心は米中関係が決定的に対立を深める前から見られていた。元駐米大使の佐々江賢一郎は『エコノミスト』誌のインタビューに応え、二〇一〇年と二〇一二年に尖閣諸島をめぐる緊張が急速に高まったあとに「私たちは米国に警告した。これは日中間の小さな問題として片付けられるものではなく、この地域で大国が育ちつつある兆しだと」と語っている。[38] 中国が二〇一三年一一月、東シナ海の上空に「防空識別圏」（ADIZ）設置を宣言した際には、さらなるエスカレートを予期させるものとして、日米は強く抗議した。[39] 高官レベルの日中政治対話は事実上何年も凍結されてきたし、双方の船舶や航空機がきわめて近い位置で運航しているというのに、海や空での偶発的衝突を避ける通信メカニズム設置の取り組みも遅れている。二〇一八年半ばには一応の合意に達したが、導入には至らなかった。[40]

一方、別の面ではこの頃に二国関係の雪解けが見られている。日中どちらも、地域に対する相手国の青写真（日本のFOIP、中国のBRI）を是認する構えこそなかったものの、第三国市場で日中の民間企業による協業を推進していくという点では意見が一致し、実際に約五〇件の了解覚書に署名した。覚書に提示された共同プロジェクトの大半は実施されなかったのだが、二国関係の安定を望む共通の意図が見てとれる。[41] 首脳陣の訪日・訪中も再開し、二〇一八年五月には中国国務院総理の李克強（リー・クォーチャン）が日本を訪れ（中国の総理による訪日は八年ぶり）、安倍首相も同年秋に中国を訪れた（日本のリーダーの訪中は七年ぶり）。二〇二〇年には習近平国家主席が訪日する計画があったが、新型コロナウイルスの感染拡大により中止になった。

二国間の空気が多少やわらいだのは、領土紛争が解決したからというわけではない。中国は日本の行政権に挑みかかるグレーゾーン作戦を続けていたし、日本も海上保安能力の増強や遠隔諸島の保護計画などに力を入れ続けている。信頼のレベルが上がったというわけでもない。日本の世論は引き続き中国の意図に対して懐疑的で、二〇二一年の調査では回答者の八八％が中国に対して否定的な見解を示した（同年の調査対象となった先進経済圏一七カ国の中で最も高い数値[42]）。むしろ、この慎重に調整された関係回復は、厄介な問題が日中関係全体を決定づけることを防ぐため、問題を脇に置いて切り分けておくという、以前からの慣例に沿ったものだった。米中の亀裂が広がる一方であることを熟慮した中国政府が、より融和的な対日アプローチをとったという要素もあった。

中国問題に対する同盟国間協力の紆余曲折

戦術としての関係回復が進む一方で、中国の軍事力増強と威圧外交は、やはり日本にとって最重要の懸念事項である。効果的に解決するためにはアメリカとの連携が不可欠だ。だが、中国という課題に対する日米連携の道のりは順調とは言いがたい。

はたしてアメリカは有効なアジア戦略と対中方針を編み出すことができるのか――これは第二次安倍政権を通して厳然と立ちはだかっていた不安だった。バラク・オバマ大統領が大言壮語で打ち出した「アジア回帰戦略」は、予算をめぐる攻防戦で防衛支出が制限されたせいでほとんど実現しなかったし、深刻な分極化が進んだアメリカでレームダック期を迎えた大統領はＴＰＰ批准にもちこむことができなかった。日本政府から見たオバマ政権は、中国の膨張主義を抑制できると確信させる存在ではなかった。中国が東シナ海にＡＤＩＺを宣言したあと、アメリカは激しい反応を示し、Ｂ52爆撃機二機を当該海域上空に飛行させたりもしたのだが、南シナ海で中国が軍事拠点を建設したときのアメリカの反応は、中国の戦略的進歩に照らせば生ぬるいものだった。[43]現状維持に一方的な挑戦を繰り返す中国を抑止できない、または罰することができないアメリカに対し、日本政府では大きな懸念が広がっていった。[44]

アメリカの国内政治はアジアの未来を大きく振り回した。二〇一六年一一月の大統領選でドナルド・トランプが勝利したことも、その一要素だ。トランプ政権はアメリカが結んできた多くの戦略的パートナーシップにひびを入れている。ただし日米関係は別だ。トランプ政権が二〇一七年の国家安全保障戦略で中国を歴史修正主義の国と評したことや、FOIP構想を支持したことは、中国の歴史修正主義に対抗する決意が強まった表れとして、またアメリカのアジア政策形成に日本政府が影響をおよぼしている証拠として、日本政府は好感をもって受け止めた。気まぐれなアメリカ大統領をハンドリングすべく、安倍首相は個人外交に力を入れ、バランスのとれた二国間関係の具体的証拠として日本の投資や武器購入をアピールした。

しかし、トランプ政権の「アメリカ・ファースト」の外交政策は一国主義と孤立主義の傾向を反映しており、これが日本にとって不都合だった。トランプのさまざまな行動――TPPを離脱し、他の同盟諸国の神経を逆なでし、米軍が駐留する接受国に莫大な経費負担を求めて（日本に対しては在日米軍のための経費負担を四倍に増額するよう要求）韓国とドイツからの米軍撤退をちらつかせ、日本を含む同盟国や友好国に対して「国家安全保障」を理由とした関税引き上げをつきつける――は日米同盟を弱体化させた。アメリカがもつ影響力も損ない、中国に対抗するための同志国間の連係を阻害した。

アメリカと同盟する各国は中国との競争と協調の適切な組み合わせを模索し、それが対中政策における足並みにばらつきを生じさせている。トランプ政権は、さまざまな政策領域全般における中国の行動を一方的に排除するという意図で、対中競争全体にゼロサム型フレームワークを採用。この競争を理念的な大国間競争として位置づけた[45]。安倍は対中競争における日本の手札を強くすることを意図しつつも、その一方で安定回復をめざし、選択的な競争と協力を追求した。実際に安倍政権は、アメリカおよび同志諸国との紐帯を深めつつ、中国への過度な経済的依存の低減を図ることで、対外バランシングの強化を進めている。中国と競うための先手を打ったエコノミック・ステートクラフトとして、アジア地域に積極的に融資を行い、中国とは異なる地域統合モデルを推進した。それと同時に、摩擦を低減して対中外交関係を安定させることをめざし、気候変動や域内貿易のような領域で協力する余地を残した[46]。だが、日中関係の対立の余波は、安倍政権末期に向けていっそう顕著に広がっていく。中国が尖閣諸島周辺で過去の記録を塗り替える頻度での領海侵犯を行い、台湾への圧力を激化し、香港と新疆ウイグル自治区で人権蹂躙行為を行い、武漢で始まった新型コロナウイルスの世界的感染拡大にも不適切な対応をしたことは、二国関係のひずみを深めた。

日本の安全保障改革を引き続き阻むもの

安倍の安全保障改革は、意思決定の仕組みを整理し、情報共有のあり方を改善し、日本が全体として取り組む安全保障目標を明示して、日本の外交政策能力を高めた。特定の条件のもとで集団的自衛権行使を認める重要な平和安全法制が成立したことで、より踏み込んだ戦略立案と相互運用が可能になり、日米同盟は深化した。ＦＯＩＰやクアッドのような外交イニシアティブは日本の国際的ステイタスを格上げし、他国が展開する地域戦略の枠組みともなり、海洋民主主義諸国を動員して地域に公共財を提供させた。東南アジアへのはたらきかけでは安全保障のソフト面を整え、域内外の諸国と日本との安全保障の紐帯を深めた。第二次安倍政権の先手を打ったエコノミック・ステートクラフトと、新たに生み出した安全保障ネットワークにおける役割が、中国に関して日本の立場をいくらか有利にした。これが中国の「戦狼外交」の最悪の部分から免れさせたことは、何忆南（ヘ・イーナン）教授が指摘するとおりである。[47]

しかし、安倍は自身が最も切望していた目標のいくつかを達成できなかった。憲法改正と、ロシアとの平和条約締結だ。[48]安倍が二度目の政権で追求した憲法第九条改正は、自民党の連立パートナーである公明党が安全保障政策に対する全面的な改変を受け入れられない点に考慮したことも一因で、より控えめなものとなった。[49]安倍が提案した改定内容は、自衛隊の合憲性を明示する語句を付け加えるだけにとどまっていたが、それでも国民のさまざまな層がその意図に対する不信感を示し、改憲反対の声が広がった。[50]ロシアに関しては、粘り強くウラジーミル・プーチン大統領の機嫌をとり、領土問題の対象となっている北方四島（ロシアから見れば南クリル諸島）についても、平和条約をまとめるために二島のみの返還を受け入れるつもりがあったと報道されているが、これらのはたらきかけも実を結ばなかった。[51]

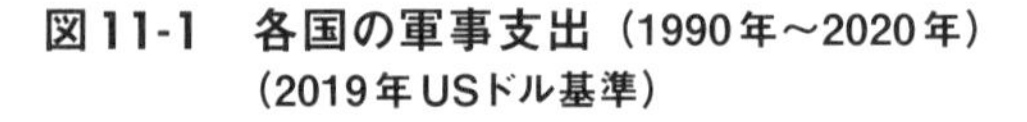

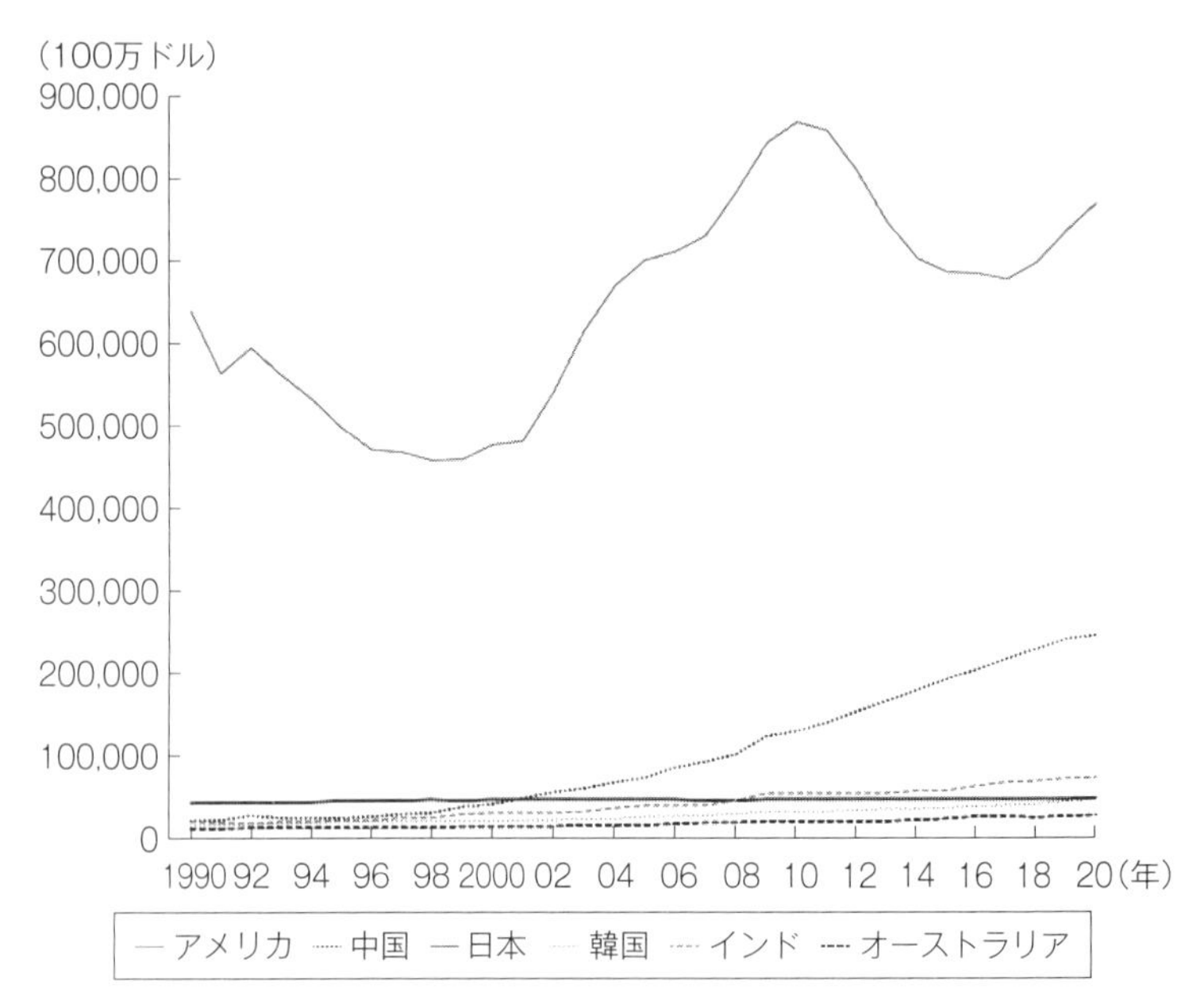

出所：Stockholm International Peace Research Institute (SIPRI), SIPRI Military Expenditure Database, www.sipri.org/databases/milex.（2022年2月11日アクセス）

防衛・安全保障政策の他の領域も、驚くほどに昔のままだ。安全保障環境の悪化が進んでいるにもかかわらず、日本の防衛支出は過去三〇年間横ばいだった（図11－1参照）。安倍は防衛予算増額を少しずつ進めはしたが、それもGDPの一％未満という昔からの慣例内にとどまっている。[52] この控えめな増額では、他国との逆転を食い止めることはできなかった。中国の軍事支出は二一世紀初めに日本を追い越し、それ以降、二国の差は開く一方である。二〇〇〇年代後半にはインドも日本を追い越し、さらに最近では韓国が日本に追いついた。重要な点として、これらの国々はいずれも武力行使の権限や、戦力投射能力の開発や、認可される海外軍事作戦の種類といった点で、日本と同様の制約を抱えていない。安全保障専門家のジェフリー・ホーナンとマイク・モチヅキが共著論文において、日本の安全保障例外主義は安倍による改革後も引き続き残っていると述べたのは、まさに正鵠を射た指摘である[53]。

故安倍首相が日本の外交政策を変革したことは確かだ。第二次安倍政権において、日本は望ましい地域秩序の明確なビジョンを備えた、アメリカの戦略的パートナー国として自国を位置づけることができた。安倍のもとで国家安全保障にかかわる意思決定の仕組みが改善され、経済および安全保障におけるパートナーシップのネットワークが拡大した。後続の首相たちはこれを活用していくこととなったのである。

第12章

「万人の万人に対する闘争」が広がる世界で、その手綱をとれるか

Taming a Hobbesian World?

より先鋭的な安全保障への取り組み

ポスト安倍晋三時代の日本に戦略的撤退の兆候は見られない。むしろその正反対のようだ。厳しさを増す国際環境――ヨーロッパでの戦争と、アジアの長い平和が終焉を迎える可能性（起きるとすればおそらく台湾有事を通じて）――に直面する今、日本の防衛構造の見直しはいっそう喫緊性を帯びている。選挙では国家安全保障に関する議論が争点となり、防衛予算増額や、防衛・攻撃能力の境界線が曖昧になる軍事装備品保有の計画について、世論も後ろ向きではなくなってきている。

日本は今、国家安全保障戦略（ＮＳＳ）をはじめとする防衛・安全保障の戦略文書を改定しな

がら、これから先の未来をいかようにも左右しうる局面に立つ。日本のポジショニング修正、すなわち戦略的リポジショニングの背景にあるのは、三方向（中国、ロシア、北朝鮮）からの圧力による脅威認識の高まりや、防御線周辺国の軍事力が増強し抑止態勢の効果が薄れている事実だ。これらの問題を解決することは、日米同盟にとっても重大な課題である。岸田首相は「新時代リアリズム外交」を打ち出し、「自由で開かれたインド太平洋」（ＦＯＩＰ）構想およびクアッドを中心としていく旨を再確認したが、それと同時に、ロシアのウクライナ侵攻に対抗するＧ７の取り組みに前例のない規模の懲罰的措置で参加することで、日本の外交活動の範囲を広げている。

変化が起きていることは疑いようもない。しかし、その一方で変化せず継続する部分があることも、また疑いようもなく事実である。防衛支出拡大の推進は、新型コロナウイルスの救済策や社会経済再生アジェンダのニーズとぶつかり、鈍化すると考えられる。アジアの平和に迫る脅威の増大、そしてヨーロッパにおける紛争の影響に対応していかなければならない状況で、集団的自衛権の発動、台湾とのあいだに継続している非公式な関係、自衛隊の海外戦闘行為に関して国民が今も抱く強い嫌悪感など、ハードルの高いさまざまな問題が政府の対応を難しくする。

危険な時代

新型コロナウイルスの災禍は続いている。多くの命が失われ、経済が停止しただけでなく、国民の健康危機緩和のための連携した国際対応を阻む地政学的断層も浮き彫りになった。[1] 諸大国における国内政治の変化も懸念をつのらせる要因だ。前アメリカ大統領ドナルド・トランプが二〇二〇年の大統領選での敗北を認めることができず、それが引き金となって二〇二一年一月六日に過激な暴動が発生し、国会議事堂での平和的な権力移譲を阻むという出来事が起きたことを考えれば、アメリカの民主主義の運命にもいまや疑問がある。中国では習近平国家主席のもとでの独裁制の弱点がしだいにあらわになっているが、国内で生じる異論は容赦なく叩きつぶされている。習の長期的なゼロコロナ政策や、その後の経済活動再開における不手際で、中国の社会および経済には甚大なコストが生じ、世界の経済成長も脅かした。一方で習政権下の中国は核、ミサイル、極超音速兵器を大量にそろえるペースに拍車をかけており、これはアメリカおよびその同盟諸国による抑止を深刻に損なう可能性がある。[2]

域内軍拡競争への懸念をいや増しているのが、北朝鮮からの脅威の増大だ。金正恩（キム・ジョンウン）を指導者とする北朝鮮の政権は二〇二二年に八六発ものミサイル発射実験を実施しており——大陸間弾道ミサイルだと思われる発射もあり、一発が日本の領海に届いた——核兵器実験再開の準備も整っていると見られている。[3] また、中国とロシアが距離を縮めることを日本の戦略立案関係者たちは長年懸念してきたが、それがいっそう差し迫って現実味をもち始めた。二国は二〇二二年二月四日に共同声明を発表。北大西洋条約機構（ＮＡＴＯ）拡大反対における団結、ヨーロッパの安全保障についてロシア側が提案する法的拘束力を持った保証への支持、「アジア太平洋地域における閉鎖的なブロック構造および反対陣営の形成」への拒否、そしてアメリカのインド太平洋戦略は不安定をもたらす要因であるという認識に言及して、中ロそれぞれが近隣諸国に対して掲げる戦略的目標を互いにサポートしあう「限界のない」友好関係を強調した。[4] ロシア大統領ウラジーミル・プーチンがその三週間後に開始したウクライナ侵攻は、ソ連崩壊後の運命に対するプーチンの根深い個人的怨恨と、ソ連の一部だった国々の完全な国家主権を認めることへの拒否、そして冷戦後のヨーロッパの秩序を新たに引き直したいという野望に突き動かされたものだった。[5]

東アジアにおけるウクライナの影響

ロシアの軍事侵略に対し、岸田首相はきわめて強く、前例のない反応を示した。岸田は安倍が積み上げてきたロシア外交を棚上げしている。安倍首相の外交および経済関与の政策では、領土紛争の合意に至るという点でも、ロシアと中国に距離をとらせ続けるという点でも限界があることは、ロシアの戦車がウクライナ国境を越えるよりもずっと前から明白になっていた。ロシアが二〇二〇年の憲法改正で外国への領土割譲を禁じたこと、二〇二二年二月の共同声明をもたらすに至る中ロ関係の親密化が進んでいたことも、日ロ外交の限界を裏付けていた。ロシアが二〇一四年にクリミア併合を試みた際、日本の反応が生ぬるいものだったのとは対照的に、岸田政権は今回の軍事侵攻を強く非難し、過去に例を見ない規模での懲罰的措置をとる国際的なはたらきかけに全面的に参加した。

日本政府の行動は迅速だった。プーチンとその関係者たちの資産を凍結し、ロシア中央銀行との取引を制限し、ロシアの銀行数行を国際銀行間通信協会（SWIFT）から排除し、新規投資を禁止し、ロシアの貿易最恵国待遇を撤回し、ハイテク部品や機械を含む多数の製品について厳しい輸出規制を敷いた。[6] エネルギー安全保障にかかわる懸念に考慮して、サハリンの石油・液化天然ガス（LNG）事業からの撤退はしない判断をしたが、ロシア産石炭の禁輸と、石油輸入の段階的禁止を宣言した。また、戦争開始から数カ月間でウクライナ人道支援として八〇〇〇万ドルを拠出したほか、ウクライナ援助のための二つの異例な措置をとった。現に戦争状態にある国に防衛装備品（殺傷能力のないもの）を送ったことと、紛争からの避難を望む難民を受け入れたことで、後者については二〇二二年半ばまでに一三〇〇人以上のウクライナ人を入国させた。[7] 重要な点として、日本国民は岸田の前向きなアプローチを支持した。日本経済新聞による二〇二二年春の世論調査では、回答者の六〇％がウクライナ危機への政府対応を肯定的に評価している。制裁措置が適切だとみなす回答者は四四％、さらに拡大すべきだと答えた回答者は四二％だった。[8] 二〇二三年三月には岸田首相がゼレンスキー大統領と対面するためにキーウを電撃訪問している。時の総理大臣が戦争地帯を訪問することは例がなく、現代日本に刻まれる新たなマイルストーンだった。

プーチンの本格的なウクライナ侵攻に断固たる対応をとるにあたり、岸田首相は、この出来事をインド太平洋における平和擁護と直接的に結びつけて語っている。「ウクライナは明日の東アジアかもしれない」と述べ、台湾海峡の安定を維持するためにも、武力による現状維持の一方的変更には毅然とした態度が必要だと訴えた。[9] 二〇二二年八月にアメリカ連邦下院議会議長ナンシー・ペロシが台湾を訪問したことに対し、中国が台湾への制裁として多くの威圧措置（台湾周辺での実弾射撃を伴う軍事演習、サイバー攻撃、禁輸など）をとったことからも、台湾海峡に対する有事計画実現への懸念は深まっている。アジアの長期平和の終焉、特に台湾に対する中国の軍事的支配のリスク増大は、日米同盟にとって今の優先的課題である。

地域安全保障の補強

アメリカはジョー・バイデン大統領のもと、諸国との同盟関係修復に取り組むとともに、「米英豪三国間安全保障パートナーシップ」（ＡＵＫＵＳ）[10]や「インド太平洋経済枠組み」（ＩＰＥＦ）のような少数国間で結成する安全保障・経済協力という新たな場の創出に乗り出した。ヨーロッパのウクライナ危機に注意を向けたり、中国をアメリカの国家安全保障に対する「常に迫りかかってくる脅威（ペーシング・チャレンジ）」と表現したりしながらも、インド太平洋を重視する姿勢は捨てていない。バイデンのインド太平洋戦略は、その中心的目標を中国ではなく、あくまで国際環境の改善を図ることとして、その中で中国の威圧行為を抑制していくと定めている。[11]この目標は同志国同士の協調的な取り組みがあって初めて実現可能であり、中でも日本はアメリカにとって最も代えがたい同志国としての存在感を高め続けている。第一列島線に位置するという地理的ポジション、インド太平洋地域で最大規模のアメリカ軍を駐留させる接受国としての役割、高度な技術力、地域の経済および安全保障インフラの中心にいる立場に鑑みれば、日本はアメリカのアジア戦略の成功に欠かせない国だ。

安倍の後任となった菅首相および岸田首相は、いずれもアメリカ大統領との共同声明において地域秩序に対する中国の破壊的行動をはっきりと糾弾し、台湾海峡の安定の重要性を強調した。中国の武力による台湾併合を抑止する――そして、もしもそのような政治的判断が下されたときには、台湾を防衛する――ことができるかどうかは、日米同盟の本気度を試すテストとなるだろう。中国がよりパワフルになり、主張を強めていることからも、中国が台湾の軍事支配に乗り出すという懸念は以前よりも強まっている。リチャード・ブッシュの指摘によれば、中国政府は今のところ暴力を伴わない威圧戦略を選び、台湾政府は自国を守れるという信頼を台湾の人々が抱けなくなることをねらっている。[12] ただし威圧行為は過激さを強めるばかりだ。台湾独立は中国政府にとって越えてはならない一線なのである。その一方で、軍を動かすという選択肢――特に、台湾側が先に仕掛けていない状況で――は、アメリカの優位性を消すことができるとしても、中国にとってもリスクが高い。安全保障政策研究者マイケル・オハンロンのシミュレーションでは、中国による海上封鎖の結果は予測できない。[13]

アメリカでは、数十年にわたり続いてきた政策の戦略的曖昧性（台湾防衛に関する役割を肯定も否定もしない）に決別を求める声が大きくなっている。日本では、故安倍首相や、元防衛大臣の岸信夫（のちに内閣総理大臣補佐官となった）など、影響力をもつ政治家や政策立案者の一部が、台湾の安全保障を日本の安全保障とはっきり結びつける発言をしている。[14] だが、日米ともに公式な政策は変わらず、戦略的曖昧性のロジックは今も揺るがない。二国とも、中国が台湾に関する意思を武力行使で通そうとすることは抑止しつつも、武力紛争の引き金となりうる法的独立を台湾が宣言することも推奨しないという戦略を選んでいる。それでも日米は起こりうる台湾有事に備えようとはしているのだが、台湾との結びつきが二国で異なる点や、有事のきっかけとなる出来事がどう起きるかでそれぞれの対応が大きく変わってくる点、また、多くの危機シナリオへの対応を練る以前に片付けるべき問題が多く残っている点も理解しなければならない。

アダム・リッフが述べているとおり、日台関係は深く多面的で、国民の行き来も活発、経済的紐帯も強固だが、安全保障と防衛の紐帯は発達していない。アメリカの「台湾関係法」に相当する法律が日本にはなく、台湾との相互防衛協定に向けて進んだこともなく、台湾に軍事装備品を提供したこともない。[15] 中国が軍事力に関してどのような選択をするか、それが日本の決定を大きく左右する――それだけで決まるわけではないが――だろう。仮に在日米軍基地や尖閣諸島への攻撃があれば、自衛権のもと、即座に日本は関与する立場となる。また、日本周辺で米中の軍事的関与が発生すれば、日本政府はそれを「重要影響事態」とみなし、輸送・後方支援や情報収集と警戒監視の提供を行う間接的役割を果たすべきと認識するかもしれないし、あるいは、日本自身の存立を脅かす事態とみなし、集団的自衛権と自衛隊の戦力投入を発動すべきものと認識することになるかもしれない。[16] 長期平和を守れるかどうか、そこにかかっている利害の大きさと、犠牲者を伴う戦争の予測不可能性に鑑みると、抑止力を強化し、発動しうる防衛シナリオの種類を増やしておくことが、日米同盟にとって絶対の重要事項と言える。

もう一つ別の域内危険地帯――朝鮮半島――も懸念増大の対象だ。北朝鮮の見境ない核およびミサイル開発プログラムは地域安定に対する多大な脅威であり、日米韓の連携を深めるべき強い動機となっている。二〇二二年五月に尹錫悦（ユン・ソンニョル）が韓国大統領に就任してから、三国間外交のテンポは目に見えてスピードアップした。北朝鮮の脅威を解決する必要性に促されてのことだが、同時に、大韓民国の外交政策がインド太平洋寄りになりつつある中で、日本との関係改善が尹大統領にとっての優先事項となってきたからでもある。特筆すべき進展は、アメリカ、日本、韓国が二〇二二年一一月にカンボジアの首都プノンペンで開催された東アジア首脳会議で「インド太平洋における三か国パートナーシップに関するプノンペン声明」を発表したことだ。北朝鮮の核およびミサイルによる挑発行為、台湾海峡の安定、中国の経済的威圧行為といった地域の重要課題の解決に対し、この三カ国が共通の目的意識をもっていることを強調した(17)。

この日米韓パートナーシップのビジョンは、しかし、日韓の歩み寄りなしには実現しえない。尹大統領は二〇二三年三月に、勇気ある行動として、韓国企業による第三者弁済として国内の既存財団から強制労働被害者への賠償金を支払うという計画を示した。日本企業からの支払いもあくまで自主的な行動として期待するとしている。日本政府は交渉に際して警戒心を崩さず、公式謝罪が過去にあったことを強調したうえで、日本の民間セクターからの自発的な貢献には反対しないと述べた。この元徴用工賠償案が報じられた直後に二国間サミットが実現し、韓国のリーダーが一二年ぶりに日本を訪れた。岸田と尹はこのときの会談を利用して、二国間関係が正常化していることの利点を強調した。両国首脳の定期的な訪問を伴う日韓シャトル外交再開を宣言し、防衛情報共有と経済安全保障のための新たな協議立ち上げを決め、双方の経済団体が若手人材交流を促進していくことも取り決められた。加えて、日本は半導体グレード溶剤の輸出規制を解除し、韓国はそれについてのWTOへの提訴を取り下げた。

ただし、尹が打ち出した元徴用工賠償パッケージは自国内ではあまり評価されていない。ある世論調査では回答者の五六％が反対を示した。野党は韓国政府が一方的な譲歩をしたと糾弾している。[18] ここで日本がさらに一押しの勇気ある行動を起こせば――たとえば歴史和解に関する共同声明を通じて、もしくは、韓国の当該財団へビジネス界（個々の企業ではないにしても）からの寄付などを通じて――この重要な進歩が根を下ろす確率も高められるだろう。ここには岸田にとって、日本のネットワーク外交を大きく前進させるチャンスがある。

安全保障革命に迫る

現在の地政学的局面に向き合い、日本が世界に果たす役割をどう微調整していくか――この国家的政治議論の中心にあるのが、日本の防衛構造である。岸田は自民党内のリベラルな派閥、宏池会（吉田ドクトリンの伝統と長く結びつけられてきた）のメンバーとして、外交政策ではハト派と知られてきたのだが、二〇二一年秋の総裁選に出馬するにあたり、安全保障に関する強気な姿勢を示して大きな驚きを呼んだ。自民党総裁選候補者の討論会では、防衛支出増額を積極的に受け入れる姿勢と、より強固なミサイル防衛態勢の必要性、そして日本の選択肢として敵基地攻撃能力を獲得することもやぶさかではないという意思を示し、他の候補者とははっきりと一線を画した。総理就任が決まってからは、二〇二一年後半に発表したスピーチで「新時代リアリズム外交」と銘打って、自身の外交政策のビジョンを打ち出している。ただしこのときは、普遍的な価値の保護と、日本の平和および安定の維持、世界的課題への取り組みについて全般的な行動計画を示しただけだった[19]。

岸田が内閣総理大臣として二〇二二年六月のIISSアジア安全保障会議（シャングリラ・ダイアローグ）で基調講演をした際には、より厳しく、より明瞭なメッセージを打ち出した。日本が直面する課題と、諸国との特別な関係について言及し、岸田は次のように問いかけている。

我々が努力と対話と合意によって築き上げてきたルールに基づく国際秩序が守られ、平和と繁栄の歩みを継続できるか。あるいは、「ルール」は無視され、破られ、力による一方的な現状変更が堂々とまかり通る、強い国が弱い国を軍事的・経済的に威圧する、そんな弱肉強食の世界に戻ってしまうのか。それが、我々が選択を迫られている現実です[20]。

ヨーロッパにおける予見しなかった大戦争勃発、そしてインド太平洋における緊張関係の高まりという状況のさなかで、日本は二〇二二年に重要戦略文書三件――国家安全保障戦略（NSS）、国家防衛戦略（旧「防衛計画の大綱」）「防衛力整備計画」（旧「中期防衛力整備計画」）――の改定を行った。世界がはるかに不確実な状態にあることを踏まえ、安全保障のハード面を含めて先手を打つ外交政策の増強を進めている[21]。日本の戦略ロードマップ策定を左右する介在要因は多い。たとえば中国問題の位置づけに対する解釈も変化し続けている。日本政府は中国との安定した二国間関係を望み、重要な経済関係の維持を望んでいるが、一方で中国の威圧行為の熾烈化を受けての脅威認識も増大しているし、中ロの連携が距離を縮めている点も、日本の戦略立案者たちの不安をかきたてている。北方領土に関する圧力が増大し、ウラジーミル・プーチン率いるロシアとの関係が悪化している点に鑑みれば、南西諸島の防衛態勢強化への注視も不十分という認識が強くなった。中ロの対日圧力は苛烈になっており、二〇二一年一〇月には日本列島を二国の船舶が取り囲む形になっていたことや、二〇二二年五月のクアッド首脳会合の時期に合わせて日本周辺で中ロの戦略爆撃機の姿が見られたことなど、看過できない事例が目立つ。

戦略文書改定では、安全保障の見通しを更新する一環として、安全保障のネットワーク化を追求する外交方針の新たな地平線を設定した。リベラルな秩序が多数の地域にまたがって相互に連結していることを強調し、EUおよびNATOとの紐帯強化をはっきりと打ち出している（二〇二二年夏には岸田が日本のリーダーとして初めてNATOサミットに出席）。同時に東南アジアとの海洋安全保障協力、クアッドの公共財アジェンダ、そして最大の同盟国アメリカや他の戦略的パートナー国との防衛および安全保障におけるいっそう密接な紐帯の維持も重視している。

二〇二三年三月にインドを訪問した岸田首相は、基調講演でFOIP戦略の再立ち上げを発表。ロシアのウクライナ侵攻に対する途上国の足並みのそろわない反応を懸念し、グローバルサウスのインフラおよび経済援助のために七五〇億ドルを拠出すると約束した。これは日本が連結性戦略にいっそう力を入れる——より広い範囲を対象として——ことを示唆するものだ。新たな計画ではFOIPビジョンの地理的範囲を大幅に拡大（東南アジア、南アジア、アフリカ、中東、ラテンアメリカも含める）しながら、中核となる原則（法の統治、国境線の尊重、威圧行為からの自由）を確固たるものにするという目標を掲げ、さらに食糧危機、気候変動、債務持続可能性といった喫緊の課題への実務的な解決策も提示している。しかし、拡大されたFOIPのビジョンに課題が伴わないわけではない。まっさきに思い浮かぶのは二つの課題だ。グローバルサウスという広い名称でくくられる国々や地域のさまざまな差異に合わせて、アプローチをカスタマイズしなければならない。そして、連結性推進という取り組みのはるかに広大な志を維持するために、莫大なリソースを確保しなければならない[22]。

自国に近い範囲で言うならば、日本に物理的に近接した地域でいっそう高度な核兵器やミサイルが蓄積しつつある現実を踏まえ、抑止力増強と多数の専門領域にまたがる防衛能力向上のため、必要な投資に注力する戦略立案をしていかなければならない。特にテクノロジーの分野で急速に変化が起きていることを考えれば、その必要性は差し迫っている。

戦略論議が深まる中、二〇二二年四月に自民党政務調査会・安全保障調査会の報告書が示した二件の提言が注目を集めた。一つは反撃能力の保有。もう一つは、NATOの防衛費目標が「対GDP二%」であることに言及しての、防衛支出の大幅な増額だ。防衛予算を大きく増やせば多方面で自衛隊の近代化を進めることができるが、メリットはそれだけではない。防衛支出増額そのものが重要なシグナルにもなるとして、報告書では次のように述べている。「自国を守る覚悟のない国を助ける国はなく、わが国として、自国防衛の国家意思をしっかりと表明することは、同盟国である米国の対日防衛コミットメントを更に強固にするものである」[23]。実際に増額は進んでいる。二〇二一年一一月後半に、政府は補正予算で防衛費の六八億ドル追加を承認。防衛支出総額が過去最大になった[24]。

周囲からつきつけられる地政学的課題だけではなく、国内の政治勢力も、日本の安全保障態勢の見直しを進めさせている。選挙日程が影響をおよぼしたことは間違いない。岸田首相が国家安全保障戦略の文書発表を二〇二二年後半まで遅らせたのは、同年夏の参議院選で自民党の勝率が下がるのを避けるためだった。その選挙戦で連立与党への強い支持が得られたので、岸田にとっては向こう三年間、国政選挙のない猶予が生じ、その間に自身が掲げた国内政策および外交政策のアジェンダに邁進できることとなった。自民党の連立パートナーである公明党が安全保障改革案を素通りさせない（予防または先制ミサイル攻撃能力をにおわせる表現を認めないなど）ため、連立政権というダイナミクスも、日本の安全保障政策の進化に引き続き影響を与えている。自民党内部の主導権争いも、今の改革推進におけるいっそう重大な影響勢力だ。安倍元首相は、悲劇的かつ突然の死を迎えるまで自民党内の最大派閥を率いており、日本の安全保障政策のさらなる改革追求を声高に主張していた。台湾の安全保障が日本に大きくかかわってくることを強調し、抑止力増強のためにアメリカとの核共有協定について議論すべきだ、と[25]。岸田は核兵器廃絶を自身の外交政策の中核に据え、安倍の後者の案についてはは即座にブレーキを引いた形だ。だが、自民党として安全保障改革を大きく進めていくにあたり、岸田としては党内を連携させていく必要があるにもかかわらず、安倍が去ったことで党内に生じた隙間がその取り組みを難しくしている。

安全保障改革を阻む政治的制約は多少緩和している兆候もある。自民党が選挙戦での公約に耳目を引く改革（防衛支出増額と反撃能力の開発）を含めるという選択をし、そのうえで二〇二一年と二〇二二年の世論調査で高い評価を勝ち得たという事実が、その兆候を明示している。岸田が初めて「新時代リアリズム外交」を打ち出した際、国民は高い賛同を示して、世論調査では五〇～六〇％が肯定的に評価した。ただしロブ・ファーヒが述べるとおり、これは安倍か岸田かという問題だったのかもしれない。価値観の闘いを掲げた安倍よりも、現実主義者の岸田の提案のほうを、国民は受け入れる姿勢だったとも考えられる[26]。

最近の世論調査では、防衛について以前よりも強硬な見通しのほうへ世論がシフトしている様子が見られるが、長期的なトレンドを特定するのは時期尚早である。たとえば二〇二二年六月の読売新聞の調査では、回答者の七二％が、防衛能力の強化を肯定する意見を示した。ただし、対GDP一％を超える軍事支出増額を支持したのは四三％にとどまった[27]。反撃能力に関する世論はほぼ二分されている（賛成・反対ともに四六％）。核の選択肢をめぐる議論自体がタブーという状況ではなくなったものの、やはり国民は核兵器には断固として反対だ（七二％）[28]。重大な点として、別の重要な問題においても、国民の見解は変化していない。自衛隊が海外で行う戦闘行為についてである。二〇二〇年一二月にアメリカのシンクタンク「シカゴ・グローバル評議会」と日本の公益財団法人「日本国際問題研究所」が実施した調査では、日本人回答者の五九％が、自衛隊がアメリカとともに戦うことに反対する意見を示した[29]。

このように、地政学的な緊急要件と国内の制約的状況に起きている変化が、二〇二二年一二月一六日に公表された新しい国家安全保障戦略（NSS）を形作った。今回の戦略文書では、日本の安全保障環境が第二次世界大戦後で最も深刻かつ複雑な状況にあると指摘し、ロシアが武力行使を禁じる国際法に違反している点、中国が東シナ海および南シナ海の領海・領空において武力で現状維持を改変しようと試みている点など、さまざまな不穏な展開に言及している。中国を「最大の戦略的な挑戦」と表現し、中国政府に責任ある行動を求めると述べた。ただしその一方で、安全保障に関する意思疎通を強化し、経済や人的交流の協力を行って、安定した関係を求めていくとしている。[30]

この戦略文書は、日本がネットワーク外交に今後いっそう力を入れていくことを示唆するものだ。深化した日米同盟によって足元を支えつつ、情報保護協定、物品役務相互提供協定（ACSA）、円滑化協定（RAA）、防衛技術関連の協力関係の締結を通じて、安全保障および防衛の多層的ネットワークを拡大すると決意している。また、相手国に対する防衛装備品の移転とインフラ開発を促進するために、既存の公式な開発支援プログラムとは別に、新たな協力メカニズムを立ち上げることになっている。[31]

防衛構造の再設計についても、NSSを含む三件の戦略文書に明白な記述がある。重要なマイルストーンとして、反撃能力を保有し、防衛支出上限を対GDP一％とする自主規制は放棄するという判断を示した。これは決定的な変容につながる改定だ。敵基地攻撃能力を保有することで、防御のための兵器と攻撃のための兵器の境目が曖昧になり、日米関係の従来の分業、すなわち日本は盾、アメリカが槍という構図から離れることになる。[32]このような戦力投射能力をもつならば、必然的に、同盟国同士でいっそう統合された指揮統制戦略を要する。そのための後方活動が必要であるからというだけではない（諜報・偵察能力において日本は遅れているため、アメリカのサポートが不可欠）。仮に日本が中国や北朝鮮の領土に踏み込んだ反撃をする場合、戦略的にどのように展開していくことになるか考えれば、指揮統制の統合は必須であるからだ[33]。

今回の国家安全保障戦略では、日本の防衛支出に関する規範だった対ＧＤＰ一％の上限を破棄し、二〇二七年までに二％、ドルで言えば三一八〇億ドルに増額するとしている。この目標実現に向けて、基本の防衛支出をおよそ五〇％増額するとともに、これまで防衛予算として計上されていなかった項目、具体的には海上保安任務、サイバー能力、公共インフラ、研究開発を含めることとする[34]。拡大した防衛予算を賄うにあたり、連立与党は二〇二二年後半に今後五カ年にわたる七三億ドルの増税計画を承認。大まかに言えば、法人税四・五％増（中小企業の免除要件あり）、消費税一％増（復興特別所得税は一％削減）、たばこ税の大幅な引き上げを予定している。言うまでもなく増税案は国民に不人気で、自民党議員からの反対意見にも直面している。二〇二三年春に予定されていた統一地方選が近かったため、反対した議員たちの念頭には影響を危惧する思いがあったようだ。岸田はこれを受けて、増税実施を二〇二四年以降に延期し[35]、増税前に国民の信任を問うための解散総選挙を行う可能性をほのめかした。

日本の安全保障の変容を評価するにあたっては、この国が「普通の国」として従来式の軍事的役割を担う備えはあるのか、という問いにつねに回帰する。過去一〇年間、日本の安全保障政策の変化は一気にスピードアップしたが、その問いに対する答えは今のところ「まだ、ない」である。新たに提示した反撃能力も、海外での武力行使に関する厳しい制限――日本の存立が脅かされており、適当な手段が他に存在しない場合に限定し、武力行使はあくまで必要最小限度とする――を引き続き伴う。日本の国民感情が絶対的反戦主義（パシフィズム）から現実主義（リアリズム）へと急激に変容する様子もない。おそらく、日本の国家的傾向の表現としてより適しているのは、プラグマティズムだ。亀裂深まる世界を理解しながら鍛えられてきたプラグマティズムではないだろうか。

終章 分断した世界におけるネットワークパワーとして

A Network Power in a Divided World

世界秩序のつなぎ目はほころびつつある。リベラルな民主主義国家の多くで、社会的不平等、政治分極化、ポピュリズムによる混乱が代表民主制の制度を揺るがし、国内に明らかな不満の鬱屈が見られる。世界各地で民主主義が衰退し、独裁政治が台頭している。途上国の大半が新型コロナウイルスのワクチン入手における不平等、食料や日用品価格の高騰、先進国市場の保護主義、債務支払い不能状態に苦しんでいる。技術革新が社会・経済・政治制度の運用のあり方を変え続けている。グローバル化によって数百万人が貧困を脱したが、その一方で経済的相互依存の武器化が自国防衛的な経済措置を魅力的にし、広がりすぎたサプライチェーンの国内回帰を推し進めている。

中国とアメリカは、二国関係に対するゼロサム的な見方を深めるようになった。中国の透明性のない軍事力増強と経済的威圧行為は、地域覇権をねらう賭けが成功したときの結果について強い不安を引き起こしている。アメリカは熾烈化する党派対立に呑み込まれ、そのせいで外交政策が極端に揺れ動き、自由貿易の最大の旗手という従来ながらの役割も放棄してしまった。過去には、アメリカという安全保障のアンカーがさまざまな国際機関を網羅していることが安定をもたらし、中国の市場開放も経済的魅力となって、アジア経済の繁栄を支えていた。こうした条件はもはや効力を発揮していない。中国経済は、ゼロコロナ政策と、迷走しながらの経済再開のせいで、つまずいている。アメリカは深く分断されたままだ。多国間協力も不和が拡大し試練を迎えている。東シナ海と南シナ海における緊張関係、北朝鮮の挑発行為、台湾をめぐる紛争抑止と有事への備えに対する喫緊性が高まり、アジアの長期平和も危うさを増す一方だ。ロシアの歴史修正主義はヨーロッパに大規模な戦争をもたらし、ブレーキのきかない独裁主義諸国が続々と武力行使で国境改変に臨むのではないかという懸念が強まっている。

混迷をきわめるこの新しい世界において、日本はアメリカの同盟国としていっそう重要な存在だ。「自由で開かれたインド太平洋」（ＦＯＩＰ）の構想を維持し、海洋民主主義諸国を動かしてインド太平洋地域のために公共財を提供させ、地域の抑止力強化に向けて共同計画策定や合同訓練に臨むなど、日米同盟の重要なマイルストーンとなる功績を重ねてきた。サプライチェーンの強靭化、科学技術の連携促進、デジタルエコノミーの規範普及、経済安全保障のための斬新な手段の活用といった取り組みで、日米同盟はより多面的なものとなってきている。分野によっては域内の役割が逆転し、むしろ逆転以上の展開も見られる。数々のメガ貿易協定を仲介し、アジア太平洋諸国に多額のインフラ融資を提供し、Ｇ７およびＧ20でデータフローに関する規範の成文化を進めたのは、アメリカではなく日本だった。

日米同盟の範囲が広がり、深化も進んだのは、厳しさを増す国際環境に反応してのことだが、それだけではない。日本自身の変容とも大きく関係がある。これほどの道のりを経た今となっては、日本の国際的役割や日米同盟における位置づけについて過去に言われてきた描写の多くが当を得ない。今日の日本は、核の傘による庇護と引き換えに米軍駐留を受け入れる格下のパートナー国という立場には収まらない。地域における政治的役割から逃げ、国際貿易システム内で他国が定めたルールに従いながら活動する消極的なアクターという立場にも、当てはまらない。とどまるところを知らない重商主義大国という評価は適さないが、安全保障にタダ乗りする接受国という評価も適さない。歯止めのきかない衰退が進み、地域への影響力は皆無で、アメリカの外交政策で重視されないというイメージも、妥当とは思われない。疲弊した経済エンジンと迷走する国内政治のせいで、日本はいずれとるに足りない存在へ沈むだろう――と予想する声は少なからずあり、「ジャパン・バッシング（日本叩き）」から「ジャパン・パッシング（日本を素通り）」へシフトするとも言われたが、この予言は実現しなかった。

とはいえ、人口減少、エネルギー依存、低成長など、日本がぶつかる多数の巨大な壁が取り払われたわけではない。また、軍事力行使に関する制限は以前と比べれば緩和されたものの、国民は今も自衛隊の戦闘任務従事を容易にしたいとは考えておらず、アメリカ同盟諸国の中では最も制限が厳しいままだ。だとすれば、むしろ考えたいのは次のような問いだ――このような日本はいったいどうやって失われた数十年間から浮上することが可能だったのか。これほど多大な制約のもとで国を動かし、戦後最も革新的な大戦略を打ち立てることができたのは、いったいなぜだったのか。本書は、過小評価されている日本のリーダーシップを論じるにあたり、大きく四つの要素に着目した。第一に、ポピュリズムの波に呑まれない強靭性があること（グローバル化への適応、社会的一体性、民主制の安定を通じて）。第二に、政治指導者の意思決定力が強化されたこと（制度・行政改革があり、巧みな政治マネジメントを進める時期があったことで）。第三に、総力を挙げてネットワーク外交戦略を駆使していること（経済・安全保障のパートナーシップ構築と、ルール形成を通じた影響力の獲得）。そして第四に、地政学的不確実性が深まる時代のリベラルな国際システム維持という点で、日本が発揮する新たなリーダーシップに大きな価値が生じていること。こうした多彩かつ幅広いベクトルが、それぞれ単独ではなく互いに影響しあってきた事実は、本書が日本の政治、政治経済、外交政策の進化を検証するにあたり、複数のテーマを織り合わせながら論じている点にも表れている。

停滞ではなく変化する日本

停滞のイメージとは正反対に、日本のビジネス、政治、政策形成、外交に見られる顕著な変化は、今のこの国が有する耐久性ある経済的影響力と、より積極的な国内改革および外交政策アジェンダの提示能力を説明するものだ。経済に関して言えば、長期デフレと多数の経済分野における生産性低下に苦しみ、度重なる災禍からの回復も心もとなく不均等だが、その一方でビジネス界の力強さは各方面で歴然としている。域内生産ネットワークの発展を主導したのは日本企業だ。先進素材や最先端機器のようなハイテク製造における専門技術を有し、半導体産業など、重要なサプライチェーンを成り立たせるかなめの部分も押さえている。

短期的な例外を除いて切れ目なく続いてきた自民党政権のもと、政治システムも著しい進歩を遂げてきた。選挙改革、政治資金改革、行政改革が政治競争の性質を変質させ、連立政権を導入させ、パワフルなリーダーの出現を可能にした。首相官邸は政策立案を主導・実行する力をもち、もはや「鉄の三角形」に振り回される立場ではない。今のリーダーには切れ目ない政府全体としての意思決定の仕組みがある。重要な外交政策のイニシアティブを進めるにあたっては、たとえばＴＰＰ等政府対策本部が内閣官房に設置されているし、安全保障と防衛政策を考案・導入するにあたっても、国家安全保障会議（ＮＳＣ）が設置されている。

外交政策についても、悪化する安全保障環境の前で、日本は過去一〇年間に多大な革新を進めてきた。大半は段階的なもので、多数の制約を伴ってはいるのだが、それでもアメリカとの安全保障同盟を深化（特に集団的自衛の再解釈によって）させ、日本をインド太平洋外交の中心的存在にした。日本が打ち出したＦＯＩＰ構想は、域内外の多くの国々がまとめる地域戦略に影響をおよぼしたし、日米豪印戦略対話（クアッド）も最初こそ頓挫したものの、首脳サミット開催と、より堅牢な協力アジェンダを伴って復活を果たした。この経験は日本政府にも重要な教訓を教えた。東南アジアに対するインフラファイナンスや海洋保安能力構築のような具体的な恩恵を伴う先手を打ったはたらきかけをベースとして、そこに地域外交を根づかせていく必要があるという点だ。

中国の「軍民融合」や、そのための先端デュアルユース技術独占のねらい、そして米中関係の急激な悪化、さらにはロシアのウクライナ侵攻によるヨーロッパでの戦争勃発も、日本のステートクラフトを変化させ続けている。世界で初めて経済安全保障問題に特化した大臣を設置した日本は、経済安全保障の包括的アプローチを練るという点で最前線にいる。今後も、二〇二二年春に成立させた経済安全保障推進法の導入を通じて、取り組みは継続していく。ただし後述するとおり、この動向は日本政府にとって、対中関係の軌道修正、そして経済統合および安全保障のバランシングという、複雑なトレードオフをつきつける。ウクライナ侵攻に関しては、岸田文雄政権の反応が日本の外交政策に新たな境地を開き、安倍政権の対ロ関与政策に幕を引いた。ロシアを先端技術にアクセスさせないための各国と連携した輸出規制など、前例のない規模で国際的制裁措置に加わっている。国際政治のシフトとともに、日本の外交政策における重要な連携も、新たな政策手段を備えてシフトしている。

日本から学ぶ

日本はもろもろの問題を抱える例外的な国ではなく、むしろ先進工業国の多くが直面する複雑な政策課題のいくつかと先陣を切ってぶつかってきた国である——そう思わせる根拠は増える一方だ。労働力人口の割合を今後急激に縮小させるであろう人口減少傾向は、もはや日本だけの問題ではない。それどころか、多数の国（中国を含む）が、すでに同様の傾向を実感しつつある。頑固なデフレ、停滞する成長、低金利を伴う不安定な経済的兆候を指して「ジャパナイゼーション（日本化）」という造語が生まれたが、その後に他の工業国でも、需要と投資を抑制しデフレ圧力を高める人口減少を伴った長期停滞が起きている。[1] 日本が抱えるマクロ経済的試練もこの国固有のものではなく、日本から学べる教訓の現実味（レリヴァンス）は高まっている。代表的な例が金融政策だ。日本が（最初は）中途半端に、そして（のちに）本格的に量的緩和を試した経緯は、諸国の中央銀行の政策選択に大きな影響を与えている。

失われた三〇年の苦境で、日本の経済的パフォーマンスが経済協力開発機構（ＯＥＣＤ）加盟諸国に大きく水をあけられたことは確かだ。しかし日本は一九九〇年代の銀行危機から経済回復を果たし、二〇〇八年の世界金融危機による急激な不況を克服し、二〇一一年に発生した「三重の災害」も乗り越えてきた。二〇一〇年代の一人当たりＧＤＰ成長はＯＥＣＤ諸国と肩を並べている。ただし、所得不平等のレベルにおいても他の工業国に追いついてしまった（社会経済的格差を生む要因は異なっているが）。

同じ問題を共有し、パフォーマンスも収斂しているという点だけが、日本の経験が以前よりも参照先として現実味をもつ理由ではない。いくつか重要な面において、日本は諸国よりも優れた結果を出している。経済グローバル化に適応し（サプライチェーン貿易を対中経済関係の中枢に置くことで）、他国よりも優れた雇用安定と社会的セーフティネットがあり、それゆえにアメリカなどが経験している国民の激しい反発や保護主義の突き上げを受けずにいる点だ。西側諸国の政治が、リベラルな民主制を傷つけるポピュリズムの波で翻弄されているのをよそに、日本では急激な社会的および政治的分極化を生まない民主制の安定が見られる。そのため過激な党派対立や、代表民主制の制度に対する総攻撃や、選挙の公正性の弱体化といったポピュリズムの罠には落ちていない。

日本はもはや手本にすべき経済的奇跡の状態にはないし、かといって、工業化した世界で無力になった存在というわけでもない。さまざまな面で苦戦しつつも、それ以外の面で道を見つけ切り拓いてきた国、それが日本だ。日本の成功と失敗は注意を向けるべき教訓であると同時に建設的なインサイトでもある。その教訓とインサイトがダイレクトに響く国は、世界各地で増える一方だ。

卓越したネットワークパワー

軍事予算では世界で第九位、経済では第三位の日本が有する物理的能力（マテリアル・ケイパビリティ）は大きい（ただし、他国との比較においては見劣りしつつあるが）。日本政府にとって、リソースの制約を克服して最大の成功を見込むための道が、ネットワークの構築であり、新たなパートナーシップの創出であった。だからこそ日本の経済的影響力や外交手腕の中枢に連結性戦略がある。一般的な認識とは反対に、日本は経済のグローバル化を受け入れてきた。二〇〇八年の世界金融危機後、似たような立場に置かれた国々の多くがグローバル化を停止していた時期に、日本は国外との経済統合やサプライチェーンの開発にいっそう力を入れた。民間投資、域内生産ネットワーク、インフラ建設への公的融資を通じて、日本はインド太平洋経済という広がりの中に深くみずからを織り込ませてきた。貿易統合、インフラファイナンス、外国直接投資のフロー、そして海上保安能力の開発や防衛装備品移転といった具体的なメリットをもたらすことで、ＦＯＩＰ構想も軌道に乗せた。

いまや日本は地域最大の貿易協定二件、「包括的・先進的環太平洋経済連携協定」（ＣＰＴＰＰ）と「地域的な包括的経済連携協定」（ＲＣＥＰ）の中心的存在となり、多数のフォーラムで経済規範の普及を進めている。同志国には安全保障協定のアップグレードを呼びかけ、多くの結果を出した。オーストラリアおよびインドとの関係は著しく深化し、ベトナムやフィリピンなど東南アジアの国々とも戦略的パートナーシップを構築し、イギリスやフランスなどヨーロッパ諸国との紐帯も強化している。「クアッド」も再結成し、より強固になった。日本はインド太平洋地域で最も多く防衛会合を主導している。ローウィ国際政策研究所のレポートは、限られたリソースを活用して経済、外交、文化的影響力を最大化する能力を評価して、日本を「典型的な『賢明な国家（スマートパワー）』」と表現した。[2]

新しい貿易協定を推進し、二国間や少数国間の多数の安全保障協力関係から構成されるネットワークを拡大するなど、多種多様な形で日本はインド太平洋における経済と安全保障の協力関係を結び直す役割を積極的に果たしている。ただし、深刻な地政学的不和、パンデミックによる断絶、国際経済関係の安全保障化といった要素が重なり、連結性を推進する日本のステートクラフトの耐久性を試している。

揺れ動く世界への適応

「失われた三〇年」と呼ばれる時代が始まり、人口減少やエネルギーショック、立て続けに入れ替わる政権、右往左往する外交政策など、厄介な問題が積み重なっていた時期から現在までのあいだに、この国は実に多くのことを成し遂げてきた。とはいえ多数の重大な問題が今も未解決のまま残り、その一方で新しい課題も生まれている。国内では、所得格差の原因——主に、非正規労働における不平等と賃金停滞など——を確実に排除できるような持続性のある経済回復をもたらすことができていない。より競争性のある党制度と、より政治への関心が高い社会を通じて、日本の民主主義を再活性化していくというのも、優先して取り組まなければならない課題だ。未来の経済的競争力を築くため、そして国家と国民の約束、すなわち社会契約を新たにしていくために、デジタル、環境、人的資本における変容が必須であり、それに向けた国家計画で結果を出していくというのも、同じく重要な優先事項である。ポスト安倍晋三時代の現政権、そして今後の政権の重大な政治的責務として、国民の求めに関心を向け、旧統一教会スキャンダルで失われた信頼を回復し、有効なガバナンスを阻む決断力不足の政治に陥る事態を避けていかなければならない。

増大する地政学的リスクは、今後も深刻な形で日本に試練を与えるだろう。台湾海峡など近隣地域の平和の持続性が疑わしくなってきている今、アメリカとの同盟は引き続き日本の安全保障の基盤だ。だが、域内の軍拡競争や、紛争へエスカレートしかねない中国の威圧行為の頻度が高まっていることを考えれば、同盟国同士がこれまで以上の努力で抑止力強化に取り組んでいかなければならない。これらのリスクは日本の繁栄を脅かすものでもある。日本政府の連結性戦略は今まさに岐路にあり、目の前には二つの問題が立ちはだかっている。第一には、新型コロナウイルス感染拡大中に政府が実施した措置――長期にわたる厳格な入国制限――が、科学的ガイドラインに沿ったものではなく、他のＧ７諸国の政策とずれが生じたことだ。これが日本の国際的立場に傷をつけたほか、労働力不足問題の解消に必要な単純労働者層の入国を阻み、日本が競争力をもつためには欠かせないグローバル人材の獲得競争でも足を引っ張った。内向き志向の日本は繁栄していく日本ではないのだから、これは自滅的状況だ。ゆえに、パンデミックの余波からどう抜け出せるか、それが運命を左右すると考えられる。

第二の問題は、国家の対立と技術競争が、日本のエコノミック・ステートクラフトに難問をつきつけている点だ。経済的グローバル主義と国家安全保障のあいだで新たなバランスを探っていかなければならない。アジアにおける戦争リスクが増大し、デュアルユース技術をめぐる競争が起きていることから、中国への過度な依存がもたらす危険性はいっそう深刻になった。日中関係が安定していれば紛争の可能性は低くなるし、うまみのある経済関係を維持していけるのだから、今のところはそうした安定的関係を求める声が強いのだが、二国間の協力を成り立たせる道は狭くなる一方だ。経済安全保障の装置をそろえる日本政府にとっては、アメリカという同盟国との連携を深化させたいという思惑があるが、そのアメリカが大胆な経済関与政策をもつことをせず、グローバル化から自国を防衛する姿勢をとり続けるのではないか、という懸念も消えていない。日本が足場とする場所、すなわち世界の経済秩序は、今まさに揺れ動いている。日本を含め多くの国々が、これから重大なトレードオフの数々と向き合っていかなければならない。市場は開くべきか、制約すべきか。多国間コミットメントが重要か、自国の一方的な安全保障管理を優先すべきか。経済的装置を駆使して他国と関与し、相互依存の関係を築いていくのか、それとも他国とは真っ向から勝負し、自国のリスク最小化を追求するのか。進むべき道の向こうにあるのは反グローバル化の世界ではない。経済的相互依存の境界線が引き直され、地政学的不和が進む中を自国だけの力で切り拓き、繁栄と安全保障を達成できる国など、一つもないからだ。国と国とを結ぶネットワークのあり方は今後も軌道修正が図られていくだろうが、ネットワークが重大な資産であること自体は変わらない。だからこそ、来るべき未来に向けて日本の存在感は薄れるどころか、むしろますます現実味をもった重要な存在となっているのである。

謝辞

この本を書くのは旅の歩みに似ていた。よくあることだが、書き始めたときに思い浮かべていた本と、書き上がって生まれた本は、もはや別の一冊のようだ。本書でぜひとも語りたいと思わせるストーリーと出合っていく過程は、心が浮き立つと同時にもどかしいものでもあった。私一人の力で書き上げられるはずもなく、ブルッキングス研究所内外のさまざまな研究者による励ましと知恵に支えられた。スミス・リチャードソン財団のアル・ソン氏とブルッキングス研究所外交政策研究副所長（当時）ブルース・ジョーンズ氏からは、執筆につながる研究課題を私が組み立て、練り直していた段階で、早くもアドバイスをいただいた。現副所長スザンヌ・マロニー氏も、私の執筆活動のため、そして東アジア政策研究センター（ＣＥＡＰ）所長としての私の責務のために、手を尽くしてサポートしてくれた。友人で同僚のマイケル・オハンロン氏にも格別の恩がある。外交政策研究所長という立場を超えて、本書の全体的枠組みについて重要なアドバイスを寄せ、各章に詳細なフィードバックを提示したおかげで、論旨を大幅に磨くことができた。マイクはつねに思いやりとユーモアをもって手を差し伸べてくれる。

敬愛する学者や知識人の方々に、本書の章または全体に目を通していただいた。貴重なコメントの数々を寄せていただいた片田さおり、アダム・リッフ、ウリケ・シェーデ、船橋洋一の各氏に心からの感謝を伝えたい。匿名のレビューアー二名によるフィードバックも非常に参考になり、主張を練り上げる助けになった。恩師であるリチャード・ブッシュ氏は、本書執筆の布石となった私の論文、二〇二〇年に『フォーリン・アフェアーズ』誌に寄稿した「日はまた昇る——日本のパワーは過小評価されている」をまとめていた際に、的確な考察の数々を示してくださった。当然ながら、本書に残った間違いのすべては私に責任がある。

東アジア政策研究センターにともに所属する方々、リチャード・ブッシュ、ライアン・ハス、ブルース・ジョーンズ、パトリシア・キム、タンヴィ・マダン、ジョナサン・ストロムセス、アンドリュー・ヨー各氏のおかげで、私はインド太平洋に関する理解を深め、この重要な地域における日本の役割について考察を精緻化することができた。スタッフ会議で地域開発について議論するときも、アメリカのインド太平洋戦略の政策処方を提示するために集まるときも、地域に足を運ぶときも、パネルや対談に参加するときも、これほど優れた知性を備えた協調的な仲間と一緒に仕事ができる幸運を、私は何度も実感している。

本書のためのリサーチに早くから取り組んでくれたジェニファー・メイソン氏にも本当にお世話になった。彼女はＣＥＡＰ副所長として、同センター運営のあらゆる運営業務でも卓越した手腕を発揮している。私が執筆時間を確保し、集中することができたのは、彼女の際立った効率のよさ、細部を見逃さない目、そして快活さのおかげだ。

ＣＥＡＰのシニア・リサーチ・アシスタント兼プロジェクトコーディネーターのローラ・マク

ギー氏にも深く感謝している。ブルッキングス研究所フィリップ・ナイト日本研究チェアとしてのプログラム活動を行うにあたり、いつでもローラが私の右腕だ。参考資料の確認、ファクトチェック、各章の校閲、図やグラフの構成など、優れた調査補助に取り組んでくれた。彼女の処理能力、妥協のない品質水準、締め切りが迫りプレッシャーを感じるときにも失わない冷静さは、本当にありがたかった。

本書は複数の寛大な研究助成金に支えられている。本研究プロジェクトに対するスミス・リチャードソン財団、旧国際交流基金日米センター、米日財団のご支援に厚くお礼申し上げる。ブルッキングス研究所は質と独立性と影響力をつねに重視して活動しているが、本書も、各団体のご支援も、その信念に沿ったものだ。

日本に深く踏み込む考察の試みは、研究者として非常に価値ある機会となった。私にとっていつもの研究対象である対外経済政策の枠を超え、視野を広げて、日本国内の進展について、そして変容する国際的役割について理解を深めることができた。移民と人口動態、政治の変化と民主主義の強靭性、安全保障政策とハードパワー面での競争など、私にとって新しく知る話題や、これまで深くは学んでこなかった話題と向き合うのは、背筋を正されるような経験だった。重要な学習機会であり、国が歩む道に介在する多種多様な力の構図を理解しようと努めながら、圧倒される思いも味わった。これらの複合的な問題を私が完全に理解したとは言えないが、ブルッキングス研究所の日本研究に資金を与えたフィリップ・ナイト氏の先見性のおかげで、歩み続ける日本について深く、そして幅広く研究できたと思っている。

この試みを可能にした最大の存在は、私の家族と友人たち、特に娘のナタリアとパオラだ。たくさんの励ましと、仕事ばかりの私に仕事以外の面でも人生の意味を与えてくれるみんなに、心からの感謝を伝えたい。

本書は上の世代の家族たちに捧げる。母ミレヤ、そしてジョーン・グルーバートとエドワード・グルーバートがもつ知恵と寛大さと温かさは、やすやすと真似できないほど深いものではあるが、恩返しのつもりで私なりにめざしていきたい。

原注

【訳文、注における表記、訳注について】

- 本文および原注に、「既訳がある／元が日本語」の資料から引用が出てきた場合は、基本的にすべて既訳もしくはオリジナルの日本語を採用。句読点および数字の表記のみ統一のため変更した。
- 著者が日本語資料を参照している場合、原注では日本語の資料情報に置き換えた。
- 著者が英語資料を参照しており、邦訳がない場合は、英語文献を記載。
- 著者が英語資料を参照しており、邦訳がある場合は、（邦訳：～）と補う。
- もとが日本語（もしくは最初から日英両方が出ている）で、著者は英訳を参照している場合は、（日本語版：～）と補う。
- 著者が提示しているＵＲＬはそのまま記載。
- 同じ資料を何度も参照している場合、２回目以降は著作者の姓、邦題のみ記載。
- 日本語書籍からの引用を載せた場合、該当箇所のページ番号を記載。

日本語版序文

1 Yuri Kageyama, “The Bank of Japan ends its negative interest rate policy, opting for its first hike in 17 years,” Associated Press, March 19, 2024, https://apnews.com/article/japan-economy-interest-rate-boj-b650a9b8a517bcf3a31c32ffdcf651c9.

2 Reuters, “Japan says it won’t rule out any steps to deal with excessive yen swings,” *Nikkei Asia*, April 11, 2024, https://asia.nikkei.com/Business/Markets/Currencies/Japan-says-it-won-t-rule-outany-steps-to-deal-with-excessive-yen-swings.

3 "Japan lower house passes fiscal 2024 budget," Kyodo News, March 2, 2024, https://english.kyodonews.net/news/2024/03/80015ff0f75d-japan-diet-lower-house-sits-on-sat-to-pass-fiscal-2024-budget.html.

4 "Japan stock exchange adopts name and shame regime to boost corporate valuations," *Financial Times*, October 15, 2023, https://www.ft.com/content/94dfe7fb-d244-4c26-809b-3d1ec213815d.

5 "NHK poll: Kishida Cabinet approval rate drops to 23%," NHK World-Japan, April 8, 2024, https://www3.nhk.or.jp/nhkworld/en/news/20240408_26/.

6 "Japanese Lawmakers Begin Talks on Political Funds Control," Nippon.com, April 26, 2024, https://www.nippon.com/en/news/yjj2024042600936/.

7 Hilary J. Holbrow and Qiaoyan Li Rosenberg, "Japan has to do more for migrant rights than drop 'intern' label," Opinion, *Nikkei Asia*, March 1, 2024, https://asia.nikkei.com/Opinion/Japan-has-to-do-more-for-migrant-rights-than-drop-intern-label.

8 "Record 2 Million Foreign Workers in Japan as of 2023," Nippon.com, March 1, 2024, https://www.nippon.com/en/japan-data/h01920/.

9 "A second dose of Trump on trade would differ from the first," *Financial Times*, February 22, 2024, https://www.ft.com/content/9b6b92b7-7884-4983-9286-fa5a97f1e076.

10 Gavin Bade, "Trump trade advisers plot dollar devaluation," *Politico*, April 15, 2024, https://www.politico.com/news/2024/04/15/devaluing-dollar-trump-trade-war-00152009.

11 Hal Brands, "The New Autocratic Alliances," *Foreign Affairs*, March 29, 2024, https://www.foreignaffairs.com/united-states/new-autocratic-alliances.

12 Mari Yamaguchi, "Why is Japan changing its ban on exporting lethal weapons, and why is it so controversial?," Associated Press, March 26, 2024, https://apnews.com/article/japan-military-sale-lethal-weapons-fighter-jet-f6d578f8256ec87a44fd86f5240f8c36.

13 The White House, "United States-Japan Joint Leaders' Statement," April 10, 2024, https://www.whitehouse.gov/briefing-room/statements-releases/2024/04/10/united-states-japan-joint-leaders-statement/.

序　章

1 日本がたどる経緯に関する鋭い考察として、この国は諸外国が今あるいは今後ぶつかる課題に先陣を切って相対しているのだ、という指摘は他にもある。たとえばフィリップ・リプシーは「さきがけ国家（harbinger state）」、ノア・シュナイダーは「最前線に立つ国（frontline state）」という言葉で、このダイナミクスを表現した。次の資料を参照。Phillip Lipscy, "Japan: The Harbinger State," *Journal of Japanese Studies* 24, no. 1 (December 23, 2022): 1-18, https://doi.org/10.1017/S1468109922000329; および Noah Sneider, "A Country That Is on the Front Line," *The Economist*, December 7, 2021, https://www.economist.com/special-report/2021/12/07/a-country-that-is-on-the-front-line.

第1章

1 Savina Gygli et al., "The KOF Globalisation Index—Revisited," *The Review of International Organizations* 14 (2019): 543-74.

2 Mireya Solís, "Reinventing the Trading Nation: Japan, the United States, and the Future of Asia-Pacific Trade," *The New Geopolitics Series*, The Brookings Institution, Washington, DC, November 2019, www.brookings.edu/research/reinventing-the-trading-nation-japan-the-united-states-and-the-future-of-asia-pacific-trade/.

3 World Trade Organization (WTO) Secretariat, "Trade Policy Review, Japan," WT/TPR/S/397, January 22, 2020, www.wto.org/english/tratop_e/tpr_e/s397_e.pdf.

4 Mireya Solís, *Dilemmas of a Trading Nation: Japan and the United States in the Evolving Asia-Pacific Order* (Washington, DC: Brookings Institution Press, 2017).（邦訳：ミレヤ・ソリース『貿易国家のジレンマ：日本・アメリカとアジア太平洋秩序の構築』浦田秀次郎監訳、岡本次郎訳、日本経済新聞出版、２０１９年）

5 Gary Clyde Hufbauer, "Liberalization of Services Trade," in *Assessing the Trans-Pacific Partnership, Volume 1: Market Access and Sectoral issues* (81-90), Peterson Institute for International Economics (PIIE) Briefing 16-1, February 2016, www.piie.com/publications/piie-briefings/assessing-trans-pacific-partnership-volume-1-market-access-and-sectoral. ２０１８年のＯＥＣＤサービス貿易制限指標――45カ国の22分野におけるサービス貿易への障壁を測定する――は、日本の進捗をいっそう裏づけている。日本はアメリカよりも多くの分野において、制限レベルが平均を下回る（平均を下回る数が日本は20、アメリカは15）。それとは対照的に、中国は制限レベルが高く、平均を下回るのは1分野（建設）のみ。同指標２０２２年の中国に関するレポートを参照。www.oecd.org/trade/topics/services-trade/documents/oecd-stri-country-note-china.pdf.

6 次の資料を参照。OECD, "FDI Stocks," 2022, https://data.oecd.org/fdi/fdi-stocks.htm#indicator-chart.

7 ＯＥＣＤ直接投資制限指標は、外国資本の上限、審査・承認メカニズム、経営陣における外国人雇用に関する制限、支店設置開設や土地所有、資本本国送還といった行動に対する制限を調査してスコアを出す。日米を比較するにあたり２０１７年を選んだ理由は、同年以降は工業国全体において、国家安全保障の目的から再規制化の方向へ進んでいるため（第９章で論じる）。この年の日本のスコアは０・０５２、アメリカは０・０８９だった。次の資料を参照。OECD, "FDI Restrictiveness," 2022, https://data.oecd.org/fdi/fdi-restrictiveness.

htm.

8 Richard Katz, "Why Nobody Invests in Japan: Tokyo's Failure to Welcome Foreign Capital Is Wobbling Its Economy," *Foreign Affairs*, October 13, 2021, https://www.foreignaffairs.com/articles/japan/2021-10-13/why-nobody-invests-japan.

9 Japan External Trade Organization, "JETRO Invest Japan Report 2021," December 2021, www.jetro.go.jp/en/invest/investment_environment/ijre/report2021/.（日本語版：日本貿易振興機構〈ＪＥＴＲＯ〉対日投資部「ジェトロ対日投資報告」２０２１年12月）

10 Mireya Solís, *Banking on Multinationals: Public Credit and the Export of Japanese Sunset Industries* (Stanford: Stanford University Press, 2004), 39.

11 次の資料を参照。United Nations Conference on Trade and Development (UNCTAD), "Country Fact Sheet: Japan," *World Investment Report* 2022, 2022, https://unctad.org/system/files/non-official-document/wir_fs_jp_en.pdf.

12 次の資料を参照。OECD, "Outward FDI Stocks by Industry," 2022, https://data.oecd.org/fdi/outward-fdi-stocks-by-industry.htm.

13 日本の産業空洞化については次の資料を参照。慶應義塾大学経済学部蓑谷千凰彦研究会編『産業の空洞化：日本のマクロ経済　１９９６年度版』（多賀出版、１９９６年）。コストの低い中国との競争（いわゆる「チャイナシンドローム」）については次の資料を参照。Chi-Hung Kwan, "Japan's 'China Syndrome' Dissipating as Exports to China Surge," Research Institute of Economy, Trade and Industry (RIETI), March 1, 2004, www.rieti.go.jp/en/china/04030101.html.

14 ウリケ・シェーデの指摘によれば、１９９９年に初めて、日本企業の外国生産が輸出を上回った。次の資料を参照。Ulrike Schaede, *The Business Reinvention of Japan: How to Make Sense of the New Japan and Why It Matters* (Stanford: Stanford University Press, 2008), 142.（邦訳：ウリケ・シェーデ『再興

THE KAISHA：日本のビジネス・リインベンション』渡部典子訳、日本経済新聞出版、2022年）

15 数字はすべて独立行政法人日本貿易振興機構（JETRO）の公表によるもの。www.jetro.go.jp/en/reports/statistics.html.

16 Schaede, *The Business Reinvention of Japan.*（シェーデ『再興THE KAISHA』）

17 次の資料を参照。Ministry of Economy, Trade and Industry (METI), "Summary of the 49th Basic Survey on Overseas Business Activities," July 2019, www.meti.go.jp/english/statistics/tyo/kaigaizi/pdf/h2c412je.pdf.（日本語版：経済産業省「第49回 海外事業活動基本調査」）

18 Mitsuyo Ando and Fukunari Kimura, "Job Creation and Destruction at the Levels of Intra-Firm Sections, Firms, and Industries in Globalization: The Case of Japanese Manufacturing Firms," *RIETI Discussion Paper Series*,17-E-100, July 2017, 16, www.rieti.go.jp/jp/publications/dp/17e100.pdf.

19 安藤と木村の論文（2007、3～4ページ）では、1998年から2003年までに東アジアで製造活動を行った日本企業の包括的データを踏まえて、外国投資活動が国内の雇用に著しい変化をもたらしたことを明らかにしている。この時期に初めて東アジアに事業拡大した企業では国内の従業員総数が大幅に増え（9％増）、反対に東アジアでの事業から撤退した企業では国内の従業員数が減少した（10％減）。別の研究でも、外国投資を行う日本企業は日本国内での製造部門を縮小していた一方で、国内事業における研究開発費、サービス事業、従業員研修などを拡大していたことを示している。次の資料を参照。Mitsuyo Ando and Fukunari Kimura, "Can Offshoring Create Domestic Jobs? Evidence from Japanese Data," Centre for Economic Policy Research, *Policy Insight* 16 (December 2007); および METI, *White Paper on International Economy* and Trade, Tokyo, 2012, 478-79, https://www.meti.go.jp/english/report/data/gWT2012fe.html.（日本語版：経済産業省「平成24年版 通商白書」）

20 Gary Clyde Hufbauer et al., *Outward Direct Investment and U.S. Exports, Jobs, and R&D: Implications for U.S. Policy* (Washington, DC: Peterson Institute for International Economics,

2013).

21 Squire Patton Boggs, "Three Ways to Dismiss Employees in Japan," Employment Law Worldview, March 29, 2016, https://www.employmentlawworldview.com/three-ways-to-dismiss-employees-in-japan/.

22 Douglas A. Irwin, "Globalization Has Helped Raise Incomes Almost Everywhere since the 1980s," Peterson Institute for International Economics, June 29, 2022, www.piie.com/research/piie-charts/globalization-has-helped-raise-incomes-almost-everywhere-1980s.

23 デヴィッド・オーターらの研究チームは、影響力ある一連の学術論文において、アメリカ国内で中国からの輸入が多い地域ほど労働調整費用が高かったことを明らかにしている。２０００年代に失われた製造業の雇用のうち、４分の１は、中国からの輸入競争が原因だった。次の資料を参照。David H. Autor, David Dorn, and Gordon H. Hanson, "The China Shock: Learning From Labor Market Adjustment to Large Changes in Trade," Working Paper 21906, National Bureau of Economic Research (NBER), Cambridge, MA, January 2016, www.nber.org/papers/w21906.

24 Mireya Solís, *Dilemmas of a Trading Nation: Japan and the United States in the Evolving Asia-Pacific Order*.（ソリース『貿易国家のジレンマ』）

25 Mina Taniguchi, "The Effect of an Increase in Imports from China on Local Labor Markets in Japan," *Journal of Japanese and International Economies* 51 (March 2019): 1-18.

26 Rei Naka and Yukiko Fukagawa, "Globalism at a Crossroads: Rising Protectionism and What It Means for East Asia," *Japan Spotlight*, Special Article 2 (May-June 2017): 53-58, www.jef.or.jp/journal/pdf/213th_Special_Article_02.pdf. Figures are for 2014.（日本語版：中澤／深川由起子「グローバル化の曲がり角：台頭する保護主義と東アジアへの示唆」）

27 Marc Bacchetta and Victor Stolzenburg, "Trade, Value Chains and Labor Markets in Advanced

Economies," in *Global Value Chain Development Report, 2019: Technological Innovation, Supply Chain Trade and Workers in a Globalized World*, WTO, 2019, https://www.worldbank.org/en/topic/trade/publication/global-value-chain-development-report-2019.

28 Adam Jakubik and Victor Stolzenburg, "The 'China Shock' Revisited: Insights from Value Added Trade Flows," WTO Working Paper, ERSD-2018-10, Geneva, October 26, 2018, https://www.wto.org/english/res_e/reser_e/ersd201810_e.pdf.

29 Jean-Yves Huwart and Loïc Verdier, "The 2008 Financial Crisis—A Crisis of Globalisation?" in *Economic Globalisation: Origins and Consequences, OECD Insights* (Paris: OECD Publishing, 2013): 126–43.

30 Uwe Vollmer and Ralf Bebenroth, "The Financial Crisis in Japan: Causes and Policy Reactions by the Bank of Japan," *The European Journal of Comparative Economics* 9, no. 1 (2012): 51–77.

31 Phillip Y. Lipscy and Hirofumi Takinami, "The Politics of Financial Crisis Response in Japan and the United States," *Japanese Journal of Political Science* 14, no. 3 (2013): 321–53.

32 護送船団方式とは、日本の規制当局が成長よりも安定を優先し、主要金融機関などのうち最も弱い機関のスピードにあわせる形で主要金融機関の足並みをそろえさせたやり方のこと。苦境に陥った際にも救済措置をとり、それゆえにモラルハザードを助長した。

33 Saori Katada, "Financial Crisis Fatigue? Politics behind Japan's Post-Global Financial Crisis Economic Contraction," *Japanese Journal of Political Science* 14, no. 2 (June 2013): 223–42.

34 Jun Saito, "Recovery from a Crisis: U.S. and Japan," Japan Center for Economic Research, May 7, 2014, https://www.jcer.or.jp/english/recovery-from-a-crisis-us-and-japan.（日本語版：齋藤潤「齋藤潤の経済バーズアイ：危機からの復元力：日本と米国」日本経済研究センター、２０１４年４月15日）

35 "Slowbalisation: The Steam Has Gone Out of Globalization," *The Economist*, January 24, 2019, www.economist.com/leaders/2019/01/24/the-steam-has-gone-out-of-globalisation.

36 Susan Lund et al., "The New Dynamics of Financial Globalization," McKinsey Global Institute, McKinsey & Company, August 2017, www.mckinsey.com/industries/financial-services/our-insights/the-new-dynamics-of-financial-globalization.

37 Xin Li, Bo Meng, and Zhi Wang, "Recent Patterns of Global Production and GVC Participation," in *Global Value Chain Development Report 2019: Technological Innovation, Supply Chain Trade, and Workers in a Globalized World* (Geneva: World Trade Organization, 2019). 日本、中国、アメリカのグローバル・バリューチェーン参加指数は、リーおよび彼の共著者たちが寛大にも提供してくれたものである。日本の前方参加は２０１０年にはＧＤＰの７・６％で、２０１７年には８・３％に上昇した。中国の指数は同時期に10・６％から８・１％へ、アメリカは６・０％から５・６％へ下降した。日本の後方参加は同じく２０１０年には最終財の７・５％で、２０１７年には９・１％に上昇した。中国は13・７％から９・１％へ、アメリカは６・４％から６・１％へと下降した。

38 次の資料を参照。"Reinventing Globalisation," *The Economist*, June 18, 2022, www.economist.com/leaders/2022/06/16/the-tricky-restructuring-of-global-supply-chains.

39 Pascal Lamy and Nicolas Kohler-Suzuki, "Deglobalization Is Not Inevitable," *Foreign Affairs*, June 8, 2022, www.foreignaffairs.com/articles/world/2022-06-09/deglobalization-not-inevitable.

40 内閣府「中国の経済成長と貿易構造の変化」『世界経済の潮流　２０２１年 Ⅱ』」２０２２年２月、www5.cao.go.jp/j-j/sekai_chouryuu/sa21-02/index-pdf.html

第２章

1 日本人の移住は１８９９年に始まったが、主に２つの時期（１９２３年から１９４１年までと、１９５３年から１９７３年まで）に集中していた。次の資料を参照。Apichai W. Shipper, *Fighting for Foreigners:*

Immigration and Its Impact on Japanese Democracy (Ithaca, NY: Cornell University Press, 2008), 38.

2 Mike Douglass and Glenda S. Roberts, *Japan and Global Migration: Foreign Workers and the Advent of a Multicultural Society* (New York: Routledge, 2000), 6.

3 Erin Aeran Chung, *Immigration and Citizenship in Japan* (New York: Cambridge University Press, 2010).（邦訳：エリン・エラン・チャン『在日外国人と市民権：移民編入の政治学』阿部温子訳、明石書店、2012年）

4 Ayako Komine, "A Closed Immigration Country: Revisiting Japan as a Negative Case," *International Migration* 56, no. 5 (2018): 106-22.

5 1970年から2005年までの日本における帰化率は外国人10万人あたり887人。ドイツ（840人）をわずかに上回るが、アメリカ（5146人）と比べれば大幅に下回る。次の資料を参照。Thomas Janoski, *The Ironies of Citizenship: Naturalization and Integration in Industrialized Countries* (Cambridge, UK: Cambridge University Press, 2010), 17.

6 Saburo Takizawa, "Japan's Refugee Policy: Issues and Outlook," *Japan's Contribution to International Peace and Security Series*, Japan Institute for International Affairs, Tokyo, March 2018, https://www2.jiia.or.jp/en/pdf/digital_library/peace/Saburo_Takizawa-Japan_s_Refugee_Policy_Issues_and_Outlook.pdf.（日本語版：滝澤三郎「日本の『難民政策』の課題と展望」『国際問題』2017年6月、No.662）

7 2019年に日本は44人を難民と認定しており、認定率は0・4%。ドイツは25・9%、アメリカは29・6%。次の資料を参照。Daisuke Akimoto, "Japan's Changing Immigration and Refugee Policy," *The Diplomat*, March 12, 2021, https://thediplomat.com/2021/03/japans-changing-immigration-and-refugee-policy/. 日本における最近の最も重要な変化としては、ロシアによる2022年のウクライナ侵攻後の数カ月で2000人近いウクライナ人を「避難民」として受け入れ、短期滞在ビザを交付し、無料の住居などのサポートを与えた。その後２０２３年３月には、内閣が入管法において新たな制度創設を承認し、紛争地から逃れてきた人に難民に与える保護と同様の保護を与えることとした。ただし、この新しい措置には国会の承認を要する。次の資料を参照。"Japan's Cabinet Approves Draft Revisions to Immigration Law," NHK World, March 7, 2023, https://www3.nhk.or.jp/nhkworld/en/news/20230307_13/.

8 数値はオックスフォード大学の「国際移民決定要素」（ＤＥＭＩＧ）データベースを使用し、規制変更の指標化にはグッドマンおよびペピンスキーの手法を再現した。日本の移民政策の志向性（自由化か、規制か）を示しているが、どの規制変更がより大きな結果をもたらしているかは測定していない。「進行の方向性」を見るのに役立つ指標として示している。次の資料を参照。International Migration Institute, *DEMIG Policy, Version 1.3, online edition*, University of Oxford, United Kingdom, 2015; および Sara Wallace Goodman and Thomas Pepinsky, "The Exclusionary Foundations of Embedded Liberalism," draft paper presented at the 2019 IPES Conference Program, San Diego, CA, November 2019, https://www.internationalpoliticaleconomysociety.org/sites/default/files/paper-uploads/2019-11-15-23_58_03-pepinsky@cornell.edu.pdf.

9 Hawon Jang, "The Special Permanent Residents in Japan: Zainichi Korean," *The Yale Review of International Studies*, January 2019, http://yris.yira.org/comments/2873#_ftn14.

10 Michael Strausz, *Help (Not) Wanted: Immigration Politics in Japan* (Albany: State University of New York Press, 2019).

11 David Green, "As Its Population Ages, Japan Quietly Turns to Immigration," Migration Policy Institute, March 28, 2017, www.migrationpolicy.org/article/its-population-ages-japan-quietly-turns-immigration.

12 Deborah J. Milly, *New Policies for New Residents: Immigrants, Advocacy, and Governance in Japan and Beyond* (Ithaca, NY: Cornell University Press, 2014, 65), 174.

13 Yunchen Tian, "Workers by Any Other Name: Comparing Co-ethnics and 'Interns' as Labor Migrants to Japan," *Journal of Ethnic and Migration Studies* 45, no. 9 (2019): 1496–514.

14 Komine, "A Closed Immigration Country," 106–22.

15 Nana Oishi, "Redefining the 'Highly Skilled': The Points-Based System for Highly Skilled Foreign Professionals in Japan," *Asian and Pacific Migration Journal* 23, no. 4 (2014): 421–50.

16 日本は国際経営開発研究所（ＩＭＤ）の世界人材ランキングにおいて、２０１８年に29位だった。次の資料を参照。Mitsuru Obe, "Japan to Asia: Give Us Your Young, Your Skilled, Your Eager Workers," *Nikkei Asia*, January 1, 2019, https://asia.nikkei.com/Spotlight/Asia-Insight/Japan-to-Asia-Give-us-your-young-your-skilled-your-eager-workers.

17 Kazuaki Nagata, "With Fast-Track Permanent Residency Rule, Japan Looks to Shed Its Closed Image," *The Japan Times*, January 4, 2018, www.japantimes.co.jp/news/2018/01/04/national/fast-track-permanent-residency-rule-japan-looks-shed-closed-image/.

18 次の資料で引用されている。Mitsuru Obe, "Famous for Its Resistance to Immigration, Japan Opens Its Doors," *Nikkei Asia*, May 30, 2018, https://asia.nikkei.com/Spotlight/The-Big-Story/Famous-for-its-resistance-to-immigration-Japan-opens-its-doors. 戦後日本の右翼団体は、自分たちの大義を広めるために政党を結成するのではなく、デモ活動を行ったり、個々の保守派政治家との結びつきを作ったりしていた。次の資料を参照。Nathaniel Smith, "Vigilante Video: Digital Populism and Anxious Anonymity among Japan's New Netizens," *Critical Asian Voices* 52, no. 1 (2020): 67–86.

19 Michael Strausz, "Japanese Conservatism and the Integration of Foreign Residents," *Japanese Journal of Political Science* 11, no. 2 (2010): 245–64.

20 Michael Orlando Sharpe, "What Can the United States and Japan Learn from Each Other's Immigration Policies?" in *Expert Voices on Japan: Security, Economic, Social, and Foreign Policy*

Recommendations, ed. Arthur Alexander, U.S.-Japan Network for the Future Cohort IV (Washington, DC: The Maureen and Mike Mansfield Foundation, 2018), 139-56, https://mansfieldfdn.org/wp-content/uploads/2018/06/Expert_Voices-FINAL.pdf.

21 Nathaniel Smith, "Fights on the Right: Social Citizenship, Ethnicity, and Postwar Cohorts of the Japanese Activist Right," *Social Science Japan Journal* 21, no. 2 (Summer 2018): 261-83.

22 次の資料を参照。"Kawasaki Enacts Japan's First Bill Punishing Hate Speech," *The Japan Times*, December 12, 2019, www.japantimes.co.jp/news/2019/12/12/national/crime-legal/kawasaki-first-japan-bill-punishing-hate-speech/.

23 この10年間には別の面でも急速な変化があった。２００７年から２０１７年の間で永住者の数は70％増加し、帰化申請者12万４０００人が帰化認定を受けた（１９５２年以降のすべての帰化のうち22％に相当）。次の資料を参照。Deborah J. Milly, "Japan's Labor Migration Reforms: Breaking with the Past?" Migration Policy Institute, February 20, 2020, www.migrationpolicy.org/article/japan-labor-migration-reforms-breaking-past.

24 Yuko Aizawa, "Opening the Door to Incoming Workers," *NHK Newsline*, February 27, 2019, https://www3.nhk.or.jp/nhkworld/en/news/backstories/383/.

25 数字は次の資料で報じられたもの。"Japan to Ease Language Requirements for Unskilled Foreign Workers," *Nikkei Asia*, May 29, 2018, https://asia.nikkei.com/Economy/Japan-to-ease-language-requirements-for-unskilled-foreign-workers.

26 次の資料を参照。"Bureau Head Shoko Sasaki to Lead Upgraded Immigration Agency When It Launches April 1," *The Japan Times*, March 28, 2019, www.japantimes.co.jp/news/2019/03/28/national/bureau-head-shoko-sasaki-lead-upgraded-immigration-agency-launches-april-1/.

27 Jiyeon Song, "The Political Dynamics of Japan's Immigration Policies during the Abe

Government," *Pacific Focus* 35, no. 3 (December 2020): 613–40.

28 Milly, "Japan's Labor Migration Reforms."

29 次の資料を参照。"Japan Enacts Divisive Foreign Worker Bill to Ease Labor Shortage," *Nikkei Asia*, December 8, 2018, https://asia.nikkei.com/Spotlight/Japan-immigration/Japan-enacts-divisive-foreign-worker-bill-to-ease-labor-shortage.

30 日本テレビ「定例世論調査」２０１８年12月、www.ntv.co.jp/yoron/tnvmcctideuawq3h.html

31 次の資料を参照。Anna Gonzalez-Barrera and Phillip Conor, "Around the World, More Say Immigrants Are a Strength Than a Burden," Pew Research Center, March 14, 2019, www.pewresearch.org/global/2019/03/14/around-the-world-more-say-immigrants-are-a-strength-than-a-burden/.

32 Rieko Kage, Frances M. Rosenbluth, and Seiki Tanaka, "Varieties of Public Attitudes toward Immigration: Evidence from Survey Experiments in Japan," *Political Research Quarterly* 75, no. 1 (2022): 216–30.

33 Kanoko Matsuyama and James Mayger, "How Japan Achieved One of the Lowest COVID Death Rates," *Bloomberg*, June 17, 2022, www.bloomberg.com/news/articles/2022-06-17/how-japan-achieved-one-of-the-world-s-lowest-covid-death-rates.

34 次の資料を参照。Statista, "Coronavirus Disease (COVID-19) Vaccination Rate in Japan as of June 6, 2022," www.statista.com/statistics/1239927/japan-covid-19-vaccination-rate/.

35 厚生労働省が掲げたスローガンは次のとおり。「三つの密を避けましょう！　１　換気の悪い密閉空間　２　多数が集まる密集場所　３　間近で会話や発声をする密接場面」。

36 Yves Tiberghien, "Panel 1: Japan's Domestic Politics and the Economy," webinar, Japan in 2022, Brookings Institution and the Japan-America Society of Washington, DC, January 18, 2022, www.

brookings.edu/events/japan-in-2022/.

37 Isabel Reynolds, "Xenophobia Spills into Japan's COVID Era Debate on Immigration," *Bloomberg*, December 26, 2021, www.bloomberg.com/news/articles/2021-12-26/xenophobia-spills-into-japan-s-covid-era-debate-on-immigration.

38 次の資料を参照。Mary A. Shiraef, "Closed Borders, Travel Bans and Halted Immigration: 5 Ways COVID-19 Changed How—and Where—People Move around the World," *The Conversation*, March 18, 2021, https://theconversation.com/closed-borders-travel-bans-and-halted-immigration-5-ways-covid-19-changed-how-and-where-people-move-around-the-world-157040.

39 "U.S.-Japan Community Urges Government of Japan to Relax Border Closure," *NichiBei Connect*, January 19, 2022, https://www.nichibeiconnect.com/u-s-japan-community-comes-together-to-express-concerns-to-goverment-of-japan/.

40 Asia-Pacific Initiative (API), "Border Control (Resumption of International Travel)," in *The Independent Investigation Commission on the Japanese Government's Response to COVID-19*, Tokyo, January 8, 2021, 13, https://apinitiative.org/en/project/covid19/.（日本語版：アジア・パシフィック・イニシアティブ「国境管理（国際的な人の往来再開）」『新型コロナ対応・民間臨時調査会　調査・検証報告書』ディスカヴァー・トゥエンティワン、２０２０年、２３１ページ）

41 Ibid., 15–16.（アジア・パシフィック・イニシアティブ『新型コロナ対応・民間臨時調査会　調査・検証報告書』）

42 次の資料を参照。"Japan Looks to Accept Most Foreign Students Waiting to Enter by End of May," *The Japan Times*, March 9, 2022, www.japantimes.co.jp/news/2022/03/09/national/higher-entry-cap-foreign-students/.

43 次の資料を参照。価値総合研究所「２０３０／40年の外国人との共生社会の実現に向けた調査研究―暫定報告―」2022年2月3日に開催されたJICA緒方貞子平和開発研究所主催シンポジウム「2030/40年の外国人との共生社会の実現に向けて」にて発表。www.jica.go.jp/jica-ri/ja/news/event/tfpeil0000002f5m-att/20220203_01.pdf

44 次の資料を参照。Mitsuru Obe, "Japan to Require Four Times More Foreign Workers, Study Says," *Nikkei Asia*, February 3, 2022, https://asia.nikkei.com/Spotlight/Japan-immigration/Japan-to-require-four-times-more-foreign-workers-study-says.

45 "In Major Shift, Japan Looks to Allow More Foreign Workers to Stay Indefinitely," *The Japan Times*, November 8, 2021, www.japantimes.co.jp/news/2021/11/18/national/japan-indefinite-visas/.

第3章

1 Mireya Solís, "Japan's Consolidated Democracy in an Era of Populist Turbulence," Policy Brief, The Brookings Institution, 2019, 6, https://www.brookings.edu/wp-content/uploads/2019/02/FP_20190227_japan_democracy_solis.pdf.

2 著者の計算には世界銀行のデータを使用した。次の資料を参照。World Bank, "World Bank Open Data," https://data.worldbank.org/.

3 Takatoshi Ito and Takeo Hoshi, *The Japanese Economy*, 2nd ed. (Cambridge, MA: MIT Press, 2020), 166.（邦訳：伊藤隆敏/星岳雄『日本経済論』祝迫得夫/原田喜美枝訳、東洋経済新報社、2023年）

4 Ibid., 97, 166-67.（伊藤/星『日本経済論』）

5 Keiichiro Kobayashi, "The Two 'Lost Decades' and Macroeconomics: Changing Economic Policies," in *Examining Japan's Lost Decades*, ed. Yoichi Funabashi and Barak Kushner, Routledge

Contemporary Japan Series (New York: Routledge, 2015), 37-55.（日本語版：小林慶一郎「不良債権処理の先送りと景気刺激策の20年」船橋洋一編著『検証 日本の「失われた20年」：日本はなぜ停滞から抜け出せなかったのか』東洋経済新報社、2015年）

6 キャバレロ（他）の試算では、1996年の時点で35％近い企業がゾンビ会社と分類されうる状態になっていた（つまり、特別な支援がなければ経営を続けられなかった）。この割合はサービス業ではさらに高かった。次の資料を参照。Ricardo J. Caballero, Takeo Hoshi, and Anyl Kashyap, “Zombie Lending and Depressed Restructuring in Japan,” *American Economic Review* 98, no. 5 (2008): 1943-77.

7 Takeo Hoshi and Anil Kashyap, “Why Did Japan Stop Growing?” National Institute for Research Advancement, Tokyo January 21, 2011, 27, www.nira.or.jp/pdf/1002english_report.pdf.（日本語版：星岳雄／アニル・カシャップ「何が日本の経済成長を止めたのか？」公益財団法人総合研究開発機構、2011年7月）

8 Ibid., 3.（星／カシャップ「何が日本の経済成長を止めたのか？」）

9 Ito and Hoshi, *The Japanese Economy*, 541.（伊藤／星『日本経済論』）

10 Kenneth Kuttner, Tokuo Iwaisako, and Adam Posen, “Monetary and Fiscal Policies during the Lost Decades,” in *Examining Japan’s Lost Decades*, ed. Yoichi Funabashi and Barak Kushner (New York: Routledge, 2015), 17-36.（邦訳：ケネス・N・カトナー／祝迫得夫／アダム・S・ポーゼン「『失われて』いた協調的な金融・財政政策」船橋『検証 日本の「失われた20年」』）

11 Ito and Hoshi, *The Japanese Economy*, 136-37.（伊藤／星『日本経済論』）

12 Kenji E. Kushida and Kay Shimizu, “The Politics of Syncretism in Japan’s Political Economy: Finance and Postal Reforms,” in *Syncretism: The Politics of Economic Restructuring and System Reform in Japan*, ed. Kenji E. Kushida, Kay Shimizu, and Jean C. Oi (Stanford: The Walter Shorenstein Asia-Pacific Research Center, Stanford University, 2013), 37-76.

13 Chul-Ju Kim and Michael C. Huang, "The Privatization of Japan Rail and Japan Post: Why, How, and Now," Asian Development Bank Institute (ADBI) Working Paper Series, no. 1039, 2019, www.econstor.eu/bitstream/10419/222806/1/1685187595.pdf.

14 Gregory W. Noble, "Koizumi's Complementary Coalition for (Mostly) Neoliberal Reform in Japan," in *Syncretism: The Politics of Economic Restructuring and System Reform in Japan*, ed. Kenji E. Kushida, Kay Shimizu, and Jean C. Oi (Stanford: The Walter Shorenstein Asia-Pacific Research Center, Stanford University, 2013), 115-46.

15 Yves Tiberghien, "Thirty Years of Neo-Liberal Reforms in Japan," in *The Great Transformation of Japanese Capitalism*, ed. Sebastien Lechevalier, The Nissan Institute/Routledge Japanese Studies Series (New York: Routledge, 2016), 26-55.（邦訳：セバスチャン・ルシュヴァリエ／イヴ・ティベルゲン「資本主義の多様性と資本主義の未来への日本からの教訓」セバスチャン・ルシュヴァリエ『日本資本主義の大転換』新川敏光監訳、岩波書店、２０１５年）

第４章

1 Tobias Harris, *The Iconoclast: Shinzo Abe and the New Japan* (London: Hurst Publishing, 2020).

2 次の資料を参照。Haruhiko Kuroda, "Overcoming Deflation-Theory and Practice," speech, Keio University, Tokyo, June 20, 2016, www.bis.org/review/r160623a.pdf.（日本語版：黒田東彦「デフレからの脱却に向けて：理論と実践―慶應義塾大学における講演―」２０１６年６月20日）

3 Gene Park, "The Bank of Japan: Central Bank Independence and the Politicization of Monetary Policy," in *The Oxford Handbook of Japanese Politics*, ed. Robert J. Pekkanen and Saadia M. Pekkanen (New York: Oxford University Press, 2020), 433-50.

4 Takatoshi Ito, "Assessment of Abenomics: Origin, Evolution, and Achievement," working paper,

Asian Economic Policy Review (AEPR) Series, no. 2020-2-1, Japan Center for Economic Research, Tokyo, October 2020, www.jcer.or.jp/jcer_download_log.php?f=eyJwb3N0X2lkIjo3MDczMywiZmlsZV9wb3N0X2lkIjoiNzA4MDUifQ==&post_id=70733&file_post_id=70805.

5 Gene Park, "Japan's Deflation, Monetary Policy and Issues Ahead" *East Asian Policy 11*, no. 3 (2019): 68–81.

6 Ito, "Assessment of Abenomics."

7 次の資料を参照。OECD, "General Government Debt," 2022, https://data.oecd.org/gga/general-government-debt.htm.

8 Edward J. Lincoln, "A Retrospective on Abenomics," Working Paper no. 378, Center on Japanese Economy and Business, Columbia University Business School, New York, December 2020.

9 Harris, *The Iconoclast*, 211.

10 Takeo Hoshi and Phillip Y. Lipscy, "The Political Economy of the Abe Government," in *The Political Economy of the Abe Government and Abenomics Reforms*, ed. Takeo Hoshi and Phillip Lipscy (Cambridge, UK: Cambridge University Press, 2021), 3–39; および Ko Mishima, "The Presidentialization of Japan's LDP Politics: Analyzing Its Causes, Limits, and Perils," *World Affairs* 182, no. 2 (February 2019): 97–123.

11 次の資料を参照。"Japan's Q4 GDP Downgraded to Annualized 7.1% contraction," *Nikkei Asia*, March 9, 2020, https://asia.nikkei.com/Economy/Japan-s-Q4-GDP-downgraded-to-annualized-7.1-contraction.

12 次の資料を参照。"Japan Enacts 19 Tril. Yen Extra Budget to Fight Virus amid Criticism," Kyodo News, January 28, 2021, https://english.kyodonews.net/news/2021/01/c5e63041eae7-breaking-news-japan-enacts-1918-tril-yen-extra-budget-to-manage-pandemic.html.

13 次の資料を参照。OECD, "General Government Debt."

14 Ito, "Assessment of Abenomics."

15 Mark T. Greenan and David E. Weinstein, "The Crisis That Wasn't: How Japan Has Avoided a Bond Market Panic," Working Paper no. 361, Center on Japanese Economy and Business, Columbia University Business School, New York, November 2017.

16 次の資料を参照。Shinzo Abe, "Economic Policy," speech, London, June 19, 2013, https://japan.kantei.go.jp/96_abe/statement/201306/19guildhall_e.html.（日本語版：「安倍総理大臣・経済政策に関する講演」２０１３年６月19日）

17 OECD, "Japan: Productivity," OECD Insights on Productivity and Business Dynamics (Paris, March 2020), www.oecd.org/sti/ind/oecd-productivity-insights-japan.pdf.

18 David Piling, *Bending Adversity: Japan and the Art of Survival* (New York: Penguin Press, 2014).

19 Hoshi and Lipscy, "The Political Economy of the Abe Government."

20 Sebastien Lechevalier and Brieuc Monfort, "Abenomics: Has It Worked? Will It Ultimately Fail?" *Japan Forum* 30, no. 2 (2018): 277–302.

21 Ken Hokugo and Alicia Ogawa, "Corporate Governance and Stewardship Program," Working Paper no. 1, Center on Japanese Economy and Business, Columbia University Business School, New York, 2017.

22 Franz Waldenberger, "'Growth Oriented' Corporate Governance Reform—Can It Solve Japan's Performance Puzzle?" *Japan Forum* 29, no. 3 (2017): 354-74.

23 次の資料を参照。The Council of Experts on the Stewardship Code (FY2019), "Principles for Responsible Institutional Investors ≪Japan's Stewardship Code≫," Tokyo, Financial Services Agency, March 24, 2020, www.fsa.go.jp/en/refer/councils/stewardship/20200324/01.pdf.（日本語

版：スチュワードシップ・コードに関する有識者検討会「『責任ある機関投資家』の諸原則《日本版スチュワードシップ・コード》～投資と対話を通じて企業の持続的成長を促すために～」金融庁、２０２０年3月24日）

24 OECD, "OECD Economic Surveys, Japan 2019," (Paris: OECD Publishing, April 2019), 46.

25 Steven Vogel, "Japan's Ambivalent Pursuit of Shareholder Capitalism," *Politics and Society* 47, no. 1 (2019): 117–44.

26 Curtis J. Milhaupt, "Evaluating Abe's Third Arrow: How Significant Are Japan's Recent Corporate Governance Reforms?" Revised draft paper presented at the Symposium Celebrating the 25th Anniversary of the Chair in Japanese Law, University College London, 2017.

27 日本の現金保有残高はGDP比60％であるのに対し、ユーロ圏は30％、アメリカは10％。次の資料を参照。Mike Bird, "Stock Market Investors Must Keep an Eye on the Corporate Cash Mountain," *The Wall Street Journal*, April 23, 2021, www.wsj.com/articles/stock-market-investors-must-keep-an-eye-on-the-corporate-cash-mountain-11619171580.

28 Kathy Matsui, Hiromi Suzuki, and Kazunori Tatebe, "Womenomics 5.0," Goldman Sachs, New York, April 2019, www.goldmansachs.com/insights/pages/womenomics-5.0/.（日本語版：キャシー・松井／鈴木廣美／建部和礼「ウーマノミクス５・０」ゴールドマン・サックス）

29 Linda Hasunuma, "Political Targets: Womenomics as an Economic and Foreign Relations Strategy," *Asie Visions*, no. 92, Institut français des relations internationales (Ifri), [French Institute for International Relations], April 2017, www.ifri.org/en/publications/notes-de-lifri/asie-visions/political-targets-womenomics-economic-and-foreign-relations.

30 Hiroko Goto, "Will Prime Minister Abe's 'Womenomics' Break Glass Ceilings in Japan?" *Hastings International and Comparative Law Review* 44(2016): 441–57; および Matsui et al., "Womenomics 5.0."（松井／鈴木／建部「ウーマノミクス５・０」）

31 Matsui et al., "Womenomics 5.0," 14.（松井／鈴木／建部「ウーマノミクス５・０」）

32 Nobuko Nagase, "Has Abe's Womenomics Worked?" *Asian Economic Policy Review* 13, no. 1 (January 2018): 68–101.

33 Yukiko Amano, Kyo Kitazume, and Eriko Sunayama, "Gender Gap Persists in Japan as Women earn 74% as Much as Men," *Nikkei Asia*, March 8, 2022, https://asia.nikkei.com/Spotlight/Society/Gender-gap-persists-in-Japan-as-women-earn-74-as-much-as-men.

34 Bill Emmott, *Japan's Far More Female Future: Increasing Gender Equality and Reducing Workplace Insecurity will make Japan Stronger* (Oxford,UK: Oxford University Press, 2020).（邦訳：ビル・エモット『日本の未来は女性が決める！』川上純子訳、日本経済新聞出版、２０１９年）

35 Masayoshi Honma and Aurelia George Mulgan, "Political Economy of Agricultural Reform in Japan under Abe's Administration," *Asian Economic Policy Review* 13, no. 1 (January 2018): 128–46.

36 Patricia L. Machlachlan and Kay Shimizu, "Japanese Farmers in Flux: The Domestic Sources of Agricultural Reform," *Asian Survey* 56, no. 3 (2016): 442–65.

37 Mireya Solís, *Dilemmas of a Trading Nation: Japan and the United States in the Evolving Asia-Pacific Order* (Washington, DC: Brookings Institution Press, 2017).（ソリース『貿易国家のジレンマ』）

38 Ibid., 186.（ソリース『貿易国家のジレンマ』）

39 Ibid.（ソリース『貿易国家のジレンマ』）

40 次の資料を参照。Aurelia George Mulgan, "Can Abe's Third Arrow Pierce Japan's Agricultural Armour?" East Asia Forum, April 6, 2014, www.eastasiaforum.org/2014/04/06/can-abes-third-arrow-pierce-japans-agricultural-armour/.

41 Hironori Sasada, "The 'Third Arrow' or Friendly Fire? The LDP Government's Reform Plan for the

Japan Agricultural Cooperatives," *Japanese Political Economy* 41, no. 1-2 (2015): 14-35.

42 Kazuhiko Yamashita, "A First Step Toward Reform of Japan's Agricultural Cooperatives System," Nippon.com, April 20, 2015, www.nippon.com/en/currents/d00169/（日本語版：山下一仁「『アベノミクス』の農協改革：これで終わらせてはならない」２０１５年３月11日）；および Machlachlan and Shimizu, "Japanese Farmers in Flux."

43 Hideo Hayakawa, "Reading between the lines of Abenomics 2.0," Nippon.com, December 16, 2015, https://www.nippon.com/en/currents/d00207/.（日本語版：早川英男「安倍政権、新『３本の矢』登場の意味」２０１５年11月24日）

44 Steven Vogel, "Japan's Labor Regime in Transition: Rethinking Work for a Shrinking Nation," *Journal of Japanese Studies* 44, no. 2 (2018): 257-92.

45 Japan Institute for Labour Policy and Training, "Workstyle Reform Bill Enacted," *Japan Labor Issues* 2, no. 10 (November 2018): 7; および Ulrike Schaede, *The Business Reinvention of Japan: How to Make Sense of the New Japan and Why It Matters* (Stanford: Stanford University Press, 2020).（シェーデ『再興ＴＨＥ ＫＡＩＳＨＡ』）

46 Jun Saito, "Changes in Japanese Employment under COVID-19," Japan Center for Economic Research, April 10, 2021, www.jcer.or.jp/english/changes-in-japanese-employment-under-covid-19.（日本語版：齋藤潤「齋藤潤の経済バーズアイ　コロナ下における女性の正規雇用増加」日本経済研究センター、２０２１年５月６日）

47 次の資料を参照。内閣府「感染症拡大の下で進んだ柔軟な働き方と働き方改革【説明資料】」『令和２年度年次経済財政報告』https://www5.cao.go.jp/keizai3/2020/1106wp-keizai/setsumei02.pdf

48 Saito, "Changes in Japanese Employment under COVID-19."（齋藤「コロナ下における女性の正規雇用増加」）

第5章

1 Mari Miura, *Welfare through Work: Conservative Ideas, Partisan Dynamics, and Social Protection in Japan* (Ithaca, NY: Cornell University Press, 2012).

2 Margarita Estévez-Abe, *Welfare and Capitalism in Postwar Japan* (Cambridge, UK: Cambridge University Press, 2008).

3 次の資料を参照。The World Bank, “Fertility Rate, Total (Births Per Woman)—Japan,” https://data.worldbank.org/indicator/SP.DYN.TFRT.IN?locations=JP; および TheWorld Bank, “Life Expectancy at Birth, Female (Years)—Japan,” https://data.worldbank.org/indicator/SP.DYN.LE00.FE.IN?locations=JP.

4 Yihan Liu and Niklas J. Westelius, “The Impact of Demographics on Productivity and Inflation in Japan,” IMF Working Paper, WP/26/237, 2016, www.imf.org/en/Publications/WP/Issues/2016/12/31/The-Impact-of-Demographics-on-Productivity-and-Inflation-in-Japan-44449.

5 United Nations, “World Population Prospects 2022: Summary of Results,” UN DESA/POP/2022/NO.3, Population Division, Department of Economic and Social Affairs, New York, 2022, www.un.org/development/desa/pd/sites/www.un.org.development.desa.pd/files/wpp2022_summary_of_results.pdf.

6 Kazuo Yanase et al., “The New Population Bomb,” *Nikkei Asia*, September 22, 2021, https://asia.nikkei.com/Spotlight/The-Big-Story/The-new-population-bomb.

7 Marcin Pawel Jarzebski et al., “Ageing and Population Shrinking: Implications for Sustainability in the Urban Century,” *npj Urban Sustainability* 1, no. 17 (2021): 11, https://doi.org/10.1038/s42949-021-00023-z.

8 次の資料を参照。United Nations, “World Population Prospects 2019: Volume I, Comprehensive

"Tables," ST/ESA/SER.A/426, Population Division, Department of Economic and Social Affairs, New York, 2019, 27, www.un.org/development/desa/pd/sites/www.un.org.development.desa.pd/files/files/documents/2020/Jan/un_2019_wpp_vol1_comprehensive-tables.pdf.

9 次の資料を参照。OECD, "Income Inequality," https://data.oecd.org/inequality/income-inequality.htm; および OECD, "Poverty Rate," https://data.oecd.org/inequality/poverty-rate.htm#indicator-chart.

10 次の資料を参照。OECD, "Wealth," OECD.Stat, https://stats.oecd.org/Index.aspx?DataSetCode=WEALTH#.

11 厚生労働省「非正規雇用（有期・パート・派遣労働）」、https://www.mhlw.go.jp/stf/seisakunitsuite/bunya/koyou_roudou/part_haken/index.html.

12 David Chiavacci, "Social Inequality in Japan," in *The Oxford Handbook of Japanese Politics*, ed. Robert J. Pekkanen and Saadia M. Pekkanen (New York: Oxford University Press, 2021), 450–70.

13 Peter Matanle, "Understanding the Dynamics of Regional Growth and Shrinkage," in *Social Inequality in Post-Growth Japan*, ed. David Chiavacci and Carola Hommerich (New York: Routledge, 2017), 213–30.

14 小林利行「減少する中流意識と変わる日本人の社会観～ＩＳＳＰ国際比較調査『社会的不平等』・日本の結果から～」ＮＨＫ放送文化研究所、２０２０年５月 https://www.nhk.or.jp/bunken/research/yoron/pdf/20200501_7.pdf

15 内閣府「国民生活に関する世論調査（令和3年9月調査）」２０２２年1月、https://survey.gov-online.go.jp/r03/r03-life/index.html

16 Steffen Heinrich, "Does Employment Dualization Lead to Political Polarization? Assessing the Impact of Labour Market Inequalities on Political Discourse in Japan," in *Social Inequality in Post-*

Growth Japan, ed. David Chiavacci and Carola Hommerich (New York: Routledge, 2017), 73-87.

17 Chiavacci, "Social Inequality in Japan."

18 Andrew Gordon, "Making Sense of the Lost Decades: Workplaces and Schools, Men and Women, Young and Old, Rich and Poor," in *Examining Japan's Lost Decades*, ed. Yoichi Funabashi and Barak Kushner (New York: Rout-ledge, 2015), 77-100.（邦訳：アンドルー・ゴードン「『失われた20年』を職場、学校、男女、富と貧困から考える」船橋『検証 日本の「失われた20年」』）。しかし非正規雇用は引き続き高水準にとどまっている。次の資料を参照。"Level of Non-Regular Employment Remains High in Japan at 37.3%," Nippon.com, https://www.nippon.com/en/features/h00175/.（日本語版：「非正規雇用の割合は37・3％と高水準：定年後も働く高齢者が増加」）

19 これらのダイナミクスをめぐる議論が２０２１年秋の総選挙でどう展開されたかは、次の資料を参照。Motoko Rich, Makiko Inoue, and Hikari Hida, "In Japan, Rural Voters Count More than Those in Big Cities. It Shows." *The New York Times*, October 28, 2021, www.nytimes.com/2021/10/28/world/asia/japan-election-rural-urban.html.

20 次の資料を参照。OECD, "Social Expenditure Database (SOCX)," www.oecd.org/social/expenditure.htm.

21 Akihisa Shiozaki, "Japan's Homogeneous Welfare State: Development and Future Challenges," in *The Crisis of Liberal Internationalism: Japan and the World Order*, ed. Yoichi Funabashi and John Ikenberry (Washington, DC: Brookings Institution Press, 2020), 203-36.（邦訳：塩崎彰久「平等主義的な分配政策と制限的な移民政策：日本モデルの発展と課題」船橋洋一／G・ジョン・アイケンベリー編著『自由主義の危機：国際秩序と日本』東洋経済新報社、２０２０年）

22 次の資料を参照。International Institute for Applied Systems Analysis, "The Human Life Indicator," February 19, 2019, https://iiasa.ac.at/web/home/research/researchPrograms/WorldPopulation/

Reaging/HLI.html.

23 Shiozaki, "Japan's Homogeneous Welfare State," 216.（塩崎「平等主義的な分配政策と制限的な移民政策」）

24 Shannon Schumacher and J. J. Moncus, "Economic Attitudes Improve in Many Nations Even as Pandemic Endures," Pew Research Center, July 21, 2021, www.pewresearch.org/global/2021/07/21/economic-attitudes-improve-in-many-nations-even-as-pandemic-endures/.

25 "Japan Outlines 2030 Carbon Target Ahead of Paris Climate Summit," *The Guardian*, April 30, 2015, https://www.theguardian.com/environment/2015/apr/30/japan-outlines-2030-carbon-target-ahead-of-paris-climate-summit.

26 次の資料を参照。Stacy Feldman, "Japan's Motion to Kill Kyoto Protocol a 'Slap in the Face,' Advocates Say," *Reuters*, December 2, 2010, www.reuters.com/article/idUS219608262920101202.

27 Gavin Blair, "Why Japan Still Plugs In to Nuclear," *Christian Science Monitor*, February 26, 2021, https://www.csmonitor.com/World/Asia-Pacific/2021/0226/Why-Japan-still-plugs-into-nuclear.

28 Trevor Incerti and Phillip Y. Lipscy, "The Politics of Energy and Climate Change in Japan under Abe," *Asian Survey* 58, no. 4 (2018): 610, 617.

29 Satoshi Kurokawa, "Can the US-Japan Climate Partnership Lead Decarbonization in Asia?" *East Asia Forum*, June 2, 2021, https://www.eastasiaforum.org/2021/06/02/can-the-us-japan-climate-partnership-lead-decarbonisation-in-asia/.

30 次の資料を参照。Agency for Natural Resources and Energy, "Outline of Strategic Energy Plan," Ministry of Trade, Economy and Industry, October 2021, www.enecho.meti.go.jp/en/category/others/basic_plan/pdf/6th_outline.pdf.（日本語版：経済産業省資源エネルギー庁「エネルギー基本計画の概要」２０２１年10月）

31 次の資料を参照。Shuang Liu, Ye Wang, and Yan Wang, "South Korea and Japan Will End Overseas Coal Financing. Will China Catch Up?" World Resources Institute, June 14, 2021, www.wri.org/insights/south-korea-and-japan-will-end-overseas-coal-financing-will-china-catch.

32 Jane Nakano, "Japan's Hydrogen Industrial Policy," Center for Strategic and International Studies, October 21, 2021, www.csis.org/analysis/japans-hydrogen-industrial-strategy.

33 Diana Schnelle, "Japan's Energy Mix after the Ukraine Crisis," East Asia Forum, www.eastasiaforum.org/2022/05/10/japans-energy-mix-after-the-ukraine-crisis/.

34 ロシアのウクライナ侵攻が始まり、エネルギー価格が高騰すると、直後から日本の世論に変化が起きた。原子力発電所の稼働再開の迅速化を支持する声が、初めて過半数をわずかながら超えた。次の資料を参照。"Majority in Japan Backs Nuclear Power for the First Time since Fukushima," *The Japan Times*, March 28, 2022, www.japantimes.co.jp/news/2022/03/28/national/nuke-power-poll/.

35 Mayumi Fukuyama, "Society 5.0: Aiming for a New Human-Centered Society," Japan Spotlight, Special Article 2 (July/August 2018): 47–50, https://www.jef.or.jp/journal/pdf/220th_Special_Article_02.pdf.

36 IMD World Competitiveness Center, "World Digital Competitiveness Ranking," 2021, www.imd.org/centers/world-competitiveness-center/rankings/world-digital-competitiveness/.

37 Ibid.

38 Hiroshi Fujiwara, "Why Japan Leads Industrial Robot Production," International Federation of Robotics, December 17, 2018, https://ifr.org/post/why-japan-leads-industrial-robot-production.

39 McKinsey & Company and the American Chamber of Commerce in Japan, "Japan Digital Agenda 2030," February 2021, www.accj.or.jp/japan-digital-agenda-2030.

40 次の資料を参照。Jun Mukoyama, "COVID-19 and Japan's Long-Awaited Digital Transformation,"

East Asia Forum, September 25, 2021, www.eastasiaforum.org/2021/09/25/covid-19-and-japans-long-awaited-digital-transformation/.

41 Marie Yanaka, "Will New Agency Save Japan from 'Digital Defeat'?" *NHK World*, September 2, 2021, www3.nhk.or.jp/nhkworld/en/news/backstories/1747/.

42 Ulrike Schaede, *The Business Reinvention of Japan: How to Make Sense of the New Japan and Why It Matters* (Stanford: Stanford University Press, 2020).（シェーデ『再興ＴＨＥ ＫＡＩＳＨＡ』３３９ページ）

43 戸川尚樹／木村知史「日本のＤＸは本当に遅れているのか？：『ＤＸサーベイ』から見る９００社の実態【前編】」ＦＵＪＩＴＳＵ ＪＯＵＲＮＡＬ、２０２０年４月17日、www.fujitsu.com/downloads/JP/microsite/fujitsutransformationnews/journal-archives/pdf/2020-04-17-01.pdf.

44 内閣府「令和3年度　年次経済財政報告」２０２１年９月、https://www5.cao.go.jp/j-j/wp/wp-je21/index_pdf.html

45 岩本 晃一「日本企業のＤＸ導入が遅れている背景」独立行政法人経済産業研究所（ＲＩＥＴＩ）、２０２１年７月20日、www.rieti.go.jp/users/iwamoto-koichi/serial/130.html

46 Samar Fatima et al., "Winners and Losers in the Fulfillment of National Artificial Intelligence Aspirations," Brookings Institution, October 21, 2021, www.brookings.edu/blog/techtank/2021/10/21/winners-and-losers-in-the-fulfilment-of-national-artificial-intelligence-aspirations/.

47 Samar Fatima et al., "The People Dilemma: How Human Capital Is Driving or Constraining the Achievement of National AI Strategies," Brookings Institution, November 10, 2021, www.brookings.edu/blog/techtank/2021/11/10/the-people-dilemma-how-human-capital-is-driving-or-constraining-the-achievement-of-national-ai-strategies/.

48 Ulrike Schaede and Kay Shimizu, *The Digital Transformation and Japan's Political Economy* (Cambridge, UK: Cambridge University Press, 2022).

49 次の資料を参照。Mireya Solís, "In Vying for Economic Preeminence in Asia, Openness Is Essential," Brookings Institution, January 14, 2022, www.brookings.edu/blog/order-from-chaos/2022/01/14/in-vying-for-economic-preeminence-in-asia-openness-is-essential/.

50 Harukata Takenaka, "Demystifying Kishida's New Capitalism: Deputy Chief Cabinet Secretary Kihara Seiji Talks Policy (Part 1)," Nippon.com, July 13, 2022, www.nippon.com/en/in-depth/a07705/demystifying-kishida%E2%80%99s-new-capitalism-deputy-chief-cabinet-secretary-kihara-seiji-talks-.html.（日本語版：竹中治堅「木原誠二官房副長官に聞く（前編）：『新しい資本主義』―グリーン分野で10年間に１５０兆円の投資引き出す」２０２２年7月13日）

51. 岸田文雄「新しい資本主義」文藝春秋digital ２０２２年1月８日、https://bungeishunju.com/n/nf0aaa6d2c57c

52 アメリカの国内研究開発総額（２０１５年基準）は２０００年の３６１６億ドルから２０２０年には６６４１億ドルに増えた。中国は３９８億ドルから５６３３億ドルに増額。日本は小幅の増額にとどまり、同時期に１３３３億ドルから１６７１億ドルに増えた。次の資料を参照。OECD, "Gross Domestic Spending on R&D," 2022, https://data.oecd.org/rd/gross-domestic-spending-on-r-d.htm. 日本の技術政策に関する優れた議論として、次の資料を参照。James L. Schoff, "U.S.-Japan Technology Policy Coordination: Balancing Technonationalism with a Globalized World," Carnegie Endowment for International Peace, 2020, https://carnegieendowment.org/files/Schoff_US-Japan.pdf.

53 日本のスタートアップ投資は２０１４年の14億ドルから２０１８年には38億ドルに拡大した（アメリカは２０１８年に１１８９億ドル）。次の資料を参照。Gen Isayama, "Innovation, Entrepreneurship and Change Management in Japan," Japan Forum Webinar Series, UC San Diego, July 28, 2021, www.

youtube.com/watch?v=2HB0wKhfDC4.
櫛田健児が、日本のスタートアップの発展を支えてきたビジネス環境の規制変更や変化――ベンチャーキャピタルの成長、産学連携の発展、スタートアップとコラボレーションした日本企業の商品開発など――について優れた解説を提示している。次の資料を参照。Kenji Kushida, “Is the Lack of ‘Unicorns’ in Japan Good News or Bad News?” Nippon Institute for Research Advancement (NIRA) Opinion Paper, no. 39, November 2018, https://english.nira.or.jp/papers/opinion_paper/2018/11/is-the-lack-of-unicorns-in-japan-good-news-or-bad-news-injecting-a-historical-institutional-perspec.html.（日本語版：櫛田健児「日本の『ユニコーン』不足はバッドニュースか？　歴史的な制度発展の観点から考察」）

54　次の資料を参照。Takenaka, “Demystifying Kishida's New Capitalism.”（竹中「木原誠二官房副長官に聞く」）

55　Takatoshi Ito, “Down Goes the Yen,” Project Syndicate, October 20, 2022, www.project-syndicate.org/commentary/japan-yen-depreciation-intervention-foreign-exchange-market-by-takatoshi-ito-2022-10; Yuri Kageyama, “Japan Parliament Ok's Ueda as BOJ Chief to Fight Inflation,” AP News, March 11, 2023, https://apnews.com/article/boj-ueda-inflation-japan-economy-2e2ac3e81e9dc42519078b15924901a8.

56　“Cabinet Approves 29-Trillion-Yen Extra Budget, Inflation Package,” *Asahi Shimbun*, October 28, 2022, www.asahi.com/ajw/articles/14754498.（日本語版：「補正予算、29兆円超　政府方針」朝日新聞２０２２年10月28日付）

第6章

1　本章の一部は、著者が次に挙げる政策概要で論じた内容。“Japan's Consolidated Democracy in an Era of Populist Turbulence,” Democracy and Disorder, Brookings Institution, February 2019, www.

brookings.edu/research/japans-consolidated-democracy-in-an-era-of-populist-turbulence/.

2 T. J. Pempel, ed., *Uncommon Democracies: The One-Party Dominant Regimes* (Ithaca, NY: Cornell University Press, 1990).

3 Gerald Curtis, *The Japanese Way of Politics* (New York: Columbia University Press, 1988)（邦訳：ジェラルド・カーティス『「日本型政治」の本質：自民党支配の民主主義』山岡清二訳、ＴＢＳブリタニカ、１９８７年）；および Kent Calder, *Crisis and Compensation: Public Policy and Political Stability in Japan* (Princeton, NJ: Princeton University Press, 1988).

4 Steven Reed, "Japanese Electoral Systems since 1947," in *The Oxford Handbook of Japanese Politics*, ed. Robert J. Pekkanen and Saadia M. Pekkanen (Oxford, UK: Oxford University Press, 2021): 41–55.

5 Aurelia George Mulgan, "Japan's 'Un-Westminster' System: Impediments to Reform in a Crisis Economy," *Government and Opposition* 38, no. 1 (Winter 2003): 73–91.

6 Alisa Gaunder, "The Institutional Landscape of Japanese Politics," in *The Routledge Handbook of Japanese Politics*, ed. Alisa Gaunder (New York: Routledge, 2011); および Matthew M. Carlson and Steven R. Reed, *Political Corruption and Scandals in Japan* (Ithaca, NY: Cornell University Press, 2018).

7 "Japan Enacts Law to Rebalance Lower House Electoral Districts," Kyodo News, November 18, 2022, https://english.kyodonews.net/news/2022/11/5bd15951a42a-japan-enacts-law-to-rebalance-lower-house-electoral-districts.html.

8 Amy Catalinac, *Electoral Reform and National Security in Japan: From Pork to Foreign Policy* (New York: Cambridge University Press, 2016).

9 Ellis S. Krauss and Robert K. J. Pekkanen, *The Rise and Fall of Japan's LDP: Political Party*

Organizations as Historical Institutions (Ithaca, NY: Cornell University Press, 2010).

10 Matthew M. Carlson and Steven R. Reed, *Political Corruption and Scandals in Japan* (Ithaca, NY: Cornell University Press, 2018).

11 Harukata Takenaka, "Expansion of the Prime Minister's Power in the Japanese Parliamentary System," *Asian Survey* 59, no. 5 (2019): 844–69.

12 Axel Klein and Levi McLaughlin, "Komeito: The Party and Its Place in Japanese Politics," in *The Oxford Handbook of Japanese Politics*, ed. Robert J. Pekkanen and Saadia M. Pekkanen (Oxford, UK: Oxford University Press, 2021): 201–22.

13 Adam Liff and Ko Maeda, "Electoral Incentives, Policy Compromise, and Coalition Durability: Japan's LDP-Komeito Government in a Mixed Electoral System," *Japanese Journal of Political Science* 20, no. 1 (2019): 53–73.

14 Kenji E. Kushida and Phillip Lipscy, "The Rise and Fall of the Democratic Party of Japan," in *Japan under the DPJ: The Politics of Transition and Governance*, ed. Kenji E. Kushida and Phillip Lipscy (Stanford: Walter H. Shorenstein Asia-Pacific Research Center, Stanford University, 2013): 3–42.

15 Ikuo Kabashima and Gill Steel, "The Koizumi Revolution," *PS: Political Science and Politics* 40, no. 1 (2007): 81.

16 Tobias Harris, *The Iconoclast: Shinzo Abe and the New Japan* (London: Hurst Publishers, 2020).

17 Harukata Takenaka, "Evolution of Japanese Security Policy and the House of Councilors," *Japanese Journal of Political Science* 22, no. 2 (June 2021): 96–115.

18 Ko Mishima, "Unattainable Mission? The Democratic Party of Japan's Unsuccessful Policy-Making System Reform," *Asian Politics and Policy* 7, no. 3 (2015): 433–54.

19 Ethan Scheiner and Michael F. Thies, "The Political Opposition in Japan," in *The Oxford Handbook* *of Japanese Politics*, ed. Robert J. Pekkanen and Saadia M. Pekkanen, (Oxford, UK: Oxford University Press, 2021): 223–42.

20 Aurelia George Mulgan, "How Significant Was the LDP's Victory in Japan's Recent General Election?" East Asia Forum, December 31, 2012, www.eastasiaforum.org/2012/12/31/how-significant-was-the-ldps-victory-in-japans-recent-general-election/.

21 Masahisa Endo and Robert J. Pekkanen, "The LDP: Return to Dominance? Or a Golden Age Built on Sand?" in *Japan Decides 2014: The Japanese General Election*, ed. Robert J. Pekkanen, Steven R. Reed, and Ethan Scheiner (New York: Palgrave Macmillan, 2016): 41-54.

22 Mireya Solís, *Dilemmas of a Trading Nation: Japan and the United States in the Evolving Asia-Pacific Order* (Washington, DC: Brookings Institution Press, 2017).（シリーズ『貿易国家のジレンマ』）

23 Robert J. Pekkanen, Steven R. Reed, and Daniel M. Smith, "Japanese Politics between the 2012 and 2014 Elections," in *Japan Decides 2014: The Japanese General Election*, ed. Robert Pekkanen, Steven R. Reed, and Ethan Scheiner (London: Palgrave Macmillan, 2016): 20.

24 Alisa Gaunder, "Resolved: Japan Needs a Two-Party System," Debating Japan, Center for Strategic and International Studies, July 29, 2019, www.csis.org/analysis/resolved-japan-needs-two-party-system.

25 Takenaka, "Evolution of Japanese Security Policy."

26 次の資料を参照。Matthew M. Carlson, "Sontaku and Political Scandals in Japan," *Public Administration and Policy* 23, no. 1 (2020): 33–45, www.emerald.com/insight/content/doi/10.1108/PAP-11-2019-0033/full/html.

27 次の資料を参照。"Majority in Japan Don't Approve Abe Govt's Coronavirus Response: Mainichi Poll," *The Mainichi*, April 20, 2020, https://mainichi.jp/english/articles/20200420/

p2a/00m/0na/016000c.（日本語版：「新型コロナ対応『評価しない』53％　内閣支持率41％　毎日新聞世論調査」毎日新聞、２０２０年４月19日付）

28 Yukio Tajima and Yuki Fujita, "Honeymoon over as Suga Faces Make-or-Break Moment on Virus," *Nikkei Asia*, December 29, 2020, https://asia.nikkei.com/Spotlight/Coronavirus/Honeymoon-over-as-Suga-faces-make-or-break-moment-on-virus.

29 平田崇浩「内閣支持率26％　菅政権に『明かり』は見えず」毎日新聞、２０２１年８月30日付、https://mainichi.jp/premier/politics/articles/20210829/pol/00m/010/003000c

30 "Kishida Cabinet Support Rate Plunges to Lowest Level since Launch," *The Japan Times*, November 27, 2022, https://www.japantimes.co.jp/news/2022/11/27/national/politics-diplomacy/kishida-support-rate-lowest-poll/.

31 "LDP Execs and Ministers Must Sever Church Ties, Kishida Says," *The Japan Times*, August 22, 2022, www.japantimes.co.jp/news/2022/08/22/national/politics-diplomacy/ldp-code-of-conduct-unification-church/.

32 "Japan Enacts Law to Prohibit Malicious Solicitation for Donations," *Nikkei Asia*, December 10, 2022, https://asia.nikkei.com/Politics/Unification-Church-and-politics/Japan-enacts-law-to-prohibit-malicious-solicitation-for-donations.

33 Cabinet Office, "Overview of the Public Opinion Survey on the Life of the People," Public Relations Office, Government of Japan, January 2022, 51, https://survey.gov-online.go.jp/r03/r03-life/gairyaku.pdf.（日本語版：内閣府「『国民生活に関する世論調査』の概要　２０２２年１月」）

第７章

1 Cas Mudde and Cristóbal Rovira Kaltwasser, *Populism: A Very Short Introduction* (New York:

Oxford University Press, 2017).

2 Jan-Werner Müller, *What Is Populism?* (Philadelphia: University of Pennsylvania Press, 2016).（邦訳：ヤン＝ヴェルナー・ミュラー『ポピュリズムとは何か』板橋拓己訳、岩波書店、２０１７年）

3 Kirk A. Hawkins, *Venezuela's Chavismo and Populism in Comparative Perspective* (New York: Cambridge University Press, 2010).

4 Robert R. Barr, "Populists, Outsiders, and Anti-Establishment Politics," *Party Politics* 15, no. 1 (2009): 29–48.

5 Müller, *What Is Populism?* 106.（ミュラー『ポピュリズムとは何か』）

6 Cristóbal Rovira Kaltwasser, "Explaining the Emergence of Populism in Europe and the Americas," in *The Promise and Perils of Populism*, ed. Carlos de la Torre (Lexington: The University Press of Kentucky, 2015), 189–226.

7 Daniel M. Smith, *Dynasties and Democracy: The Inherited Incumbency Advantage in Japan* (Stanford: Stanford University Press, 2018), 23, 44.

8 Hideo Otake, "Neoliberal Populism in Japanese Politics: A Study of Prime Minister Koizumi in Comparison with President Reagan," in *Populism in Asia*, ed. Pasuk Phongpaichit and Kosuke Mizuno (Singapore and Japan: National University of Singapore Press and Kyoto University Press, 2009).

9 Olli Hellman, "Populism in East Asia," in *The Oxford Handbook of Populism*, ed. Cristóbal Rovira Kaltwasser et al. (Oxford, UK: Oxford University Press, 2017), 161–78; および Yu Uchiyama, *Koizumi and Japanese Politics: Reform Strategies and Leadership Style* (New York: Routledge, 2010).

10 Charles Weathers, "Reformer or Destroyer? Hashimoto Toru and Populist Neoliberal Politics in Japan," *Social Science Japan Journal* 17, no. 1 (2014): 77–96.

11 Ibid.

12 Ken Victor Leonard Hijino, "Winds, Fevers, and Floating Voters," in *The Crisis of Liberal Internationalism: Japan and the World Order*, ed. Yoichi Funabashi and John G. Ikenberry (Washington, DC: Brookings Institution Press, 2020): 247–48.（邦訳：ヒジノ　ケン・ビクター・レオナード「日本型ポピュリズム：フワッとした民意、突風と熱狂」船橋／アイケンベリー『自由主義の危機』）

13 次の資料を参照。Eric Johnston, "Hashimoto Cuts Ties with Nippon Ishin after Party's Poor Election Showing," *The Japan Times*, October 27, 2017, www.japantimes.co.jp/news/2017/10/27/national/politics-diplomacy/hashimoto-cuts-ties-nippon-ishin-partys-poor-election-showing/.

14 Takashi Hieda, Masahiro Zenkyo, and Masaru Nishikawa, "Do Populists Support Populism? An Examination through an Online Survey Following the 2017 Tokyo Metropolitan Assembly Election," *Party Politics* 27, no. 2 (2019): 1–12; および Robert A. Fahey, Airo Hino, and Sebastian Jungkunz, "Populist Attitudes and Party Preferences in Japan," North-Eastern Workshop on Japanese Politics, 2019, https://cpb-us-e1.wpmucdn.com/sites.dartmouth.edu/dist/d/274/files/2019/09/Fahey-NEWJP-Paper-Draft.pdf.

15 Robert A. Fahey, Airo Hino, and Robert J. Pekkanen, "Populism in Japan," in *The Oxford Handbook of Japanese Politics*, ed. Robert J. Pekkanen and Saadia M. Pekkanen (Oxford, UK: Oxford University Press, 2021), 317–51.

16 Axel Klein, "Is There Left Populism in Japan? The Case of Reiwa Shinsengumi," *The Asia-Pacific Journal* 18, no. 10 (2020): 1–19.

17 "Political Newcomer Sanseito Making Waves in Okinawa Elections," *The Japan Times*, August 8, 2022, https://www.japantimes.co.jp/news/2022/08/08/national/politics-diplomacy/okinawa-sanseito-popularity/.（日本語版：「参政党、沖縄知事選に意欲　参院選2万票、県内政界に波紋」沖縄タイ

ムス、２０２２年7月26日付)

18 William Galston, "The Populist Challenge to Liberal Democracy," *Journal of Democracy* 29, no. 2 (2019): 5–19.

19 今日40カ国が直面している、有害な分極化が民主主義にもたらす危険性についての優れた議論は、次の資料を参照。V-Dem Institute, "Democracy Report 2022: Autocratization Changing Nature?" University of Gothenberg, Gothenburg, Sweden, 2022, https://v-dem.net/media/publications/dr_2022.pdf.

20 Laura Silver, Janell Fetterolf, and Aidan Connaughton, "Diversity and Division in Advanced Economies," Pew Research Center, October 13, 2021, www.pewresearch.org/global/2021/10/13/diversity-and-division-in-advanced-economies/.

21 Pew Research Center, "As Partisan Hostility Grows, Signs of Frustration with the Two-Party System," August 9, 2022, www.pewresearch.org/topic/politics-policy/political-parties-polarization/political-polarization/.

22 V-Dem Institute, "Democracy Report 2022."

23 Jennifer McCoy and Benjamin Press, "What Happens When Democracies Become Perniciously Polarized?" Carnegie Endowment for International Peace, January 18, 2022, https://carnegieendowment.org/2022/01/18/what-happens-when-democracies-become-perniciously-polarized-pub-86190.

24 Ethan Scheiner and Michael F. Thies, "The Political Opposition in Japan," in *The Oxford Handbook of Japanese Politics*, ed. Robert J. Pekkanen and Saadia M. Pekkanen, (Oxford, UK: Oxford University Press, 2021), 223–42.

25 Ko Maeda, "The Continuing Predicament of Japan's Opposition," Sasakawa Peace Foundation USA, January 13, 2022, https://spfusa.org/publications/the-continuing-predicament-of-japansopposition/.

26 Steven Reed, "Japanese Electoral Systems since 1947," in *The Oxford Handbook of Japanese Politics*, ed. Robert J. Pekkanen and Saadia M. Pekkanen (Oxford, UK: Oxford University Press, 2021), 41-55.

27 "Japan Ruling Party Welcomes Opposition Votes for Draft Budget," *The Japan Times*, February 25, 2022, www.japantimes.co.jp/news/2022/02/25/national/politics-diplomacy/dpp-votes-for-budget/.

28 数字はすべて２０２２年９月時点。次の資料を参照。「各党の支持率は　ＮＨＫ世論調査」ＮＨＫ、２０２２年９月。

29 Bruce Stokes and Kat Devlin, "Despite Rising Economic Confidence, Japanese See Best Days behind Them and Say Children Face a Bleak Future," Pew Research Center, November 12, 2018, www.pewresearch.org/global/wp-content/uploads/sites/2/2018/11/Pew-Research-Center_Despite-Rising-Economic-Confidence-Japanese-See-Best-Days-Behind-Them-and-Say-Children-Face-Bleak-Future_2018-11-121.pdf.

30 ＮＨＫ放送文化研究所による調査結果は、次の資料で報告されている。Kaori Hayashi, "The Silent Public in a Liberal State: Challenges for Japan's Journalism in the Age of the Internet," in *The Crisis of Liberal Internationalism: Japan and the World Order*, ed. Yoichi Funabashi and John G. Ikenberry (Washington DC, The Brookings Institution Press, 2020), 335.（邦訳：林香里「静かな国民：ネット時代における日本のジャーナリズムの行方」船橋／アイケンベリー『自由主義の危機』）

31 Tobias Harris, *The Iconoclast: Shinzo Abe and the New Japan* (London: urst Publishers, August 2020).

32 次の資料を参照。Ankit Panda, "Tomomi Inada, Japan's Defense Minister, Resigns Following Weeks of Scandal," *The Diplomat*, July 28, 2017, https://thediplomat.com/2017/07/tomomi-inada-japans-defense-minister-resigns-following-weeks-of-scandal/.

33 次の資料を参照。Mizuho Aoki, "Abe Tells Asahi Shimbun to Help in 'Recovering Japan's Honor,'" *The Japan Times*, October 6, 2014, www.japantimes.co.jp/news/2014/10/06/national/politics-diplomacy/abe-tells-asahi-shimbun-to-help-in-recovering-japans-honor/.

34 Aurelia George Mulgan, "The Role of the Prime Minister in Japan," in *The Oxford Handbook of Japanese Politics*, ed. Robert J. Pekkanen and Saadia M. Pekkanen (Oxford, UK: Oxford University Press, 2021), 56-73.

35 Gerald Curtis, "Weak Opposition Is a Cancer in Japan's Political System," East Asia Forum, September 18, 2016, www.eastasiaforum.org/2016/09/18/weak-opposition-is-a-cancer-in-japans-political-system/.

36 Kaori Hayashi, "The Silent Public in a Liberal State."（林「静かな国民」）

第8章

1 Howard Schneider, "Japan's Possible Entry to Trade Talks Sparks Opposition in Congress," *The Washington Post*, March 15, 2013, www.washingtonpost.com/business/economy/japans-possible-entry-to-trade-talks-sparks-opposition-in-congress/2013/03/14/831582bc-8ce4-11e2-b63f-f53fb9f2fcb4 story.html.

2 Mireya Solís, *Dilemmas of a Trading Nation: Japan and the United States in the Evolving Asia-Pacific Order* (Washington, DC: Brookings Institution Press, 2017).（ソリース『貿易国家のジレンマ』）

3 Cabinet Public Affairs Office, "Press Conference by Prime Minister Abe," March 15, 2013, https://japan.kantei.go.jp/96_abe/statement/201303/15kaiken_e.html.（日本語版：「安倍内閣総理大臣記者会

見」２０１３年３月15日)

4 Andrei Lungu, "Japan and Europe's Triple Partnership: Parsing the new EU-Japan Strategic, Economic and Digital Agreements," *The Diplomat*, February 14, 2019, https://thediplomat.com/2019/02/japan-and-europes-triple-partnership/; および Mireya Solís and Shujiro Urata, "Abenomics and Japan's Trade Policy in a New Era," *Asian Economic Policy Review* 13, no. 1 (January 4, 2018): 117.

5 Peter Petri and Michael Plummer, "East Asia Decouples From the United States: Trade War, COVID-19, and East Asia's New Trade Blocs," Peterson Institute of International Economics, Washington, DC, June 2020, www.piie.com/system/files/documents/wp20-9.pdf.

6 将来のルール形成に関するＲＣＥＰのポテンシャルについては、次の資料を参照。Deborah Elms, "Getting RCEP across the Line," *World Trade Review* 20, no. 3 (July 2021): 1–8.

7 Mireya Solís, "Heyday of Asian Regionalism? Implications of the Regional Economic Comprehensive Economic Partnership for the United States," ERIA Discussion Paper, no. 435, Economic Research Institute for ASEAN and East Asia, August 2022, www.eria.org/publications/heyday-of-asian-regionalism-the-implications-of-the-regional-comprehensive-economic-partnership-for-the-united-states/.

8 Ibid.

9 Masaya Kato and Kosuke Takeuchi, "With an Eye on China, Japan Refuses to Ease TPP Rules for New Members," *Nikkei Asia*, December 18, 2020, https://asia.nikkei.com/Economy/Trade/With-eye-on-China-Japan-refuses-to-ease-TPP-rules-for-new-members.

10 Asian Development Bank (ADB), "Meeting Asia's Infrastructure Investment Needs," Mandaluyong City, Philippines, 2017, www.adb.org/sites/default/files/publication/227496/special-reportinfrastructure.pdf.

11 Saori Katada and Jessica Liao, “China and Japan in Pursuit of Infrastructure Investment Leadership in Asia: Competition or Convergence?” *Global Governance* 26 (2020): 449–72.

12 Nadège Rolland, “A Concise Guide to the Belt and Road Initiative,” National Bureau of Asian Research, April 11, 2019, www.nbr.org/publication/a-guide-to-the-belt-and-road-initiative/.

13 次の資料を参照。Martin A. Weiss, “Asian Infrastructure Investment Bank,” Congressional Research Service (CRS), March 17, 2022, https://crsreports.congress.gov/product/pdf/IF/IF10154.

14 David Dollar, “Seven Years into China’s Belt and Road,” Order from Chaos, The Brookings Institution, Washington, DC, October 1, 2020, www.brookings.edu/blog/order-from-chaos/2020/10/01/seven-years-into-chinas-belt-and-road/.

15 David Dollar, “China and the West Competing over Infrastructure in Southeast Asia,” The Brookings Institution, Washington, DC, April 2020, www.brookings.edu/research/china-and-the-west-competing-over-infrastructure-in-southeast-asia/.

16 Anna Gelper et al., “How China Lends: A Rare Look at 100 Contracts with Foreign Governments,” Policy report, Peterson Institute for International Economics; Kiel Institute for the World Economy, Center for Global Development; および AidData at William & Mary, March 2021, www.aiddata.org/publications/how-china-lends.

17 次の資料を参照。Mohamed Zeeshan, “Sri Lanka’s Meltdown Puts China’s Strategic Influence in Jeopardy,” *The Diplomat*, May 18, 2022, https://thediplomat.com/2022/05/sri-lankas-meltdown-puts-chinas-strategic-influence-in-jeopardy/.

18 次の資料を参照。Editorial Board, “China’s Shift on Debt Relief,” *The Christian Science Monitor*, August 1, 2022, www.csmonitor.com/Commentary/the-monitors-view/2022/0801/China-s-shifton-debt-relief.

19 Saori Katada, *Japan's New Regional Reality: Geoeconomic Strategy in the Asia-Pacific* (New York: Columbia University Press, 2020),182.（邦訳：片田さおり『日本の地経学戦略：アジア太平洋の新たな政治経済力学』三浦秀之訳、日本経済新聞出版、２０２２年）

20 Shiro Armstrong, "Economic Diplomacy and Economic Security under Abe," *Asian Economic Policy Review* 16, no. 2 (July 2021): 283-99.

21 Hironori Sasada, "Resurgence of the 'Japan Model'? Japan's Aid Policy Reform and Infrastructure Development Assistance," *Asian Survey* 59, no. 6, (2019): 1044-69.

22 Saori Katada, *Japan's New Regional Reality*.（片田『日本の地経学戦略』）

23 Roland Rajah, "Mobilizing the Indo-Pacific Infrastructure Response to China's Belt and Road Initiative in Southeast Asia," The Brookings Institution, Washington, DC, 2020, www.brookings.edu/research/mobilizing-the-indo-pacific-infrastructure-response-to-chinas-belt-and-road-initiative-in-southeast-asia/.

24 次の資料を参照。ASEAN Stats Data Portal, www.aseanstats.org/.

25 次の資料を参照。Shayerah I. Akhtar and Nick M. Brown, "U.S. International Development Finance Corporation: Overview and Issues," Report no. R47006, Congressional Research Service, Washington, DC, January 10, 2022, https://crsreports.congress.gov/product/pdf/R/R47006.

26 次の資料を参照。"The G7 at Last Presents an Alternative to China's Belt and Road Initiative," *The Economist*, July 7, 2022, www.economist.com/china/2022/07/07/the-g7-at-last-presents-an-alternative-to-chinas-belt-and-road-initiative.

27 次の資料を参照。Alifah Zainuddem, "What Happened to China's BRI Projects in Malaysia?" *The Diplomat*, October 5, 2021, https://thediplomat.com/2021/10/what-happened-to-chinas-briprojects-in-malaysia/.

28 Saori Katada, *Japan's New Regional Reality: Geoeconomic Strategy in the Asia-Pacific* (New York: Columbia University Press, 2020), 173.（片田『日本の地経学戦略』）

29 U.S. International Trade Commission (USITC), "Global Digital Trade1: Market Opportunities and Key Foreign Trade Restrictions," Publication no.4716, Investigation no. 332-561, August 2017, www.usitc.gov/publications/332/pub4716.pdf.

30 1ゼタバイトは1兆ギガバイト。

31 数字は次の資料で提示されている。Joshua P. Meltzer, "Governing Digital Trade," *World Trade Review* 18, Special Issue S1: Digital Trade (2019): 23–54.

32 Simon Abendin and Pingfang Duan, "Global E-Commerce Talks at the WTO: Positions on Selected Issues of the United States, European Union, China, and Japan," *World Trade Review* 20, no. 5 (December 2021): 707–24.

33 Rachel F. Fefer, "Data Flows, Online Privacy, and Trade Policy," Report no. R45584, Congressional Research Service, Washington, DC, March 26, 2020, https://fas.org/sgp/crs/misc/R45584.pdf.

34 Mira Burri, "Towards a New Treaty on Digital Trade," *Journal of World Trade* 55, no. 1 (2021): 77–100.

35 USITC, "Global Digital Trade 1."

36 この指数は、市場アクセス、投資要件、データに関する政策、貿易制限にかかわる政策措置100件について64カ国をランクづけしている。中国が1位でスコアは0・70、アメリカは22位で0・26、日本は50位で0・18。次の資料を参照。Martina F. Ferracane, Hosuk Lee-Makiyama, and Erik van der Marel, "Digital Trade Restrictiveness Index," European Center for International Political Economy, Brussels, https://ecipe.org/wp-content/uploads/2018/05/DTRI_FINAL.pdf.

37 Martina F. Ferracane and Hosuk Lee-Makiyama, "China's Technology Protectionism and Its Non-Negotiable Rationales," European Centre for International Political Economy, Brussels, June 26, 2017, 12, 15, https://ecipe.org/publications/chinas-technology-protectionism/.

38 Lisa Curtis, Joshua Fitt, and Jacob Stokes, "Advancing a Liberal Digital Order in the Indo-Pacific," Center for New American Security, Washington, DC, May 2021, www.cnas.org/publications/reports/advancing-a-liberal-digital-order-in-the-indo-pacific.

39 Dai Mochinaga, "The Expansion of China's Digital Silk Road and Japan's Response," *Asia Policy* 15, no. 1 (2020): 41–60.

40 Robert Holleyman, "Data Governance and Trade: The Asia-Pacific Leads the Way," The National Bureau of Asian Research (NBR), January 9, 2021, www.nbr.org/publication/data-governance-and-trade-the-asia-pacific-leads-the-way/.

41 日米デジタル貿易協定は、金融データ転送の条件を定め、ソースコードのみならずアルゴリズムおよび暗号化キーの強制移転を禁じ、インターネットプラットフォームにおけるサードパーティコンテンツの責任を制限し、電子政府データの機密性のないものに対するオープンアクセスのコミットメントを加えるという形で、これらの規定を強化した。注40の資料を参照。

42 Graham Greenleaf, "G20 Makes Declaration of "Data Free Flow with Trust": Support and Dissent," *Privacy Laws & Business International Report*, 2019, 18–19.

43 Burri, "Towards a New Treaty on Digital Trade."

第9章

1 Kenneth W. Abbot et al., "The Concept of Legalization," *International Organization* 54, no. 3

(2000): 401–19.

2 Anthea Roberts, Henrique Choer Moraes, and Victor Ferguson, “Toward a Geoeconomic Order in International Trade and Investment,” *Journal of International Economic Law* 22 (2019): 655–76; James L. Schoff and Satoru Mori, “The U.S.-Japan Alliance in an Age of Resurgent Techno-Nationalism,” Asia Strategy Initiative, Policy Memorandum #4, Sasakawa Peace Foundation, Tokyo, March 31, 2020, www.spf.org/jpus-insights/spf-asia-initiative-en/spf-asia-initiative004.html; および Daniel W. Drezner, “Introduction: The Uses and Abuses of Weaponized Interdependence,” in *The Uses and Abuses of Weaponized Interdependence*, ed. Daniel W. Drezner, Henry Farrell, and Abraham L. Newman (Washington, DC: Brookings Institution Press, March 2, 2021), 1–16.

3 Mireya Solís, “Comment on ‘Economic Diplomacy and Economic Security under Abe,’” *Asian Economic Policy Review* 16 (February 6, 2021): 300–01.

4 GATT第21条は、安全保障上の利益を主張する際に適用される具体的な状況を特定している。核分裂性物質、軍事兵器、戦時その他の国際関係の緊急時にかかわる措置などが対象だ。先日のWTO紛争処理小委員会（「ロシア・貨物通過事件パネル」）で、安全保障例外は司法審査の対象であると定められた。次の資料を参照。J. Benton Heath, “National Security and Economic Globalization: Toward Collision or Reconciliation?” *Fordham International Law Journal* 42, no. 5 (2019): 1443. ２０１８年にトランプ政権が鉄鋼およびアルミニウムに対して設置した国家安全保障を理由とする関税については、WTOが２０２２年10月に、これは違反であるという複数の判断を提示した。バイデン政権はこの判決に強く反発し、加盟国による安全保障例外の発動についてWTOは批判できないという旨を主張している。次の資料を参照。Doug Palmer, “WTO Says Trump’s Steel Tariffs Violated Global Trade Rules,“ *Politico*, December 9, 2022, https://www.politico.com/news/2022/12/09/wto-ruling-trump-tariffs-violaterules-00073282. 日本は、「包括的・先進的環太平洋経済連携協定」（ＣＰＴＰＰ）など、自国が加わる貿易・投資協定での安全保障例外を自主判断している。次の資料を参照。Tomoko Ishikawa, "Investment Screening on National Security Grounds and International Law: The Case of Japan," *Journal of International and Comparative Law* 7, no. 1 (2020): 71-98.

5 Roberts et al., "Toward a Geoeconomic Order in International Trade and Investment."

6 Julian Gerwitz, "The Chinese Reassessment of Interdependence," *China Leadership Monitor* 64 (June 1, 2020): 4, www.prcleader.org/gewirtz.

7 次の資料を参照。Chad P. Bown, "China Bought None of the Extra $200 Billion of US Exports in Trump's Trade Deal," Peterson Institute for International Economics, July 19, 2022, www.piie.com/blogs/realtime-economic-issues-watch/china-bought-none-extra-200-billion-us-exports-trumps-trade.

8 Ryan Hass, "How China Is Responding to Escalating Strategic Competition with the United States," *China Leadership Monitor*, no. 67 (March 1, 2021), www.prcleader.org/hass. 中国のリトアニアに対する経済的威圧行為と、ロシアのウクライナ侵攻に対する中国の暗黙的支持を理由に、欧中関係が冷え込んでいることに鑑みると、「包括的投資協定」（ＣＡＩ）が批准される見込みは低い。

9 Douglas B. Fuller, "China's Counter-Strategy to American Export Controls in Integrated Circuits," *China Leadership Monitor*, no. 67 (March 1, 2021), www.prcleader.org/fuller.

10 Mark Wu, "Managing the China Trade Challenge: Confronting the Limits of the WTO," Working Paper for the Penn Project on the Future of U.S.-China Relations, the University of Pennsylvania's Center for the Study of Contemporary China, 2020, https://cpb-us-w2.wpmucdn.com/web.sas.upenn.edu/dist/b/732/files/2020/10/Mark-Wu_Limits-of-WTO_Final.pdf.

11 次の資料を参照。Gavin Bade, "Runaway Inflation Brings New Attention to Easing China Tariffs,"

Politico, June 15, 2022, www.politico.com/news/2022/06/15/inflation-china-tariffs-00039651.

12 アメリカ通商拡大法第２３２条（輸入品が国家安全保障を損なう場合には関税措置をとることを認める）の具体的な発動は、この新しい時代の特徴である。アメリカ国防総省は、現行の鉄鋼供給は自国の防衛装備製造需要を満たすに十分な量を上回っていると明示しているにもかかわらず、商務省は、自国の鉄鋼生産能力活用が少ないという理由で、関税を推奨した。つまり、国家安全保障を理由とする関税は、軍事的準備態勢のためではなく、産業政策としての目的で課されたものだった。

13 次の資料を参照。White House, “Fact Sheet: U.S.-EU Trade and Technology Council Establishes Economic and Technology Policies & Initiatives,” May 16, 2022, www.whitehouse.gov/briefing-room/statements-releases/2022/05/16/fact-sheet-u-s-eu-trade-and-technology-council-establishes-economic-and-technology-policies-initiatives/; および White House, “Fact Sheet: U.S.-Japan Competitiveness and Resilience (CoRe) Partnership,” April 16, 2021, www.whitehouse.gov/briefing-room/statements-releases/2021/04/16/fact-sheet-u-s-japan-competitiveness-and-resilience-core-partnership/.

14 Sarah Bauerle Danzman, “Investment Screening in the Shadow of Weaponized Interdependence,” in *The Uses and Abuses of Weaponized Interdependence*, ed. Daniel W. Drezner, Henry Farrell, and Abraham L. Newman (Washington, DC: Brookings Institution Press, 2021), 257–72.

15 James L. Schoff, “U.S.-Japan Technology Policy Coordination: Balancing Techno-Nationalism with a Globalized World,” Paper, Carnegie Endowment for International Peace, Washington, DC, June 2020, 19–20, https://carnegieendowment.org/2020/06/29/u.s.-japan-technology-policy-coordination-balancing-technonationalism-with-globalized-world-pub-82176.

16 Adam Segal, “Huawei, 5G, and Weaponized Interdependence,” in *The Uses and Abuses of Weaponized Interdependence*, ed. Daniel W. Drezner, Henry Farrell, and Abraham L. Newman

(Washington DC: Brookings Institution Press, 2021), 149–68.

17 Eurasia Group, "The Geopolitics of Semiconductors," September 2020, 3, www.eurasiagroup.net/live-post/geopolitics-semiconductors.

18 The White House, "Remarks by National Security Advisor Jake Sullivan at the Special Competitive Studies Project Global Emerging Technologies Summit," September 16, 2022, www.whitehouse.gov/briefing-room/speeches-remarks/2022/09/16/remarks-by-national-security-advisor-jake-sullivan-at-the-special-competitive-studies-project-global-emerging-technologies-summit/.

19 Martijn Rasser and Kevin Wolf, "The Right Time for U.S. Chip Controls," *Lawfare*, December 13, 2022, www.lawfareblog.com/right-time-chip-export-controls.

20 "White House to Set Up 'Trade Strike Force' Led by USTR, Eyes New 232 Probe," *Inside U.S. Trade*, June 8, 2021, https://insidetrade.com/daily-news/white-house-set-%E2%80%98trade-strike-force%E2%80%99-led-ustr-eyes-section-232-magnet-probe.

21 The White House, "Fact Sheet: CHIPS and Science Act Will Lower Costs, Create Jobs, Strengthen Supply Chains, and Counter China," August 9, 2022, https://www.whitehouse.gov/briefing-room/statements-releases/2022/08/09/fact-sheet-chips-and-science-act-will-lower-costs-create-jobs-strengthen-supply-chains-and-counter-china/.

22 次の資料を参照。Akin Gump Strauss Hauer & Feld LLP, "Senate Passes Chips-Plus Package, House Passage Imminent," July 27, 2022, www.akingump.com/en/news-insights/senate-passes-chips-plus-package-house-passage-imminent.html.

23 「総合安全保障」というコンセプトの誕生と、消滅までの経緯について、詳細な考察は次の資料を参照。Akihiko Tanaka, "Security: Human, National, and International," *Japan's Diplomacy Series*, Japan Digital Library, The Japan Institute for International Affairs, Tokyo, 2013, https://www2.jiia.or.jp/

en/pdf/digital_library/japan_s_diplomacy/160325_Akihiko_Tanaka.pdf.（日本語版：田中明彦「安全保障―人間・国家・国際社会」大芝亮編『日本の外交：対外政策　課題編』第５巻、岩波書店、２０１３年）

24 Mireya Solís, *Banking on Multinationals: Public Credit and the Export of Japanese Sunset Industries* (Stanford: Stanford University Press, 2004).

25 “New Government Division Gathers ‘Elite Level’ Staff to Bridge Gap between Realms of Economy, National Security,” *The Japan News*, May 24, 2020.

26 内閣府「経済財政運営と改革の基本方針２０２０～危機の克服、そして新しい未来～」２０２０年７月17日、https://www5.cao.go.jp/keizai-shimon/kaigi/cabinet/2020/2020_basicpolicies_ja.pdf

27 Solís, *Banking on Multinationals*.

28 Tetsushi Kajimoto and Daniel Kaussink, “Japan Tightens Rules on Foreign Stakes in 518 Firms, Citing National Security,” Reuters, May 8, 2020, www.reuters.com/article/us-japan-investment-mof/japan-tightens-rules-on-foreign-stakes-in-518-firms-citing-national-security-idUSKBN22K0Z0.

29 Shiro Armstrong and Shujiro Urata, “Japan First? Economic Security in a World of Uncertainty,” Australia-Japan Research Centre (AJRC) Working Paper no. 01/2021, Crawford School of Public Policy, Australian National University, March 2021.

30 Tsuguhito Omagari and Yuki Sako, “New Japanese Foreign Investment Regulation Could Impact the Financial Services Industry and Undermine Japan’s Corporate Governance Reform,” K&L Gates LLP, December 9, 2019, www.jdsupra.com/legalnews/new-japanese-foreign-investment-53407/.

31 Mitsuhiro Kamiya and Akira Kumaki, “As Shareholder Activism Grows in Japan, New Amendment Places Limits on Foreign Investors,” Skadden, Arps, Slate, Meagher & Flom LLP and Affiliates, January 21, 2020, www.skadden.com/insights/publications/2020/01/2020-insights/as-shareholder-activism-grows-in-japan.

32 Tatsushi Amano, “Japan’s Economic Statecraft,” Working paper, Strategic Japan 2022, Center for Strategic and International Studies, 2022, www.csis.org/programs/japan-chair/projects/strategic-japan.

33 Tomoo Marukawa, “Japan’s High Technology Trade with China and Its Export Control,” *Journal of East Asian Studies* 13, no. 3 (2013): 483-501.

34 “Japan Bans Huawei and Its Chinese Peers from Government Contracts,” *Nikkei Asia*, December 10, 2018, https://asia.nikkei.com/Economy/Trade-war/Japan-bans-Huawei-and-its-Chinese-peers-from-government-contracts.

35 Tomoo Marukawa, “Export Restrictions in the Japan-China-U.S. Trilateral Relationship,” *The Japanese Political Economy* 46, no. 2–3 (2020): 152–75.

36 Ministry of Economy, Trade, and Industry, Subcommittee on Security Export Control Policy, Trade Committee, Industrial Structure Council, “Interim Report (Overview),” October 8, 2019, www.meti.go.jp/english/policy/external_economy/trade_control/pdf/191008a.pdf（日本語版：経済産業省「産業構造審議会　通商・貿易分科会　安全保障貿易管理小委員会中間報告（概要)」２０１９年10月８日）；および Amano, “Japan’s Economic Statecraft.”

37 Gregory C. Allen and Emily Benson, “Clues to the U.S.-Dutch-Japanese Semiconductor Export Controls Deal Hiding in Plain Sight,” Center for Strategic and International Studies, March 1, 2023, https://www.csis.org/analysis/clues-us-dutch-japanese-semiconductor-export-controls-deal-are-hiding-plain-sight.

38 “Japan to Limit Foreign Students’ Access to Security-Linked Tech,” *Nikkei Asia*, October 26, 2021, https://asia.nikkei.com/Politics/Japan-to-limit-foreign-students-access-to-security-linked-tech.

39 Gabriel Domínguez, “Japan, Long a Prime Target for Spying, Seeks to Improve Handling of

Sensitive Information," *The Japan Times*, March 9, 2023, https://www.japantimes.co.jp/news/2023/03/09/national/economic-security-sensitive-info/.

40 Kristin Vekasi, "Politics, Markets, and Rare Commodities: Responses to Chinese Rare Earth Policy," *Japanese Journal of Political Science* 20, no. 1 (March 2019): 2–20.

41 Center for Strategic and International Studies, "Does China Pose a Threat to Global Rare Earth Supply Chains?" China Power Project, July 17, 2020, https://chinapower.csis.org/china-rare-earths/.

42 Ryosuke Hanafusa, "Japan to Pour Investment into Non-China Rare-Earth Projects," *Nikkei Asia*, February 15, 2020, https://asia.nikkei.com/Politics/International-relations/Japan-to-pour-investment-into-non-China-rare-earth-projects.

43 次の資料を参照。Mireya Solís, "The Big Squeeze: Japanese Supply Chains and Great Power Competition," Joint U.S.-Korea Academic Studies, Korea Economic Institute of America (KEI), Washington, DC, July 30, 2021, 293–312, https://keia.org/publication/the-big-squeeze-japanese-supply-chains-and-great-power-competition/.

44 次の資料を参照。経済産業省「半導体・デジタル産業戦略」２０２１年６月、www.meti.go.jp/press/2021/06/20210604008/20210603008-1.pdf.

45 次の資料を参照。"Japan to Subsidize TSMC's Kumamoto Plant by up to $3.5bn," *Nikkei Asia*, June 17, 2022, https://asia.nikkei.com/Business/Tech/Semiconductors/Japan-to-subsidize-TSMC-s-Kumamoto-plant-by-up-to-3.5bn.

46 次の資料を参照。Cheng Ting-Fang and Lauly Li, "The Resilience Myth: Fatal Flaws in the Push to Secure Chip Supply Chains," *Financial Times*, August 4, 2022, https://www.ft.com/content/f76534bf-b501-4cbf-9a46-80be9feb670c. 中国の産業支援は集積回路（ＩＣ）産業投資ファンドの設立に

とどまらず、税額控除、外国技術調達に対する優遇措置、市価を下回る利息で融資を受けられるようにするなどの策を含む。試算によれば、２０１５年から２０２５年のあいだに中国の半導体メーカーに対して行われる国家的支援の額は１４５０億ドル。次の資料を参照。White House, "Building Resilient Supply Chains, Revitalizing American Manufacturing, and Fostering Broad-Based Growth," 100-Day Reviews under Ex. Order 14017, June 2021, www.whitehouse.gov/wp-content/uploads/2021/06/100-day-supply-chain-review-report.pdf?utm_source=sfmc%E2%80%8B&utm_medium=email%E2%80%8B&utm_campaign=20210610_Global_Manufacturing_Economic_Update_June_Members.

47 次の資料を参照。Mireya Solís, "Toward a US-Japan Digital Alliance," Working Paper Vol. 1, Shaping the Pragmatic and Effective Strategy Toward China Project, Sasakawa Peace Foundation, October 2021, https://www.spf.org/iina/en/articles/mireya-solis_01.html.

48 Chad P. Bown and Kristin Dziczek, "Why US Allies Are Upset over Electric Vehicle Subsidies in the Inflation Reduction Act," Excerpts from *the Trade Talks Podcast*, Peterson Institute for International Economics, December 2, 2022, https://www.piie.com/blogs/realtime-economics/why-us-allies-are-upset-over-electric-vehicle-subsidies-inflation.

49 次の資料を参照。Toshiya Takahashi, "Japan's Economic Security Bill a Balance between Business and the Bureaucracy," East Asia Forum, June 26, 2022, https://www.eastasiaforum.org/2022/06/26/japans-economic-security-bill-balances-business-and-the-bureaucracy/.

50 次の資料を参照。"Japan to Focus on Tech from 20 Fields as Part of Economic Security Drive," *The Japan Times*, July 20, 2022, www.japantimes.co.jp/news/2022/07/20/business/economic-security-advanced-technology-sectors/.

51 Takayuki Kobayashi, Bill Emmott, and Robert Ward, "Japan's Economic Security Strategy," webinar, International Institute for Strategic Studies, May 12, 2022, https://www.iiss.org/events/2022/05/japans-economic-security-strategy.

第10章

1 Kenneth Pyle, *The Making of Modern Japan*, 2nd ed. (Lexington, MA: D. C. Heath, 1996).

2 John W. Dower, *Embracing Defeat: Japan in the Wake of World War II* (New York: W. W. Norton and Company, 1999).（邦訳：ジョン・ダワー『敗北を抱きしめて：第二次大戦後の日本人』三浦陽一／高杉忠明訳、岩波書店、増補版、２００４年）

3 The Constitution of Japan, chapter 2, article 9, https://japan.kantei.go.jp/constitution_and_government_of_japan/constitution_e.html.（日本語版：日本国憲法第二章第九条）

4 Pyle, *The Making of Modern Japan*.

5 Satoru Mori, “The New Security Legislation and Japanese Public Reaction,” The Tokyo Foundation for Policy Research, December 2, 2015, www.tkfd.or.jp/en/research/detail.php?id=542.

6 Sheila A. Smith, *Japan Rearmed: The Politics of Military Power* (Cambridge, MA: Harvard University Press, 2019).

7 Victor Cha, *Powerplay: The Origins of the American Alliance System in Asia* (Princeton, NJ: Princeton University Press, 2018), 3, 5.

8 Richard J. Samuels, *Securing Japan: Tokyo’s Grand Strategy and the Future of East Asia* (Ithaca, NY: Cornell University Press, 2007).（邦訳：リチャード・J・サミュエルズ『日本防衛の大戦略：富国強兵からゴルディロックス・コンセンサスまで』白石隆監訳、中西真雄美訳、日本経済新聞出版、２００９年）

9 １９６０年の交換公文においてアメリカ政府は、域内の軍有事作戦で日本国内に配備したアメリカ軍を動かす際には、日本当局に事前相談する旨に合意した。次の資料を参照。Adam Liff, "The U.S.-Japan Alliance and Taiwan," *Asia Policy* 17, no. 3 (July 2022): 139.

10 Tobias Harris, *The Iconoclast: Shinzo Abe and the New Japan* (London: Hurst Publishing, 2020).

11 Smith, *Japan Rearmed*, 44.

12 Paul Midford, *Overcoming Isolationism: Japan's Leadership in East Asian Security Multilateralism* (Stanford: Stanford University Press, 2020).

13 Corey Wallace, "Japan's Strategic Contrast: Continuing Influence Despite Relative Power Decline in Southeast Asia," *The Pacific Review* 32, no. 5 (2019): 863-97.

14 非核三原則と武器輸出三原則は、どちらも１９６７年に発表された。防衛支出をＧＤＰの１％までとする自主規制が最初に公式に議論されたのは１９７３年で、事実上の政策と認識されていたが、正式に採用されたのは１９７６年。次の資料を参照。Ministry of Foreign Affairs of Japan, "Three Non-Nuclear Principles," www.mofa.go.jp/policy/un/disarmament/nnp/index.html（日本語版：外務省「非核三原則」）；Ministry of Foreign Affairs of Japan, "Japan's Policies on the Control of Arms Exports," https://www.mofa.go.jp/policy/un/disarmament/policy/index.html; および John C. Wright, "The Persistent Power of 1 Percent," Forum Issue 4, Sasakawa Peace Foundation USA, Washington, DC, 2016, https://spfusa.org/wp-content/uploads/2016/09/1-percent-final.pdf.

15 Smith, *Japan Rearmed*, 52.

16 Kenneth Pyle, *The Japanese Question: Power and Purpose in a New Era* (Washington, DC: AEI Press, 1996), 26.（邦訳：ケネス・B・パイル『日本への疑問：戦後の50年と新しい道』加藤幹雄訳、サイマル出版会、１９９５年）

17 Mireya Solís, "China, Japan, and the Art of Economic Statecraft," Global China, The Brookings Institution, Washington, DC, February 2020, www.brookings.edu/research/china-japan-and-the-art-of-economic-statecraft/.

18 Peter Katzenstein and Nobuo Okawara, "Japan's National Security: Structures, Norms, and Policies," *International Security* 17, no. 4 (1993): 84–118.

19 次の資料を参照。Ministry of Foreign Affairs of Japan, "Outline of Japan's International Peace Cooperation," May 14, 2015, www.mofa.go.jp/fp/ipc/page22e_000683.html.（日本語版：外務省「我が国の国際平和協力」）

20 Sheila A. Smith, *Japan Rearmed: The Politics of Military Power* (Cambridge, MA: Harvard University Press, 2019); および Kyoko Hatakeyama, "Japan's Peacekeeping Policy: Strategic Calculation or Internalization of an International Norm?" *The Pacific Review* 27, no. 5 (2014): 629–50.

21 Ministry of Foreign Affairs of Japan, "Japan's Contributions Based on the International Peace Cooperation Act," May 14, 2015, https://www.mofa.go.jp/fp/ipc/page22e_000684.html.（日本語版：外務省「国際平和協力法に基づく我が国の国際平和協力業務等の実績」）

22 次の資料で引用されている。Hatakeyama, "Japan's Peacekeeping Policy," 636–37.

23 次の資料を参照。David E. Sanger, "Tokyo Reluctant to Levy Sanctions on North Koreans," *The New York Times*, June 4, 1994, www.nytimes.com/1994/06/09/world/tokyo-reluctant-to-levy-sanctions-on-north-koreans.html.

24 Yoichi Funabashi, *Alliance Adrift* (Washington, DC: Council on Foreign Relations, 1999).（日本語版：船橋洋一『同盟漂流』岩波書店、１９９７年）

25 Hidekazu Sakai, "Continuity and Discontinuity of Japanese Foreign Policy towards North Korea: Freezing the Korea Energy Development Organization (KEDO) in 1998," in *Japanese Foreign Policy in Asia and the Pacific*, ed. Akitoshi Miyashita and Yoichiro Sato (New York: Palgrave Macmillan,

2001), 63-73.（邦訳：酒井英一「北朝鮮政策における継続性と非継続性：ミサイル発射実験とＫＥＤＯ凍結」宮下明聡／佐藤洋一郎編『現代日本のアジア外交：対米協調と自主外交のはざまで』ミネルヴァ書房、２００４年）

26 Larry Wortzel, "Joining Forces against Terrorism: Japan's New Law Commits More than Words to U.S. Efforts," The Heritage Foundation, November 5, 2001, www.heritage.org/homeland-security/report/joining-forces-against-terrorism-japans-new-law-commits-more-thanwords-us.

27 Samuels, *Securing Japan*, 95-96.（サミュエルズ『日本防衛の大戦略』）

28 Smith, *Japan Rearmed*, 81.

29 次の資料を参照。Arms Control Association, "The Six-Party Talks at a Glance," January 2022, www.armscontrol.org/factsheets/6partytalks.

30 Michael J. Green, *By More than Providence: Grand Strategy and American Power in the Asia Pacific since 1783* (New York: Columbia University Press, 2017), 526-27.（邦訳：マイケル・グリーン『アメリカのアジア戦略史：建国期から21世紀まで』細谷雄一／森聡監訳、勁草書房、２０２４年）

31 Andrew Oros, *Japan's Security Renaissance: New Policies and Politics for the Twenty-First Century* (New York: Columbia University Press, 2017).

32 Michael J. Green, *Line of Advantage: Japan's Grand Strategy in the Era of Abe Shinzo* (New York: Columbia University Press, 2022), 88-90.（邦訳：マイケル・J・グリーン『安倍晋三と日本の大戦略：21世紀の「利益線」構想』上原裕美子訳、日本経済新聞出版、２０２３年）

33 次の資料を参照。Richard L. Armitage and Joseph S. Nye, "The U.S.-Japan Alliance: Anchoring Stability in Asia," *Report of the Center for Strategic and International Studies (CSIS) Japan Chair* (Washington, DC, August 2012), https://csis-website-prod.s3.amazonaws.com/s3fs-public/legacy_files/files/publication/120810_Armitage_USJapanAlliance_Web.pdf.

第11章

1 安倍政権における日本の大戦略についてはマイケル・J・グリーンが信頼できる考察を提示している。次の資料を参照。Michael J. Green, *Line of Advantage: Japan's Grand Strategy in the Era of Abe Shinzo* (New York: Columbia University Press, 2022).（グリーン『安倍晋三と日本の大戦略』）

2 Mayumi Fukushima and Richard J. Samuels, "Japan's National Security Council: Filling the Whole of Government?" *International Affairs* 94, no. 4 (2018): 773–90.

3 次の資料を参照。Linda Sieg and Kiyoshi Takenaka, "Japan Enacts Strict State Secrets Law Despite Protests," *Reuters*, December 6, 2013, www.reuters.com/article/us-japan-secrets/japan-enacts-strict-state-secrets-law-despite-protests-idUSBRE9B50JT20131206.

4 日本は１９７６年から武器輸出を禁止。１９６７年の武器輸出三原則（共産圏諸国、国連による武器禁輸措置の対象となった国、紛争地域に武器を輸出しない）をベースとして、いっそう厳しく武器輸出を制限していた。２０１４年４月に安倍政権においてこの制限を緩和。信頼できるパートナー国に限定して防衛装備移転を認めるという新たなガイドラインを定めた。この政策緩和のねらいは、規模の経済を活かして日本の防衛産業の競争力を高め、防衛装備品の共同開発・生産を通じて日米協力を深化させ、軍事能力増強の取り組みを通じて世界における日本の影響力を拡大することだった。次の資料を参照。Shannon Dick and Hana Rudolph, "Japan Updates Arms Export Policy," The Stimson Center, April 24, 2014, www.stimson.org/2014/japan-updates-arms-export-policy-0/; および Martin Fackler, "Japan Ends Decades-Long Ban on Export of Weapons," *The New York Times*, April 1, 2014, www.nytimes.com/2014/04/02/world/asia/japan-ends-half-century-ban-on-weapons-exports.html.

5 内閣法制局が法に関する審査・調査を行い、提出する法案の合憲性についてアドバイスをする。

6 Jeffrey W. Hornung, "Japan's 2015 Security Legislation: Change Rooted Firmly in Continuity," in *Routledge Handbook of Japanese Foreign Policy*, ed. Mary M. McCarthy (New York: Routledge,

2018), 22–40.

7 Satoru Mori, "The New Security Legislation and Japanese Public Reaction," Tokyo Foundation for Policy Research, December 2, 2015, www.tkfd.or.jp/en/research/detail.php?id=542; および Hitoshi Nasu, "Japan's 2015 Security Legislation: Challenges to Its Implementation Under International Law," *International Law Studies* 92, study no. 249 (2016): 249–80.

8 次の資料を参照。Kiyoshi Takenaka, "Huge Protest in Tokyo Rail against PM Abe's Security Bills," Reuters, August 30, 2015, www.reuters.com/article/us-japan-politics-protest/huge-protest-in-tokyo-rails-against-pm-abes-security-bills-idUSKCN0QZ0C320150830.

9 Adam P. Liff, "Japan's Defense Policy: Abe the Evolutionary," *The Washington Quarterly* 38, no. 2 (2015): 79–99.

10 Green, *Line of Advantage*, 94, 104.（グリーン『安倍晋三と日本の大戦略』）

11 次の資料を参照。Cabinet Office of Japan, "Cabinet Decision on the Development Cooperation Charter," February 10, 2015, www.mofa.go.jp/files/000067701.pdf.（日本語版：外務省「開発協力大綱について」２０１５年２月）

12 次の資料を参照。Shinzo Abe, "Confluence of the Two Seas," Speech to Parliament of the Republic of India, New Delhi, August 22, 2007, www.mofa.go.jp/region/asia-paci/pmv0708/speech-2.html.（日本語版：外務省「インド国会における安倍総理大臣演説：『二つの海の交わり』」２００７年８月22日）

13 Tanvi Madan, "India, the Indo-Pacific, and the Quad," in *Regional Perspectives on the Quadrilateral Dialogue and the Indo-Pacific*, ed. Scott W. Harold, Tanvi Madan, and Natalie Sambhi (Santa Monica, CA: RAND Corporation, 2020), 5–21, www.rand.org/pubs/conf_proceedings/CF414.html.

14 Kevin Rudd, "Why the Quad Alarms China: Its Success Poses a Major Threat to Beijing's

Ambitions," *Foreign Affairs*, August 6, 2021（邦訳：ケビン・ラッド「中国はクアッドの何を警戒しているか：北京の野心とクアッドの目的」『フォーリン・アフェアーズ・リポート』２０２１年11月号）；および Dhruva Jaishankar and Tanvi Madan, "How the Quad Can Match the Hype," *Foreign Affairs*, April 15, 2021.

15 香港のジャーナリスト、フランク・チンは「『アジアの弧』、オーストラリアなしで絶望的」と書いた。Frank Ching, "'Asian Arc' Doomed without Australia," *The Japan Times*, February 22, 2008, www.japantimes.co.jp/opinion/2008/02/22/commentary/asian-arc-doomed-without-australia/.

16 Yuichi Hosoya, "FOIP 2.0: The Evolution of Japan's Free and Open Indo-Pacific Strategy," *Asia-Pacific Review* 26, no. 1 (2019): 18–28.

17 次の資料を参照。Shinzo Abe, "Asia's Democratic Security Diamond," Project Syndicate, December 27, 2012, www.project-syndicate.org/onpoint/a-strategic-alliance-for-japan-and-india-by-shinzo-abe.

18 次の資料を参照。"Behind the New Abe Diplomacy: An Interview with Cabinet Advisor Yachi Shōtarō (Part One)," Nippon.com, August 8, 2013, www.nippon.com/en/currents/d00089/.（日本語版：「地球を俯瞰する安倍外交：谷内正太郎内閣官房参与インタビュー(1)」２０１３年８月８日）

19 次の資料を参照。Shinzo Abe, "Address by Prime Minister Shinzo Abe at the Opening Session of the Sixth Tokyo International Conference on African Development (TICAD VI)," Speech at the Kenyatta International Convention Centre, Nairobi, Kenya, August 27, 2016, www.mofa.go.jp/afr/af2/page4e_000496.html.（日本語版：外務省「ＴＩＣＡＤ Ⅵ開会に当たって・安倍晋三日本国総理大臣基調演説」２０１６年８月27日）

20 Hosoya, "FOIP 2.0."

21 次の資料を参照。Ministry of Defense of Japan, "Vientiane Vision: Japan's Defense Cooperation

“Initiative with ASEAN,” www.mod.go.jp/en/d_act/exc/vientianevision/index.html.（日本語版：防衛省「ビエンチャン・ビジョン～日ASEAN防衛協力イニシアティブ～」）

22 Corey Wallace, “Japan’s Strategic Contrast: Continuing Influence despite Relative Power Decline in Southeast Asia,” *The Pacific Review* 32, no. 5 (2019): 863–97.

23 インド太平洋戦略を発表した国は、インド、フランス、ドイツ、オランダ、EU。次の資料を参照。Darshana M. Baruah, “India in the Indo-Pacific: New Delhi’s Theater of Opportunity,” Carnegie Endowment for International Peace, Washington, DC, June 30, 2020, https://carnegieendowment.org/2020/06/30/india-in-indo-pacific-new-delhi-s-theater-of-opportunity-pub-82205; および Girish Luthra, “An Assessment of the European Union’s Indo-Pacific Strategy,” Observer Research Foundation Issue Brief no. 504, November 10, 2021, www.orfonline.org/research/an-assessment-of-the-european-unions-indo-pacific-strategy/.

24 Jonathan Stromseth, “Don’t Make Us Choose: Southeast Asia in the Throes of U.S.-China Rivalry,” Report, The Brookings Institution, Washington, DC, October 2019, 14, www.brookings.edu/research/dont-make-us-choose-southeast-asia-in-the-throes-of-us-china-rivalry/.

25 Kei Koga, “Japan and Southeast Asia in the Indo-Pacific,” in *Implementing the Indo-Pacific: Japan’s Region Building Initiatives*, ed. Kyle Springer (Perth, Australia: Perth USAsia Centre, 2019), 24–37, perthusasia.edu.au/events/past-conferences/defence-forum-2019/2019-indo-pacific-defenceconference-videos/keynotes-and-feature-presentations/pu-134-japan-bookweb.aspx.

26 Wilhelm Vosse and Paul Midford, eds., *Japan’s New Security Partnerships: Beyond the Security Alliance* (Manchester, UK: Manchester University Press, 2018).

27 Sharon Seah et al., “The State of Southeast Asia 2022 Survey Report,” ISEAS-Yusof Ishak Institute, Asian Studies Centre, Singapore, 2022, 28, https://www.iseas.edu.sg/wp-content/

uploads/2022/02/The-State-of-SEA-2022_FA_Digital_FINAL.pdf.

28 日本のスコアは２０２１年に68・２%だったが、２０２２年には54・２%に下降した。カンボジアの回答者における急落が主な理由。次の資料を参照。Seah et al., "The State of Southeast Asia 2022 Survey Report," 44.

29 ISEAS-Yusof Ishak Institute, "The State of Southeast Asia Survey," 2019–2022, www.iseas.edu.sg.

30 ２０２２年時点で、アメリカへの信頼スコアは52・８%、中国へは26・８%。次の資料を参照。Seah et al., "The State of Southeast Asia 2022 Survey Report," 3.

31 Ibid., 33.

32 次の資料を参照。"Japan's Abe Says Won't Alter 1993 Apology on 'Comfort Women,'" *Reuters*, March 13, 2014, www.reuters.com/article/us-japan-korea/japans-abe-says-wont-alter-1993-apology-on-comfort-women-idUSBREA2D04R20140314.

33 次の資料を参照。"'Comfort Women': Japan and South Korea Hail Agreement," BBC, December 28, 2015, www.bbc.com/news/world-asia-35190464.

34 Qinchen Zhang, "Sectoral and Country-Origin Dynamics of FDI in China in 1997–2020," *The Chinese Economy* 56, no. 2 (2022): 89–103.

35 David Dollar, "Four Decades of Reforming China's International Economic Role," Paper presented at *Reform and Opening: Forty Years and Counting*, Center for the Study of Contemporary China, University of Pennsylvania, April 26–27, 2018.

36 Mira Rapp-Hooper et al., "Responding to China's Complicated Views on International Order," Alliance Policy Coordination Brief, Project on China Risk and China Opportunity for the U.S.-Japan Alliance, Carnegie Endowment for International Peace, Washington, DC, October 10, 2019, https://carnegieendowment.org/2019/10/10/responding-to-china-s-complicated-views-oninternational-order-pub-80021.

37 Kurt M. Campbell and Rush Doshi, "How America Can Shore Up Asian Order: A Strategy for Restoring Balance and Legitimacy," *Foreign Affairs*, January 12, 2021, www.foreignaffairs.com/articles/united-states/2021-01-12/how-america-can-shore-asian-order（邦訳：カート・Ｍ・キャンベル／ラッシュ・ドーシ「アジア秩序をいかに支えるか：勢力均衡と秩序の正統性」『フォーリン・アフェアーズ・リポート』２０２１年２月号）；および Noboru Yamaguchi, "The Geostrategy of FOIP vs. BRI and the Role for Japan," Working paper no. 3, Shaping the Pragmatic and Effective Response to China Project, Sasakawa Peace Foundation, Tokyo, 2021, www.spf.org/iina/en/articles/yamaguchi_04.html.（日本語版：山口昇「『インド太平洋』対『一帯一路』の戦略地政学と日本の役割」【現実的な対中戦略構築事業 ワーキングペーパーＶｏｌ４】笹川平和財団）

38 次の記事で引用されている。"How Japan Sees China," *The Economist*, January 1, 2022, www.economist.com/asia/2022/01/01/how-japan-sees-china.（邦訳：「東アジア関係、日本は中国をどう見ているのか？：中国との競争に突入し、欧米諸国が重視し始めた日本の見解」ＪＢＰｒｅｓｓ、２０２２年１月５日）

39 Masafumi Iida, "China's Security Threats and Japan's Responses," in *Strategic Japan 2021: The Future of Japan-China Relations*, Center for Strategic and International Studies, Washington, DC, 2021, https://csis-website-prod.s3.amazonaws.com/s3fs-public/210405_Iida_Security%20Issues.pdf?Ag0IL6LQTTMb HXsk3XJnIDMLazbE9Bg.

40 次の資料を参照。"Japan and China Launch Defense Communication Mechanism to Prevent Air and Sea Clashes," *The Japan Times*, June 8, 2018, www.japantimes.co.jp/news/2018/06/08/national/politics-diplomacy/japan-china-launch-defense-communication-mechanism-prevent-air-sea-clashes/.

41 Mireya Solís, “China, Japan, and the Art of Economic Statecraft,” Global China, The Brookings Institution, Washington, February 2020, www.brookings.edu/research/china-japan-and-the-art-of-economic-statecraft/.

42 Laura Silver, Kat Devlin, and Christine Huang, “Large Majorities Say China Does Not Respect the Personal Freedom of Its People,” Pew Research Center, June 30, 2021, https://www.pewresearch.org/global/wp-content/uploads/sites/2/2021/06/PG_2021.06.30_Global-Views-China_FINAL.pdf.

43 Ryan Hass, *Stronger: Adapting America's China Strategy in an Age of Competitive Interdependence* (New Haven, CT: Yale University Press, 2021), 139, 141.

44 Satoru Mori, “U.S. Leadership in Maritime Asia: A Japanese Perspective on the Rebalance and Beyond,” in *China's Rise and Australia-Japan-U.S. Relations: Primacy and Leadership in East Asia*, ed. Michael Heazle and Andrew O'Neil (Northampton, MA: Edward Elgar Publishing, 2018), 119-42.

45 ダラー、ハス、ベイダーによる共著論文が、トランプ政権の対中政策における過激主義的なねらいと、限定的な業績について、優れた考察を提示している。次の資料を参照。David Dollar, Ryan Hass, and Jeffrey A. Bader, “Assessing U.S.-China Relations 2 Years into the Trump Presidency,” The Brookings Institution, January 15, 2019, www.brookings.edu/blog/order-from-chaos/2019/01/15/assessing-u-s-china-relations-2-years-into-the-trump-presidency/.

46 Mireya Solís, “The Underappreciated Power: Japan after Abe,” *Foreign Affairs*, November/December 2020, www.foreignaffairs.com/articles/japan/2020-10-13/underappreciated-power.（邦訳：ミレヤ・ソリス「日はまた昇る：日本のパワーは過小評価されている」『フォーリン・アフェアーズ・リポート』２０２０年11月号）

47 Yinan He, “The Japan Differential: China's Policy toward Japan during the Trump Era,” *Asia Policy*

17, no. 2 (2022): 99–123.

48 Adam P. Liff and Phillip Y. Lipscy, "Japan Transformed? The Foreign Policy Legacy of the Abe Government," *Journal of Japanese Studies* 48, no. 1 (Winter 2022): 123–47.

49 Adam Liff and Ko Maeda, "Electoral Incentives, Policy Compromise, and Coalition Durability: Japan's LDP-Komeito Government in a Mixed Electoral System," *Japanese Journal of Political Science* 20, no. 1 (2019): 53–73.

50 Kenneth Mori McElwain, "The Perils and Virtues of Constitutional Flexibility: Japan's Constitution and the Liberal International Order," in *The Crisis of Liberal Internationalism: Japan and the World Order*, ed. Yoichi Funabashi and John Ikenberry (Washington, DC: Brookings Institution Press, 2020), 303–24.（邦訳：ケネス・盛・マッケルウェイン「憲法：柔軟さがもたらす強みと弱み」船橋／アイケンベリー『自由主義の危機』）

51 次の資料を参照。James D. J. Brown, "The High Price of a Two-Island Deal," *The Japan Times*, November 16, 2018, www.japantimes.co.jp/opinion/2018/11/16/commentary/japan-commentary/high-price-two-island-deal/.

52 Yuki Tatsumi, "Japanese Defence Spending at the Fiscal Crossroads," East Asia Forum, February 17, 2021, www.eastasiaforum.org/2021/02/17/japanese-defence-spending-at-the-fiscal-crossroads/.

53 Jeffrey W. Hornung and Mike M. Mochizuki, "Japan: Still an Exceptional U.S. Ally," *The Washington Quarterly* 39, no. 1 (Spring 2016): 95–116.

第12章

1 Colin Kahl and Thomas Wright, *Aftershocks: Pandemic Politics and the End of the Old International*

Order (New York: St. Martin's Press, 2021).

2 アメリカ国防総省が２０２１年11月に発表した報告書によれば、中国の貯蔵兵器は２０３０年までに4倍となり、核弾頭は１０００発に到達する見込み。次の資料を参照。Demetri Sevastopulo and Kathrin Hille, "China Tests New Space Capability with Hypersonic Missile," *Financial Times*, October 16, 2021, www.ft.com/content/ba0a3cde-719b-4040-93cb-a486e1f843fb; および Andrew F. Krepinevich Jr., "The New Nuclear Age: How China's Growing Nuclear Arsenal Threatens Deterrence," *Foreign Affairs*, May/June 2022, www.foreignaffairs.com/articles/china/2022-04-19/new-nuclear-age.（邦訳：アンドリュー・F・クレピネビッチ「強大化する中国の核戦力：変化するパワーバランスと抑止」『フォーリン・アフェアーズ・リポート』２０２２年7月号）

3 次の資料を参照。Michelle Ye Hee Lee, "U.S. and South Korea Respond to North Korean Launch with 8 Missiles of Their Own," *Washington Post*, June 6, 2022, www.washingtonpost.com/world/2022/06/06/north-korea-ballistic-missile-us-south-korea/; および Choe Sang-hun, "North Korea Sees New Opportunities in 'Neo-Cold War,'" *The New York Times*, November 13, 2022, www.nytimes.com/2022/11/13/world/asia/north-korea-missile-tests.html.

4 次の資料を参照。"Russia-China Joint Statement on International Relations, February 4, 2022," U.S.-China Institute, University of Southern California, February 4, 2022, https://china.usc.edu/russia-china-joint-statement-international-relations-february-4-2022.

5 Angela Stent, "The Putin Doctrine: A Move on Ukraine Was Always Part of the Plan," *Foreign Affairs*, January 27, 2022, www.foreignaffairs.com/articles/ukraine/2022-01-27/putin-doctrine.（邦訳：アンジェラ・ステント「プーチン・ドクトリンの目的：勢力圏の確立とポスト冷戦秩序の解体」『フォーリン・アフェアーズ・リポート』２０２２年3月号）

6 次の資料を参照。Government of Japan, "Japan Stands with Ukraine," June 20, 2022, https://japan.

kantei.go.jp/ongoingtopics/pdf/jp_stands_with_ukraine_eng.pdf.（日本語版：首相官邸「日本はウクライナと共にあります」）

7　次の資料を参照。Michelle Ye Hee Lee and Julia Mio Inuma, "Japan Has Always Been Refugee-Averse. Then Ukraine Happened," *Washington Post*, June 21, 2022, www.washingtonpost.com/world/2022/06/21/japan-ukraine-refugees-immigration/.

8　次の資料を参照。Naoya Yoshino, "Getting Real: Kishida Marks 'New Era' in Diplomacy as Japan Looks Beyond Pacifism," *Nikkei Asia*, May 25, 2022, https://asia.nikkei.com/Spotlight/The-Big-Story/Getting-real-Kishida-marks-new-era-in-diplomacy-as-Japan-looks-beyond-pacifism.

9　次の資料を参照。Robert Wright and Demetri Sevastopulo, "'Resolute' Ukraine Response Vital to Deter China on Taiwan, Japan PM Says," *Financial Times*, May 5, 2022, https://www.ft.com/content/1850bba8-d2ea-48f6-9e33-763b008019b7.

10　２０２１年９月に発表された米英豪三国間安全保障パートナーシップＡＵＫＵＳにより、オーストラリアは初めて原子力潜水艦を配備することとなった。今後、サイバーセキュリティ、ＡＩ、量子コンピューティングといった分野でも協力する。次の資料を参照。Tom Corben, Ashley Townshend, and Susannah Patton, "What Is the AUKUS Partnership?" United States Studies Centre, September 16, 2021, www.ussc.edu.au/analysis/explainer-what-is-the-aukus-partnership.

11　The White House, "Indo-Pacific Strategy of the United States," National Security Council, Executive Office of the President, Washington, DC, February 2022, www.whitehouse.gov/wp-content/uploads/2022/02/U.S.-Indo-Pacific-Strategy.pdf.

12　Richard Bush, *Difficult Choices: Taiwan's Quest for Security and the Good Life* (Washington, DC: Brookings Institution Press, 2021).

13　次の資料を参照。Michael E. O'Hanlon, "Can China Take Taiwan? Why No One Really Knows,"

The Brookings Institution, August 2022, https://www.brookings.edu/research/can-china-take-taiwan-why-no-one-really-knows/.

14 次の資料を参照。Liam Gibson, "Abe Again Says Taiwan's Security Is Japan's Affair and US Should Opt for 'Strategic Clarity,'" *Taiwan News*, February 27, 2022, www.taiwannews.com.tw/en/news/4457017; および "Tokyo Says Taiwan Security Directly Connected to Japan—Bloomberg," *Reuters*, June 24, 2021, www.reuters.com/article/japan-taiwan-china-security/tokyo-says-taiwan-security-directly-connected-to-japan-bloomberg-idUSL3N2O64E5.

15 Adam P. Liff, "The U.S.-Japan Alliance and Taiwan," *Asia Policy* 17, no. 3 (July 2022): 125–60.

16 David Sacks, "Enhancing U.S.-Japan Coordination for a Taiwan Conflict," Discussion Paper, Council on Foreign Relations, January 2022, www.cfr.org/report/enhancing-us-japan-coordination-taiwan-conflict; および Tetsuo Kotani, "Japan and Asia's Security in 2022 with Kotani Tetsuo and Ueki Chikako Kawakatsu," hosted by Robert Ward, *Japan Memo* podcast, Season 2, Episode 5, International Institute for Strategic Studies, June 7, 2022, www.iiss.org/blogs/podcast/2022/06/japan-and-asia-security-in-2022.

17 White House, "Phnom Penh Statement on U.S.-Japan-Republic of Korea Trilateral Partnership for the Indo-Pacific," November 13, 2022, www.whitehouse.gov/briefing-room/statements-releases/2022/11/13/phnom-penh-statement-on-trilateral-partnership-for-the-indo-pacific/.

18 Motoko Rich and Choe Sang-Hun, "Japan and South Korea Make Nice, but Can It Last?" *The New York Times*, March 17, 2023, https://www.nytimes.com/2023/03/17/world/asia/japn-south-korea-relations.html.

19 次の資料を参照。Michitaka Kaiya, "Kishida's 'Realism' Foreign Policy Vision Put to Test by Russian Invasion," *The Japan News*, May 7, 2022, https://japannews.yomiuri.co.jp /politics/political-

pulse/20220507-24286/.

20 次の資料を参照。"Transcript: Japan PM Kishida's Speech at Shangri-La Dialogue," *Nikkei Asia*, June 11, 2022, https://asia.nikkei.com/Politics/International-relations/Indo-Pacific/Transcript-Japan-PM-Kishida-s-speech-at-Shangri-La-Dialogue.（日本語版：外務省「岸田総理のアジア安全保障会議（シャングリラ・ダイアローグ）における基調講演」２０２２年６月10日）

21 この部分は匿名のレビューアーによるフィードバックを受けて論を磨くことができた。

22 Jesse Johnson and Gabriel Dominguez, "With Renewed Push, Kishida Aims to Put His Own Stamp on Japan's Indo-Pacific Strategy," *The Japan Times*, March 21, 2023, https://www.japantimes.co.jp/news/2023/03/21/national/politics-diplomacy/fumio-kishida-investment-foip-china/.

23 自由民主党「新たな国家安全保障戦略等の策定に向けた提言～より深刻化する国際情勢下におけるわが国及び国際社会の平和と安全を確保するための防衛力の抜本的強化の実現に向けて～」２０２２年４月26日、https://www.jimin.jp/news/policy/203401.html（訳注：原書での英訳は本書著者によるとの付記あり）

24 Chieko Tsuneoka, "Japan Approves Extra Defense Spending and Sets a Record," *The Wall Street Journal*, November 26, 2021, www.wsj.com/articles/japan-approves-extra-defense-spending-and-sets-a-record-11637916622.

25 次の資料を参照。Jesse Johnson, "Japan Should Consider Hosting U.S. Nuclear Weapons, Abe Says," *The Japan Times*, February 27, 2022, www.japantimes.co.jp/news/2022/02/27/national/politics-diplomacy/shinzo-abe-japan-nuclear-weapons-taiwan/.

26 Rob Fahey, "Under Kishida, Japan's Security Reforms Gather Speed," *Tokyo Review*, June 6, 2022, www.tokyoreview.net/2022/06/under-kishida-japans-security-reforms-gather-speed/.

27 「２０２２年６月　電話全国世論調査　質問と回答」読売新聞、２０２２年６月６日付、www.yomiuri.co.jp/election/yoron-chosa/20220605-OYT1T50163/

28 Craig Kafura, "Does the Russia-Ukraine War Herald a New Era for Japan's Security Policy?" *The Diplomat*, May 16, 2022, https://thediplomat.com/2022/05/does-the-russia-ukraine-war-herald-a-new-era-for-japans-security-policy/.

29 Craig Kafura et al., "Strong Partners: Japanese and American Perceptions of the U.S. and the World," The Chicago Council of Global Affairs and Japan Institute for International Affairs, March 2022, 2, 9.

30 Cabinet Office of Japan, National Security Strategy, Tokyo, December 2022, https://www.cas.go.jp/jp/siryou/221216anzenhoshou/nss-e.pdf.（日本語版：内閣官房「国家安全保障戦略」２０２２年12月）

31 Ibid.（「国家安全保障戦略」）

32 外国の領土攻撃に関する日本国内の議論について、メリットとデメリットの詳細な分析は次の資料を参照。Corey Wallace, "Japan and Foreign Territory Strike: Debate, Deterrence, and Defense Strength," *Journal of Global Strategic Studies* 1, no. 2 (2021): 30–78.

33 Christopher Johnstone, "Japan's Transformational National Security Strategy," Center for Strategic and International Studies, December 8, 2022, www.csis.org/analysis/japans-transformational-national-security-strategy.

34 "Japan Seeks to Raise 5-Year Defense Spending by 50 Percent," *Nikkei Asia*, December 5, 2022, https://asia.nikkei.com/Politics/Japan-seeks-to-raise-5-year-defense-spending-by-50.

35 "Tax Hike Plan for Defense Spending OK'ed, despite Lack of Schedule," *The Asahi Shimbun*, December 16, 2022, https://www.asahi.com/ajw/articles/14794229.

終　章

1 次の資料を参照。Lawrence H. Summers, "Accepting the Reality of Secular Stagnation," *Finance & Development*, March 2020, www.imf.org/en/Publications/fandd/issues/2020/03/larry-summers-on-secular-stagnation.

2 次の資料を参照。Lowy Institute, Asia Power Index, 2021 edition, https://power.lowyinstitute.org/power-gap/.

ま

は

な

た

さ

か

あ

索　引

数　字

アルファベット

著者

ミレヤ・ソリース
Mireya Solís

ブルッキングス研究所東アジア政策研究センター所長、フィリップ・ナイト日本研究チェア、外交政策上級フェロー。日本の対外経済政策、国際貿易政策、米国のアジアにおけるエコノミック・ステートクラフトの研究を専門とする。
主な著書に、2018年に第34回大平正芳記念賞を受賞した『Dilemmas of a Trading Nation』(2017年。邦訳『貿易国家のジレンマ』日本経済新聞出版)、『Banking on Multinationals』(2004年)、編著書に『Cross Regional Trade Agreements』(2008年)、『Competitive Regionalism』(2009年。邦訳『アジア太平洋のFTA競争』勁草書房)がある。ニューヨーク・タイムズ、フィナンシャル・タイムズ、ワシントン・ポスト、日本経済新聞、フォーリン・アフェアーズ誌などにも寄稿。

訳者

上原裕美子
うえはら・ゆみこ

翻訳者
主な訳書に、マイケル・J・グリーン『安倍晋三と日本の大戦略』、リチャード・ハース『The World(ザ・ワールド)』、ファリード・ザカリア『パンデミック後の世界 10の教訓』、スティーヴン・K・ヴォーゲル『日本経済のマーケットデザイン』(以上、日本経済新聞出版)、スティーヴン・S・コーエン&ブラッドフォード・デロング『アメリカ経済政策入門』(みすず書房)など。

ネットワークパワー　日本の台頭
「失われた30年」論を超えて

2024年7月17日　1版1刷

著　者　ミレヤ・ソリース
訳　者　上原裕美子
発行者　中川ヒロミ
発　行　株式会社日経BP
　　　　日本経済新聞出版
発　売　株式会社日経BPマーケティング
　　　　〒105-8308　東京都港区虎ノ門4-3-12
装　幀　野網デザイン事務所
DTP　マーリンクレイン
印刷・製本　三松堂印刷株式会社

ISBN 978-4-296-11985-1

本書籍に関するお問い合わせ，ご連絡は下記にて承ります。
https://nkbp.jp/booksQA

Printed in Japan